THE KISSING BOOTH 3

L'ULTIMA VOLTA

BETH REEKLES

THE KISSING BOOTH 3

L'ULTIMA VOLTA

Traduzione di Michela Albertazzi

Titolo originale: *The Kissing Booth 3: One Last Time*
Traduzione dall'inglese: Michela Albertazzi
Testo: © Beeth Reeks, 2021

Original English language edition first published by Penguin Books Ltd, a part of the
Penguin Random House UK group.
Text copyright © Beth Reeks, 2021
Cover art © Netflix, 2021 – Used with permission
Back cover image and palm tree © Shutterstock
The author has asserted her moral rights.
All rights reserved

Per l'edizione italiana: © 2021 DeA Planeta Libri S.r.l
Redazione: via Inverigo, 2 – 20151 Milano
www.deaplanetalibri.it

Stampa: PUNTOWEB S.r.l. - Ariccia (Roma) – 2021

Nota dell'Autrice

—

Ciao a tutti!

Insomma, eccoci qui. Cinque libri, tre film e dieci anni di *Kissing Booth*, e la storia di Elle, Lee e Noah finalmente si conclude. Non è incredibile?

Ho scritto *Kissing Booth* quando avevo quindici anni e l'ho caricato online su Wattpad. Ero sbalordita dal fatto che qualcuno lo volesse leggere e osavo a malapena sperare di riuscire un giorno a pubblicare qualcosa. (E per giunta ridevo dei commenti di chi diceva che avrebbero dovuto farne un film, mi sembrava troppo fantastico e bizzarro per poterlo anche solo sognare...)

All'epoca dicevo sempre che non avevo in mente di scrivere un sequel, o di portare avanti la storia, ma è stata dura abbandonare questi personaggi. Hanno un grande significato per me e sono stati una parte così importante della mia vita che sono contenta di aver avuto la possibilità di esplorare più a fondo la loro storia, e ora di concluderla in questo romanzo.

Ho sempre saputo come sarebbe andata a finire per Elle e Noah, e Lee. Forse non ho sempre avuto chiaro come sarebbe andato il viaggio, ma conoscevo la destinazione finale. Che è esattamente ciò in cui potrete tuffarvi ora, in questo volume della serie *Kissing Booth*.

Questo libro è stato una sfida davvero interessante: scrivere un romanzo basato sul film, basato sugli altri film che erano basati sui miei libri. *Ehm*, facile, vero? O forse non proprio facile, ma molto divertente. E anche se questo libro è una versione romanzata del terzo film di Netflix, non seguirà completamente la sceneggiatura del film. Anche se la storia è la stessa, continua il filone del mio sequel, *Kissing Booth 2: Un amore a distanza*, perciò, invece di Marco e Chloe del film, torneranno Levi e Amanda!

Per giunta, potrete vedere alcuni passaggi che nel film non ci sono, e conoscere i personaggi in modo diverso. Non avrete bisogno di vedere il film per poter leggere il libro, e forse il libro vi è capitato in mano dopo aver soltanto visto i film. O forse siete fan sin dai primi tempi di Wattpad! A ogni modo, grazie di essere qui, e spero che il capitolo finale della storia di Elle vi piacerà.

Beth

1

Papà si schiarì la voce e buttò la posta sul bancone. Una busta spessa scivolò verso di me.

«Che cos'è?» chiesi con la bocca piena di Cheerios.

Invece di rispondermi, papà disse: «Ehi, Brad, perché non vai a metterti a posto la stanza, prima di andare da Benny?»

«Ma... »

Non c'era spazio per i "ma", perché con un grugnito papà sollevò Brad, il mio fratello minore, dal suo sgabello al tavolo della colazione e lo fece alzare in piedi. «Vai su, piccolo, e ti risparmio il compito di lavare i piatti insieme a Elle stamattina.»

Mi vennero subito dei sospetti. Quest'estate papà aveva deciso di dare a Brad più responsabilità in casa. Io gli avevo già insegnato a piegare il bucato e a fare la pasta. Papà gli aveva insegnato a tagliare bene l'erba nel fine settimana, e avevamo appena stabilito una routine per farci aiutare a lavare i piatti. Papà diceva che ora che Brad andava alle medie era abbastanza grande per aiutare, ma sapevamo tutti il vero motivo: avrei iniziato il college in autunno, e non avrei più avuto modo di fare niente di tutto ciò.

A quel pensiero mi si annodò lo stomaco. Entro pochi

mesi, una volta arrivata a Berkeley, tutto sarebbe cambiato. Certo, la casa non sarebbe crollata senza di me: quando, ogni estate, passavo un paio di settimane alla casa sulla spiaggia dei Flynn, andava sempre tutto bene. Ma comunque un po' mi preoccupavo all'idea di lasciarli da soli ad arrangiarsi.

Solo pochi giorni prima ero al settimo cielo, mentre attraversavo il palco per ricevere il mio diploma delle superiori e lanciavo il tocco in aria come tutti gli altri... ero entrata alla UC Berkeley insieme al migliore amico di sempre, Lee Flynn, proprio come avevamo sempre pianificato sin da quando eravamo grandi abbastanza da capire che cosa fosse il college. Avevamo trascorso tutta la vita insieme e avremmo iniziato insieme anche questo nuovo capitolo da studenti del college. Era tutto perfetto. Era tutto esattamente come doveva essere.

Avevamo detto che l'ultimo anno di superiori sarebbe stato il *nostro* anno e, certo, c'erano stati... alti e bassi, a volte, ma comunque era stato fantastico. E anche il college lo sarebbe stato. Per quanto fossi ansiosa per via dei mille cambiamenti, era comunque un pensiero emozionante.

«Che succede?» chiesi con gli occhi socchiusi, guardando prima la busta e poi mio padre. Ingoiai l'ultimo boccone di cereali, mi pulii la bocca con il dorso della mano e spinsi la ciotola da parte.

Papà si sedette sullo sgabello che Brad aveva lasciato vuoto, battendo un dito sulla busta accanto a me. «Forse potresti dirmelo tu. È arrivata questa per te.»

«Per me?»

Presi la busta e la voltai.

SIG.NA R. EVANS...

C'era il logo dell'università di Harvard.

Oh.

Oh, merda.

I miei Cheerios stavano risalendo dallo stomaco e avevo il cuore in gola mentre annaspavo per aprire la busta. Non poteva succedere. Non era possibile. Un paio di mesi prima avevo ricevuto una lettera che mi informava di essere stata inserita in lista d'attesa, e sarebbe dovuta finire lì. Se non che... a quanto pare, non era così.

Estrassi la lettera e la appiattii sul bancone per leggerla.

... LIETI DI COMUNICARLE...

Alzai la testa di scatto, a bocca aperta. «Io... Io...»

Non riuscivo a emettere una parola.

Impaziente, con gli occhi un po' folli dietro agli occhiali, mio padre afferrò la lettera per leggerla da sé. Vidi i suoi occhi saltare da una parola all'altra per un paio di volte, poi scoppiò in una risata e scosse la testa.

Sobbalzai, sapendo che cosa stava per succedere, e risposi con un gemito, chinandomi in avanti per affondare la testa sulle braccia. «Per favore, non dirlo. Ti prego, non dirlo.»

«Sei entrata ad Harvard! La mia bambina è stata ammessa ad Harvard!» Poi si schiarì di nuovo la voce. «Tesoro, non mi avevi neanche detto di aver fatto domanda. È per via... per via di Noah?»

Gemetti di nuovo.

Questo non sarebbe dovuto succedere.

Il primo college a cui avevo fatto domanda era stato Berkeley, perché, insomma, era ovvio. E poi avevo fatto alcune domande di ammissione di ripiego. Ovviamente. Era così che si faceva, no? È quello che aveva detto il consulente per l'orientamento. Per cui, naturalmente, io e Lee avevamo cercato di scegliere le stesse scuole di ripiego.

Lee aveva parlato di fare domanda alla Brown perché la sua fidanzata, Rachel, aveva fatto domanda lì e, forse, in una sorta di momento di follia, io... avevo mandato una domanda di ammissione ad Harvard: l'università che frequentava il mio fidanzato, Noah, il fratello maggiore di Lee.

Era una follia perché non avrei mai dovuto essere ammessa. Non me lo aspettavo minimamente e non avevo mai pensato di riuscirci. Voglio dire, certo, a scuola mi impegnavo molto e avevo buoni voti, e qualche corso extracurricolare, e i test attitudinali erano andati bene... ma... si trattava di Harvard, capito? Non era il tipo di università a cui si viene ammessi per caso; dovevi lavorare sodo per tutta la carriera scolastica per avere un posto.

Era una follia, non avrebbero mai dovuto accettarmi.

«Più o meno» dissi a mio padre ora. Alzai appena la testa e feci una smorfia quando incontrai il suo sguardo. *Argh.* Sembrava così fiero di me. Avrei preferito che la smettesse. «È solo che... non so. Ho pensato che sarebbe stato bello. Come Lee, che voleva fare domanda alla Brown perché Rachel va lì. Non l'ho mai detto a nessuno...»

«Aspetta, Lee non ne sa niente?» Parte dell'orgoglio nella sua espressione aveva cominciato a sfumare. *Bene*, pensai. Una buona dose di disapprovazione da parte di papà era il minimo che mi meritassi per non aver detto un segreto al mio migliore amico. L'ultima volta che l'avevo fatto era stato quando avevo iniziato a uscire con Noah ed ero preoccupata che Lee lo venisse a sapere e ci rimanesse male. E anche quella volta non era andata proprio benissimo quando lo aveva scoperto, anche se poi alla fine mi aveva perdonata...

«Non è che volessi proprio nasconderglielo» cercai di spiegare. «Non era come... sai, come quando ho iniziato a uscire con Noah. Non ho mai pensato che mi avrebbero accettata, perciò non mi sembrava il caso di spaventarlo. Non ho pensato...» Sospirai. «Ero in lista d'attesa e pensavo che fosse una figata, sai? Ma la gente che finisce in lista d'attesa per Harvard non viene mai veramente ammessa.»

«A quanto pare invece sì.»

«Già» borbottai.

Il viso di mio padre si aprì in un sorriso e fece il giro intorno al bancone per abbracciarmi. «Be', qualunque cosa tu decida di fare, sono davvero fiero di te, Elle. Harvard! Ammetto di non essere stato entusiasta quando hai iniziato a uscire con Noah, ma se questo è l'effetto che ha su di te adesso...»

«Guarda che non ho fatto domanda solo per via di Noah. Voglio dire... è Harvard. Chi non vorrebbe andare ad Harvard?»

«Diciamo che lui è il motivo per cui hai scelto Harvard e non, per esempio, Yale.»

«Esatto» ammisi. «E ho pensato... insomma... volevo vedere se sarei riuscita a entrare, capisci?»

«Be', hai tenuto bene il segreto! Non l'hai detto nemmeno al tuo vecchio!» Rise e si sedette di fronte a me, ma poi lo vidi aggrottare le sopracciglia e il sorriso scomparve dal suo viso. Toccò di nuovo la lettera. «Quindi, non lo hai detto a Lee... e neanche a Noah, immagino?»

«No, non lo sa nessuno. Non volevo che Noah avesse delle aspettative, e non volevo che Lee pensasse... non volevo ferirlo. Fargli credere che non volessi andare a Berkeley.»

«Hai già confermato la tua iscrizione a Berkeley?»

Scossi la testa. Ne avevo tutte le intenzioni. Solo che non avevo ancora trovato il tempo.

Forse parte del motivo per cui non lo avevo ancora fatto era che avevo conservato una minuscola traccia di speranza di salire dalla lista d'attesa di Harvard, ma...

Questo non sarebbe dovuto succedere.

Un pomeriggio, al telefono, Noah mi aveva detto con noncuranza che forse avrei dovuto fare domanda, aveva detto che sarebbe stato bello avermi vicina, e passare più tempo insieme, e che gli mancavo tantissimo. Non voleva che lo prendessi sul serio, e lo sapevo bene, ma...

Mi era rimasto in mente. E in tutta onestà, volevo vedere se ne sarei stata capace.

Harvard. Sono stata ammessa ad Harvard. Io, Elle Evans!

Avevo la bocca secca e lo stomaco attorcigliato.

«Hai già un'idea di che cosa farai?»

Fissai la lettera pensando a quella che avevo nel cassetto di sopra e che diceva pressappoco la stessa cosa, ma su carta intestata di Berkeley.

Io e Lee eravamo fissati con Berkeley da sempre, praticamente. Non era in un altro stato, ed era lì che le nostre madri si erano conosciute ed erano diventate amiche così intime. Sembrava speciale.

E anche escludendo dai calcoli Noah e la nostra relazione... be', Harvard era Harvard. Era il tipo di college che si sogna di frequentare, per il quale ci si impegna tutta la vita.

(Ma lo ammetto, il fatto che Noah lo frequentasse era un grosso vantaggio.)

Guardai la lettera e poi mio padre, che sembrava talmente orgoglioso da essere sul punto di esplodere.

«Per favore, non andare a raccontarlo a tutti, adesso» dissi. «Specialmente non dirlo ai Flynn. Devo... devo rifletterci.»

Non potevo sopportare l'idea che Lee o Noah lo venissero a sapere perché papà si era lasciato sfuggire la notizia davanti ai loro genitori in un momento di folle orgoglio paterno. Non sapevo nemmeno come avrebbe reagito Noah, né che cosa avrebbe detto se avessi deciso di andare, forse quando aveva detto che sarebbe stato bello avermi vicina lo aveva detto senza pensarci, senza volerlo veramente. Forse non mi voleva davvero ad Harvard con sé, dopotutto.

E Lee...

Lee ci sarebbe rimasto malissimo se avessi cambiato idea e gli avessi detto che, in effetti, nonostante tutte le nostre promesse e nonostante la mia delusione quando aveva fatto domanda alla Brown, in effetti avevo fatto la stessa cosa con Noah, alle sue spalle.

«Dovrai decidere in fretta, piccola» disse papà. Tese la mano e mi strinse la spalla. «Harvard non può aspettare una risposta per sempre.»

Prima di dirlo a Noah e Lee, dovevo fare chiarezza dentro me stessa. E in fretta.

2

Passai il resto della mattina a prepararmi per il pranzo con i Flynn. La mamma di Lee aveva organizzato di andare tutti insieme al ristorante per festeggiare il diploma. Di solito non mi vestivo elegante, perciò ci furono un paio di cambi di look e una videochiamata un po' disperata a Rachel, invitata a sua volta. Era bastato questo a distrarmi dalle due lettere di ammissione che ora si trovavano nel cassetto della mia scrivania. E poi, ovviamente, Noah era venuto a prendermi per accompagnarmi al ristorante, perciò non avevo proprio avuto tempo di pensarci... «Allora» disse Noah, circondandomi le spalle con un braccio una volta usciti dall'auto. La mia mano si era sollevata automaticamente, intrecciando le mie dita con le sue. «Stavo pensando...»

«Attento. Non vorrai farti male.»

Alzò gli occhi al cielo.

«A che cosa pensavi?» chiesi, tornando seria.

«Stavo pensando» ripeté «che magari quest'estate potresti venire con me a Boston. Potresti vedere dove andrò a vivere. Ti mostro il cassetto che ho preparato per te, per le tue cose.»

«Hai tenuto un cassetto per me? *Oooh!*» dissi con voce civettuola, voltandomi verso di lui e sbattendo le palpebre. Gli pizzicai giocosamente una guancia. «Ma guarda che sdolcinato il mio fidanzato.»

Era davvero uno sdolcinato. Almeno in confronto a quando avevamo iniziato a frequentarci. Noah era il *bad boy* della scuola, e aveva la fama di essere andato con un sacco di ragazze (ma dopo mi aveva detto che non era del tutto vero). Aveva persino una moto, e fumava solo per mantenere l'immagine. E ora eccolo qui, a parlare del cassetto che mi aveva preparato.

Lo amavo da morire.

«Sarebbe stato fantastico se tu fossi stata a Boston con me. Anche non ad Harvard. Ci saremmo visti molto più spesso. Avremmo potuto affittare un appartamento insieme durante l'estate, o qualcosa di simile.»

Mi fermai un attimo, sciogliendo la mia mano dalla sua prima che si rendesse conto di quanto fosse diventata umidiccia.

Anche Noah smise di camminare e si voltò con una risata. Il suo viso era rigido, però, e non riusciva a incrociare il mio sguardo, limitandosi a fissare il parcheggio alle mie spalle. «Che cosa c'è? Troppo sdolcinato? Pensavo che mi volessi più aperto, più onesto, invece del solito macho che non parla mai di sentimenti.»

Aprii la bocca ma non ne uscì niente.

Le guance di Noah divennero rosa acceso. «Insomma, dai, lo sai, Elle.» Si schiarì la voce, sfregandosi la nuca. «Non dicevo sul serio, insomma... Andare a vivere insieme sarebbe un passo enorme. Non siamo ancora pronti. Stavo solo scherzando.»

Questo era il momento di confidargli che ero stata ammessa. Cavolo, questo era proprio il momento di dirgli che avevo fatto domanda solo per l'impossibile chance di finire a Boston insieme a lui. Lui non ne aveva idea, eppure stava qui a parlare di quanto sarebbe stato bello avermi vicina, di come avremmo potuto vivere insieme.

L'idea che Noah fosse disposto a prendere un impegno così grande e andare a convivere avrebbe dovuto far fare i salti mortali al mio cuore. Avrei dovuto lanciare un urlo e buttargli le braccia intorno al collo ed esclamare: "Sorpresa! Possiamo farlo davvero! Posso venire a Boston!"

Era decisamente il momento per parlare.

Specialmente ora che sembrava così mortificato per aver proposto di andare a vivere insieme quasi senza pensarci, e mi credeva inorridita al solo pensiero.

«Elle?»

Miseriaccia. Andiamo, Elle, di' qualcosa. Diglielo!

Guardai Noah, concentrandomi sul suo viso, invece di fissarlo senza vederlo davvero. E dissi: «Credo di aver lasciato accesa la piastra per capelli».

Non penso che l'avesse bevuta, ma disse: «Manda un messaggio a tuo padre. Può controllare lui».

Presi velocemente il telefono e finsi di mandare un messaggio a mio padre, digitando e cancellando in modo compulsivo.

«Dai, siamo già in ritardo» disse Noah.

«Già» risposi, lanciandogli un'occhiata, ma mi tornò presto il sorriso. «E di chi è la colpa?»

«Adesso sarebbe colpa mia se tu sei così bella?»

Mi avvicinai a lui e si chinò a darmi un bacio sul collo.

Lo spinsi via con una risata. «Non ci pensare! È proprio per questo che siamo in ritardo.»

«Sai, tecnicamente non saremmo in ritardo se non ci presentassimo nemmeno...»

«Noah Flynn, non provarci. C'è una gran bella coppa di gelato là dentro con il mio nome sopra, e né tu né il tuo bel culetto potrete distogliermi da lei.»

«Il mio bel culetto, eh?»

Non sapevo come fosse possibile che, anche dopo essere stati insieme un anno, Noah riuscisse a farmi arrossire dicendo una cosa simile, eppure arrossii. Noah ridacchiò e mi cinse con un braccio prima di entrare.

Andare a mangiare fuori con i Flynn era una cosa che capitava spesso, ma di solito se lo facevamo c'erano anche mio padre e mio fratello. Mi era sembrato strano che June, la mamma di Lee e Noah, si fosse premurata di invitare solo me al brunch di oggi, ma forse era perché aveva invitato anche Rachel. Forse l'invito non era per "Elle" ma per "la ragazza di Noah".

Persino dopo più di un anno, il fatto che fossi la ragazza di Noah era ancora una dinamica nuova, a cui tutti ci stavamo abituando.

Il ristorante sul tetto che i Flynn avevano scelto era spettacolare. I miei jeans mi sembrarono inadatti al tono del locale quando posai lo sguardo su un gruppo di ragazze poco più che ventenni che ridevano e bevevano cocktail Mimosa. Fui contenta che Rachel mi avesse convinto a lasciare a casa la felpa con il cappuccio e a sistemarmi un po' i capelli.

Trovammo gli altri abbastanza facilmente, e quando

June si alzò per salutarmi dissi: «Mi dispiace tanto del ritardo. Il traffico era tremendo e non avevo messo in conto che ci saremmo dovuti fermare a fare benzina».

«Non c'è problema» rispose con un sorriso caloroso mentre prendevamo posto.

Sentii Lee borbottare: «Traffico? Ma davvero? È questa la scusa migliore che le viene in mente?» Seguito a ruota da un: «*Ahia!*» quando Noah gli pestò il piede sotto al tavolo.

Dopo aver ordinato, guardai il panorama dello skyline. «Questo posto è perfetto.»

«Volevamo finalmente portarvi in un ristorante speciale per festeggiare come si deve il diploma» disse Matthew, il padre di Lee e Noah.

«Elle ha ragione» sospirò Rachel. «È fantastico. Grazie per avermi invitata.»

«Non ci posso credere, ci siamo davvero diplomati» disse Lee, scuotendo la testa. «È così strano pensare che non torneremo a scuola in autunno. Insomma, è finita. E ora abbiamo tutta l'estate davanti a noi.»

«Passerà in fretta» disse Noah. «Credetemi.»

«Già, dovete approfittarne, ragazzi» disse Matthew. «Avete già programmi per l'estate?»

«Intendi a parte la casa sulla spiaggia?» rise Lee. «In effetti, stavamo pensando di andarci questo fine settimana, se per voi va bene…»

Rivolsi ai suoi genitori un sorriso carico di aspettativa, aspettandomi che annuissero e dicessero: «Ma certo!» Perché non avrebbero dovuto? Era da un paio di settimane ormai che io e Lee pianificavamo un week-end lungo nella casa sulla spiaggia dei suoi. Ci andavo insieme all'intera famiglia Flynn ogni estate, ma io e Lee avevamo pensato che, ora che ci eravamo diplomati, sarebbe stato bello andare solo noi, portare di nascosto un paio di birre, rilassarci un po' dopo l'intensa follia dell'ultimo anno.

Ma invece di restituirci il sorriso e dire che potevamo andare senza problemi, Matthew e June si guardarono. June strinse le labbra con sguardo preoccupato. Vidi che suo marito le faceva un cenno d'assenso e sentii un vuoto enorme allo stomaco.

Non ero l'unica ad essersene accorta.

«Che cos'è quello sguardo?» chiese Noah. «Va tutto bene?»

«Va tutto benissimo» disse June con un sorriso forzato, un po' troppo ampio, mentre si guardava intorno. *Oh-oh*, pensai. Questo non era un sorriso da mamma. Era il tipo di sorriso che faceva quando riceveva una chiamata dall'ufficio. Fece un profondo respiro. «In effetti, abbiamo delle novità...»

Sentii il panico strisciarmi lungo la pelle.

«Abbiamo deciso di vendere la casa sulla spiaggia.»

Ma no.

Non era possibile.

La giornata era già stata un ottovolante, ma questa era la parte peggiore finora, e non era ancora neanche l'una del pomeriggio.

«Cosa? Perché?» sbottò Noah, mentre Lee si alzava in piedi di scatto esclamando: «Fermi tutti! Cosa? Che diamine significa?»

«Lee, per favore, siediti» disse suo padre con fermezza.

Lee obbedì, ma fissò i suoi genitori a bocca aperta. «Aspetta un attimo, l'idea del pranzo era solo una scusa per attenuare questa notizia bomba?»

«No!» June si raddrizzò, poi si mise a giocherellare con il tovagliolo. «Non... proprio... solo un pochino. Ha funzionato?»

«Usare carni e bevande deliziose per mascherare le brutte notizie non si fa, mamma, non si fa. Pensavo di averti educata meglio di così.»

Noah gli diede una gomitata perché smettesse di scherzare. «Dite sul serio? Volete davvero vendere la casa sulla spiaggia? Ce l'abbiamo da sempre!»

«È da un po' che ne parliamo ormai» disse June. «Non ha più senso tenerla adesso che voi ragazzi siete tutti al college. È come hai detto tu l'anno scorso, Noah. Presto vi troverete un lavoro, farete tirocini estivi, vi sposterete in giro per il Paese per il college o per incontrare gli amici... Un sacco di cose stanno cambiando, perciò sembra la cosa più ragionevole da fare.»

«E tanto vale che lo sappiate, perché altrimenti lo scoprireste comunque ben presto» disse Matthew con un sospiro. «Tutta la zona verrà riqualificata. Se vendiamo ora, potremmo incassare quattro o cinque volte il valore effettivo della casa.»

«Sembri un agente immobiliare» borbottò Lee, sprofondando sulla sedia.

«Tesoro» disse June «io *sono* un'agente immobiliare. Non è una decisione presa alla leggera, sai. Ci sono un sacco di acquirenti interessati e quel terreno ha troppo valore per tenerlo fermo.»

«Il terreno?» ripeté Noah. Si appoggiò al tavolo con una smorfia. «Non hanno intenzione di abbatterla, vero?»

Matthew scrollò le spalle. «È molto probabile. Non avrei mai detto che fossi così sentimentale, Noah.»

Noah mise su il broncio e si stravaccò sulla sedia. L'espressione lo fece sembrare più giovane, e del tutto dissimile dal Noah che conoscevo. A dire la verità, assomigliava tantissimo a Lee in quel momento. «Abbiamo passato un sacco di tempo in quella casa. È solo... è strano pensare che potrebbe non esserci più» aggiunse, teso.

«E da dove guarderemo i fuochi d'artificio del Quattro Luglio, adesso? Andare insieme alla casa sulla spiaggia è una tradizione. Abbiamo giurato che saremmo andati sempre, tutte le estati! Tanto vale cancellare il Natale, mamma.»

«Lee...»

«Con i soldi incassati dalla vendita, potremmo comprarne un'altra» suggerì Matthew, come se fosse anche solo lontanamente quello il punto. «Un posto dove la vernice non si stacca e il filtro della piscina non si rompe ogni anno.»

«No!» esclamò Lee. «Questa è la mia ultima parola. Non potete vendere.»

«Già» intervenne Noah, raddrizzandosi e incrociando le braccia proprio come Lee. Erano sempre stati molto diversi, ma in quel momento chiunque avrebbe capito che erano fratelli. Erano un fronte comune. «Devo dare ragione a Lee stavolta. Quella casa appartiene alla nostra famiglia da quanto, ottant'anni? Era la casa di tua nonna, papà! Non puoi sostituirla. Non puoi venderla!»

«Se si accettano votazioni, anche io sono fermamente per il no» dissi, alzando la mano. La casa sulla spiaggia sembrava appartenere a me tanto quanto a loro. E Lee aveva ragione. Era una tradizione.

Lanciai un'occhiata a Rachel, anche se era stata alla casa sulla spiaggia solo per qualche giorno l'anno passato, e lei alzò una mano, impacciata. «Anche io sono assolutamente contraria.»

June sospirò. «Mi dispiace, ragazzi, ma è deciso.»

La cameriera scelse quel momento per arrivare con i nostri piatti.

«Col cavolo» borbottò Lee tra sé, ma io lo sentii. Incrociò il mio sguardo e credetti di non averlo mai visto così determinato.

Se i suoi genitori pensavano che avremmo lasciato perdere la casa sulla spiaggia senza lottare, si stavano sbagliando di grosso.

3

Credevo che tutta la faccenda "Berkeley contro Harvard" fosse già abbastanza brutta... ma questo?

Lee tenne il muso per il resto del pasto e, con mio grande stupore, Noah seguì il suo esempio. Tutti e due fecero le smorfie, imbronciati, e borbottarono sottovoce, sbattendo le posate e di tanto in tanto lanciando occhiatacce ai genitori. Si assomigliavano talmente tanto in quel momento che facevano quasi ridere.

Quasi.

Rachel, invece, provò a tenere alto il morale. Cercò di parlare con Lee un paio di volte, e quando vide che non funzionava attaccò bottone con i suoi genitori con un entusiasmo quasi maniacale, pur di superare il silenzio che era sceso.

Io stavo ancora cercando di assimilare la cosa.

Vendere la casa sulla spiaggia? Non avevo mai neanche preso in considerazione l'idea. Era *la casa sulla spiaggia*. Era il luogo dove avevamo trascorso praticamente tutte le estati della nostra vita. Alcuni tra i miei ricordi più belli erano tra quelle mura. Era dove io e Lee avevamo nuotato senza braccioli per la prima volta! Dove ero stata punta da una medusa quando avevo nove anni, e Noah aveva dovuto portarmi in spalla fino a casa. Dove Lee aveva dato il primo bacio, a una bagnina di origine latinoamericana che abitava nella California del nord e di cui nessuno di noi ricordava il nome.

Lanciai uno sguardo a Noah, che aveva la mascella contratta. Crescendo, quando Noah era diventato improvvisamente troppo *cool* per continuare a passare del tempo con noi, la casa sulla spiaggia era stato l'unico posto in cui tutto sembrava ancora uguale a quando eravamo bambini, quando lui stava sempre con noi.

Era il posto dove avevamo assaggiato la birra per la prima volta, rubandola da una borsa frigo a una festa del Quattro Luglio quando avevamo tredici anni; era stato quando Noah aveva iniziato a diventare popolare a scuola, a infrangere tutte le regole, ma non così tanto da non includere anche noi nelle sue marachelle. (Anche se si era rifiutato di portarci con sé alle feste a cui era andato per il resto dell'estate.)

Accidenti, non potevano venderla! Non funzionava così. Non per un posto come la casa sulla spiaggia. Era molto di più di un semplice lotto di terreno, di un bungalow con la vernice scrostata e un filtro da piscina inaffidabile.

Mi squillò il telefono. Per un attimo mi sentii in colpa per non aver messo il silenzioso, ma invece di scusarmi e infilarlo in borsa, colsi l'opportunità di allontanarmi dal tavolo. «Devo rispondere. Torno subito.»

Cercai di non scappare di corsa dal malumore che aveva avvolto il nostro tavolo.

Era un numero sconosciuto, ma risposi lo stesso. «Pronto?»

«Salve, parlo con la signorina Evans?» chiese seccamente una voce di donna.

«*Ehm*, sì. In persona.»

«Signorina Evans, sono Donna Washington dall'ufficio immatricolazioni di Berkeley.»

Oh, cavolo. Cavolo, cavolo, cavolo!

«*Ehm*...»

Strinsi i denti e presi il cellulare anche con l'altra mano. Lanciai un'occhiata veloce dietro di me. Erano tutti ancora seduti al tavolo, fuori portata...

«Ho cercato di contattarla diverse volte nell'ultima settimana.»

Il mio stomaco si attorcigliò. Temetti di essere sul punto di vomitare il mio pasto raffinato e costoso sulla parete davanti a me. Deglutii e dissi: «Mi dispiace, è solo che... sono stata impegnatissima, sa, con la cerimonia del diploma e... tutto il resto...»

Wow, Elle, ottima risposta. Si vede proprio che sei riuscita a farti strada in posti come Berkeley e Harvard grazie a scuse come questa.

«Sono certa che saprà già, se ha ricevuto i miei messaggi vocali e le nostre e-mail, che la sto chiamando per sapere se vorrà frequentare Berkeley dal prossimo autunno.»

«Ecco, io... mi chiedevo se magari... fosse possibile avere una piccola proroga...»

Donna Washington sembrava decisa a non bersi nessuna delle mie patetiche scuse, quel giorno. Il suo tono già secco divenne ancora più tagliente. «Le abbiamo già concesso una proroga oltre il termine del normale periodo di riflessione, signorina Evans.»

Cominciarono a sudarmi le mani. «Lo so, e lo apprezzo molto, ma la prego... sono... sono appena uscita dalla lista d'attesa da un'altra parte, proprio oggi, e mi serve un briciolino di tempo in più... per favore?»

«Signorina Evans» mi interruppe Donna Washington, gettandomi in preda al terrore per un secondo «ha tempo fino a lunedì per accettare l'offerta. Se non si farà sentire entro quel giorno, non avremo scelta e dovremo offrire il suo posto a uno studente in lista d'attesa.»

Rimase in attesa di una mia risposta. Ero un po' sorpresa, mi aspettavo quasi che avrebbe riattaccato dopo l'ultima frase.

«Capisco» le dissi, con un filo di voce. «Grazie mille.»

Restai lì un altro minuto dopo aver riattaccato. Avevo il respiro affannato e le mani ancora sudate. Le asciugai sui jeans.

Fino a lunedì. Voleva dire solo tre giorni, incluso oggi.

Solo un paio di giorni per prendere una decisione che poteva cambiarmi la vita. E confessare tutto a Lee e Noah. Ottimo. Potevo farcela di sicuro.

... Magari lanciando una monetina?

Tornata al tavolo, vidi che erano arrivati i dessert. Lee stava agitando per aria un cucchiaio di gelato, parlando concitatamente con i suoi genitori, senza dubbio discutevano ancora della casa sulla spiaggia. Accanto a lui, Noah annuiva, intervenendo di tanto in tanto per sostenerlo.

Infilai il telefono nella tasca posteriore e tornai dagli altri.

«Aiutami tu, Elle» disse Lee, interrompendosi a metà frase per coinvolgermi. «Berkeley non è nemmeno così lontana dalla casa sulla spiaggia. È persino nello stesso Stato! Anche se facciamo dei tirocini estivi, o roba simile, saranno probabilmente qui intorno. Potremmo tranquillamente continuare a usare la casa sulla spiaggia, vero, Elle?»

«V-vero.»

Sentii una fitta di senso di colpa allo stomaco, che si smorzò un pochino quando mi accorsi che Lee aveva davanti a sé due coppe di gelato, e mangiava indifferentemente da entrambe. Spinse quella alla fragola verso di me.

«Chi era al telefono?» mi chiese June, invece di rispondere a Lee.

«Oh, *ehm*, solo mio papà. Sai, il solito. Ha bisogno che faccia da baby-sitter a Brad.»

«Mamma, non puoi!»

«Lee, ti prego.» Suo padre sospirò, sfregandosi la fronte con le nocche. «Non c'è nulla da discutere. Avete detto che voi ragazzi volevate andare alla casa sulla spiaggia questo week-end, giusto? Perché non ci andiamo tutti quanti e iniziamo a sistemare le cose? Dobbiamo togliere tutto, dare una pulita... tanto vale iniziare subito invece di aspettare, giusto? Rachel, Elle, ci farebbe comodo il vostro aiuto, naturalmente.»

Mi sentivo un po' infastidita a essere messa sullo stesso piano di Rachel. Come se fossi solo la fidanzata di Noah, e non parte di questa famiglia, con cui avevo trascorso un sacco di estati alla casa sulla spiaggia. Come se non mi avessero detto mille volte: «Questa è casa tua tanto quanto nostra, Elle!» E come se io non l'avessi considerata tale praticamente per tutta la vita.

«Mi fa piacere dare una mano» squittì Rachel, ma dal tono si capiva che non aveva scelta.

«Oh, ci sarò eccome» mi sentii rispondere seccamente. June posò una mano leggera sopra la mia per un secondo.

«D'accordo» abbaiò Noah.

«Ma sappiate che non ne siamo per niente contenti» dichiarò Lee.

Scura in volto, guardai quel poco che aveva lasciato del mio dessert. *Già, e non è l'unica cosa di cui dovremmo discutere.*

Lascia perdere la casa sulla spiaggia, avrei voluto dire. Che cavolo dovrei fare col college?

Guardai entrambi i fratelli Flynn: Lee, che borbottava con Rachel e faceva il muso, più offeso che altro, e Noah, che incrociò il mio sguardo e mi rivolse un sorriso sbilenco.

Lee e Berkeley, o Harvard e Noah?

Avevo solo tre giorni per decidere.

4

Dopo il nostro pranzo chic, Noah mi riportò a casa. Ero rimasta in silenzio per tutto il viaggio, a rimuginare sulla novità della casa sulla spiaggia e sul dilemma del college. Noah, fortunatamente, era troppo impegnato a fare il broncio a sua volta e non mi aveva chiesto che cosa non andasse.

Avrei tanto voluto dirglielo.

Ma come potevo? Come potevo spezzare il cuore di Lee in quel modo? E una parte di me pensava che avrei dovuto prendere questa decisione senza nessuno dei due, ma soprattutto senza Noah. Se fossi andata ad Harvard, non volevo che fosse per il mio fidanzato, o perché mi ero lasciata convincere proprio da lui.

Dopotutto, era il college. Qualunque avessi scelto, mi avrebbe messa su una nuova strada, e avrebbe influenzato tutto il resto della mia vita da quel momento in poi. Che scegliessi Berkeley o Harvard, non potevo basare la mia decisione solo su un ragazzo.

O, in questo caso, due.

Ma anche se non volevo l'aiuto di Noah per prendere una decisione, avrei voluto comunque parlarne con lui. Se non altro per farmi abbracciare, dare dei consigli, rassicurarmi sul fatto che avrei preso la decisione giusta e tutto sarebbe andato bene e che Lee avrebbe capito se avessi deciso di rinunciare a Berkeley.

Mentre io giocherellavo con le chiavi di casa, Noah parcheggiò l'auto.

«Allora ti vengo a prendere domani per andare alla casa sulla spiaggia?»

Feci quasi una smorfia per rispondere: *No, sciocco, vado con Lee...* Ma poi mi ricordai che ormai non funzionava più così. Non per via di Noah, ma perché ora Lee aveva una fidanzata da portare in giro in auto, al posto mio.

Come se mi avesse letto nel pensiero, Noah aggiunse: «I miei andranno in macchina con Lee e Rachel. Io pensavo di prendere la moto».

Feci una smorfia, ma più per scherzo che altro. «Oh, dai, lo sai che detesto quella trappola mortale su due ruote...»

«E di certo detesti avere una scusa per stringerti a me...» mormorò Noah, con quel sorrisetto che conoscevo bene a increspargli le labbra mentre si chinava verso di me appoggiandosi al cruscotto.

«Assolutamente» confermai. «Un odio profondo.»

Noah voltò la testa e mi sfiorò il mento con le labbra, facendomi sobbalzare. Chiusi gli occhi a quella sensazione, con la pelle d'oca che mi saliva fino all'orecchio. «Allora ti vengo a prendere alle nove?»

Annuii, cercando di posare la bocca sulla sua. Non mi sarei mai stancata di questo. Mai. (E poi pensai che se lo avessi raggiunto ad Harvard non avrei mai dovuto abbandonare questa sensazione...)

Con riluttanza, mi allontanai. «Non entri?»

«So che Lee voleva tornare a casa subito dopo aver accompagnato Rachel, e mi sentirei un pessimo figlio se lasciassi i miei genitori soli con lui. Anche se sono dalla sua parte.»

Non riuscii a trattenere un sorrisetto, e gli diedi un buffetto delicato sulla spalla. «Ma guardati, Noah Flynn, un adulto che sa prendere decisioni mature.»

Sarei cambiata così tanto anche io, dopo un anno passato al college?

E Lee?

Le sue guance si tinsero di rosa. «Sì, sì, Shelly, devi accettarlo. Saluta tuo papà e Brad da parte mia.»

«Sarà fatto.»

Ci baciammo di nuovo – stavolta non così a lungo – prima che scendessi dall'auto.

Entrai in casa, e Noah rimase accanto al marciapiede finché non mi voltai a salutarlo.

«Siamo qui» sentii papà dalla cucina, dove trovai lui e Brad intenti a giocare a Uno.

«Avete posto per un altro giocatore?»

«Certo» disse Brad, strascicando la parola, e rendendomi immediatamente sospettosa. «Vieni a prenderti le carte, Elle.»

Attesero con pazienza che posassi la borsa, mi sedessi all'altro capo del tavolo, e prendessi alcune carte dalla pila al centro.

«Tocca a me» annunciò Brad. «E poi a te.»

«D'accordo.»

Sbatté una carta sul tavolo. «Prendi altre quattro carte! E cambio colore... verde!»

Feci un gemito e posai le carte a faccia in giù. «E dai, andiamo! Ma stai scherzando?»

«Le regole sono regole» disse papà. «Mi spiace, tesoro.»

Non sembrava minimamente dispiaciuto che fossi entrata al momento giusto per risparmiargli le quattro carte in più, ora che in mano ne aveva solo tre.

Batté il cinque con Brad sotto il tavolo, ridacchiando, mentre io prendevo altre quattro carte e ne cercavo una verde. Che assolutamente non avevo. Ne dovetti pescare altre tre dal mazzo prima di trovarne una che potessi giocare.

«Oggi non è giornata» borbottai, lamentando la quantità di carte che mi toccava tenere in mano.

«È successo qualcosa con i Flynn, piccola?»

«Be', tu lo sapevi che vogliono vendere la casa sulla spiaggia?»

«Fermi tutti. Cosa?» esclamò Brad. «Ma non possono! Mi avevi promesso che sarei potuto venire anche io quest'estate!»

Papà giocò una carta verde. «June mi aveva detto che stanno riqualificando l'intera zona. Non posso dire di essere sorpreso. È una decisione sensata, ora che tutti voi ragazzi siete al college.»

«Ehi, scusa tanto» protestò Brad. «Io non sono ancora al college.»

«Ma anche tu farai le valigie e ti trasferirai in un dormitorio in un batter d'occhio» disse papà, anche se sembrava parlasse da solo più che con Brad.

«Ma Elle va solo a Berkeley» sottolineò Brad. «E anche Lee. Perciò non conta, giusto?»

Rabbrividii.

«Non hai ancora preso una decisione in merito, vero, piccola?» mi chiese papà sottovoce, invece di chiedermi se ne avessi già parlato con Lee o con Noah, mentre Brad decideva la prossima mossa.

Puoi dirlo forte, pensai con amarezza ricordando la conversazione con Donna Washington.

Non era giusto. Non sarebbe dovuta andare così. Se solo fossi rimasta in lista d'attesa un giorno in più, non avrei mai rimandato la decisione. La severa Donna Washington avrebbe chiamato per sapere la mia decisione, e io avrei detto sì, accetto, ci vediamo in autunno, e tutto sarebbe andato come avrebbe dovuto, se solo quella dannata lettera di Harvard non fosse arrivata stamattina...

Forse era una specie di segno? Il fatto che fosse arrivata in quel momento, poche ore prima che Berkeley chiamasse per sapere se accettavo o no? Forse il destino mi stava dicendo dove andare...

Papà sembrava aspettare una risposta, ma non volevo rimuginare sul college ora.

«Andremo alla casa sulla spiaggia domani per iniziare a dare una pulita» mormorai, invece. Brad giocò una carta gialla. Per fortuna, di quelle ne avevo a bizzeffe, inclusa una "+ 2", che rifilai immediatamente a papà prima che potesse esclamare Uno. «Ma non ti preoccupare, torno in tempo per fare la baby-sitter.»

«Non mi serve una baby-sitter» dichiarò Brad con voce altezzosa, alzando il mento per aria. «Ho undici anni.»

Alzai le mani e le sopracciglia. «Errore mio.»

Papà incrociò il mio sguardo e trattenne una risata.

«Allora, come mai sei via domani sera?» gli chiesi. Mi aveva avvertita quella mattina, poco prima dell'arrivo della lettera da Harvard, che avrei dovuto fare la baby-sitter l'indomani, ma non avevo avuto modo di chiedere perché. Papà non usciva mai nel week-end, perciò chiesi: «Per una cosa di lavoro?»

«In realtà» disse papà, quasi imitando Brad nel modo di raddrizzarsi sulla sedia e schiarirsi la voce «ho un appuntamento.»

Lo fissai per un minuto intero, abbastanza perché Brad mi desse un calcio da sotto il tavolo e dicesse: «Elle! Dai, tocca a te.»

Giocai la prima carta blu che vidi e tornai a fissare papà.

Un appuntamento?

Da quando papà aveva degli appuntamenti?

Dai, Elle, non farti sconvolgere. Era il primo appuntamento di papà da... sempre. Dalla mamma. Probabilmente era già abbastanza imbarazzato senza che mi ci mettessi anche io.

Così dissi: «Okay, insomma... come l'hai conosciuta? Come si chiama? Parlaci di lei. Dove la porti per il primo appuntamento? Ti prego, non dirmi che hai in mente di fare cose da sfigato come regalarle dei fiori. Anzi, forse dovresti...»

«Si chiama Linda» disse papà. «L'ho conosciuta al lavoro. E se proprio vuoi saperlo, Elle, in realtà abbiamo già avuto un paio di appuntamenti e in effetti le ho portato dei fiori, e lei l'ha trovato molto dolce.»

«Ehi, aspetta un attimo» sbottai. «Questo non è il primo appuntamento? Sei già uscito con lei e non ci hai detto niente?»

Papà scrollò le spalle, ma vidi che aveva uno sguardo colpevole. Non volevo che si sentisse in colpa. O forse sì. Ma non volevo che si sentisse male. Era solo un po' strano.

E poi disse, con gli occhi fissi sulle carte: «Non vi racconto di tutti i miei appuntamenti, sapete. Ma le cose stanno andando bene con Linda. Mi piace. E vedremo come va».

Brad non sembrava minimamente toccato. Lo sapeva? Papà gli aveva già raccontato che stava uscendo con qualcuno e lui non mi aveva detto niente? Non aveva niente da dire in proposito?

«Non hai niente da dire in proposito?» esclamai, guardando Brad incredula.

Lui mi rispose con una lunga occhiataccia, prima di sospirare. «È la stessa Linda che abbiamo incontrato a quel picnic aziendale durante le vacanze di Pasqua?»

«Esatto, proprio lei, piccolo.»

«Oh.» Brad scrollò le spalle e tornò a fissare le sue due carte. «È carina. Ha fatto un'ottima insalata di patate.»

Papà giocò una carta, poi toccò a Brad, che urlò: «Uno!» Papà rispose con una battuta, insinuando che avesse barato. Osservai lo scambio, annaspando per giocare una carta a mia volta prima che Brad mi desse un altro calcio da sotto il tavolo.

Sul serio?

E questo non era nemmeno il primo appuntamento?

Da quanto tempo andava avanti la faccenda, di preciso, se Brad l'aveva già conosciuta? Durante le vacanze di Pasqua avevo attraversato il Paese in macchina con Lee per andare a trovare Noah a Boston per un paio di giorni. Chi avrebbe mai detto che mi sarei persa così tante informazioni saltando un misero picnic aziendale? Si frequentavano sin da allora oppure era uno sviluppo recente? E Brad non capiva che cosa stesse succedendo, o semplicemente non gli importava?

O forse a me importava troppo?

Pochi secondi dopo Brad vinse la partita. Si alzò in piedi saltellando, e papà si congratulò e raccolse le carte per mischiarle. «Un'altra partita?»

«Certo!» Brad non aveva bisogno di essere convinto.

«Non per me. Io... ho da fare.»

Papà assunse un'espressione preoccupata e mi guardò da sopra gli occhiali. Trattenni un sospiro: non volevo imbarazzarlo per l'appuntamento, ma era chiaro che lo avessi già fatto, altrimenti non mi avrebbe fissata in quel modo.

Oppure si vedeva quanto ero esausta. La giornata era stata pesante. In effetti, lo era stata fin troppo. Avrei voluto strisciare a letto e far finta che niente di tutto questo stesse accadendo davvero. Era troppo per riuscire ad affrontarlo.

«Tutto bene, piccola?»

«Certo! È solo... questa cosa del college... Devo dare una risposta a Berkeley lunedì.» Lanciai un rapido sguardo a Brad. Non volevo dire troppo nel caso si lasciasse sfuggire qualcosa con Lee prima che potessi parlargli io.

Mi sforzai di sorridere e mantenere un tono leggero quando aggiunsi: «E ti prometto che tornerò in tempo per il tuo appuntamento con l'adorabile Linda. Ovviamente dovrò darti un coprifuoco, mister».

Papà si rilassò e mi restituì il sorriso. «Grazie, Elle.»

«Figurati.»

Mi pentii subito di aver pronunciato quelle parole.

Non che non volessi che papà uscisse con qualcuno. Era passato tanto tempo dalla morte di mamma, e papà aveva tutti i diritti di essere felice, però... Be', era stato un papà single così a lungo. Gli appuntamenti non facevano per lui... se non che, evidentemente, avevo torto. Semplicemente non ce l'aveva detto.

Mi morsi la lingua, pensando che gli appuntamenti segreti erano una caratteristica di famiglia.

«Guarda» dissi più tardi al telefono con Levi, dopo essermi sfogata con lui per tutta la faccenda «capisco perché non abbia detto niente. Forse aveva paura della nostra reazione o aveva pensato che ci avrebbe fatto star male, o non voleva accennarlo e farci credere che fosse una cosa seria perché non voleva ci affezionassimo a una tizia se poi si lasciavano, ma insomma, e se questo significasse che Linda è una persona speciale e la cosa è seria?»

«Elle» disse Levi «non mi fraintendere, ma dovresti...»

«Non ci provare! Sono calmissima, d'accordo? Sono calma. Sono solo stupita, tutto qui. Tu non lo trovi strano?»

Levi scrollò le spalle. Stanotte era di turno al 7-Eleven dove lavorava, ma al momento era in pausa e mi aveva chiamata su FaceTime dal retro. Sfruttavo fin troppe le sue pause per chiamarlo, ma... insomma, eravamo amici, no?

Levi in effetti era il mio migliore amico, dopo Lee. Si era trasferito qui l'anno scorso e dato che abitava vicino al nostro amico Cam era diventato parte del gruppo. Siccome Lee aveva iniziato l'ultimo anno di liceo buttandosi nel football e nella relazione con Rachel, e siccome Noah era dall'altra parte del Paese, io mi ero sentita un po' sola. Io e Levi eravamo diventati amici intimi; si era anche confidato con me riguardo alla ex che gli aveva spezzato il cuore e al fatto che suo padre aveva avuto il cancro, e ora sembrava stare meglio, due cose che ci aveva messo mesi a rivelare agli altri.

(Ecco, forse un po' troppo intimi.)

Non avrebbe dovuto esserci nulla di male nel chiamarlo spesso anche quando era al lavoro. Anche se, a mia discolpa, era stato lui a dare inizio alle chiamate, era più facile parlare al telefono che rispondere ai messaggi, aveva detto.

Non avrebbe dovuto esserci nulla di male, ma forse qualcosina sì, invece. Obiettivamente. Insomma, visto che lo avevo baciato l'anno prima al Ringraziamento e lui mi aveva fatto capire di avere una cotta per me.

Ma l'avevamo superato. Eravamo amici. Levi lo sapeva bene.

Anche Noah lo sapeva, cosa altrettanto importante.

Decisamente niente di male, comunque, nel chiamarlo per sfogarmi della novità che mio papà stesse uscendo con qualcuno, ora.

«Capisco perché sia strano per te» disse Levi con grande diplomazia. Alzai gli occhi al cielo. «Ma andiamo, Elle, non puoi essere poi così sorpresa, giusto?»

«Sono solo…»

Sorpresa che non me l'avesse detto prima. Sorpresa che questo non fosse il primo appuntamento con Linda. Sorpresa che avesse appuntamenti, e basta.

«Non è una brutta cosa che mi senta un po' a disagio, vero?»

«Penso di no. Ma dai, Elle, cerca di vederla come una cosa buona, no? È ovvio che Linda rende felice tuo padre, altrimenti non te ne avrebbe nemmeno parlato. E con il fatto che l'anno prossimo andrai al college, forse non è poi così male se lui ha qualcuno a fargli compagnia.»

Le sue parole mi scioccarono tanto da provocare un blocco al mio cervello per qualche secondo.

Qualcuno a fargli compagnia?

Ebbi una visione improvvisa della donna misteriosa che preparava la cena in casa nostra, che sistemava gli abiti infangati di Brad dopo un allenamento di calcio sotto la pioggia, che sedeva sul nostro divano a guardare un film, che cenava nella nostra cucina…

Riuscivo a immaginarla con papà e mio fratello, ma era difficile inserire anche me stessa in quell'immagine. Sarei partita per il college – ovunque fosse – e tornata solo per le vacanze, a trovare una nuova famiglia che non riconoscevo.

Non volevo sentirmi a disagio per questo, ma non riuscivo a evitarlo.

Levi capì al volo di aver detto qualcosa di sbagliato, e si passò la mano tra i corti ricci scuri con imbarazzo.

Cambiò strategia: «Ma sai, alla fine non è detto che funzioni tra di loro. E si vede che tuo padre vuole andarci piano se parla di lei solo ora. Potrebbero volerci mesi prima che la inviti a casa a conoscere te e Brad».

«Già. Certo.»

Provò a ricominciare da capo con un bel sorriso. «Come è andata oggi con il clan dei Flynn? Vi siete divertiti?»

«Non proprio» borbottai. «Vogliono vendere la casa sulla spiaggia. Andiamo tutti là domani per iniziare a svuotarla.»

Levi gemette, piegando la testa all'indietro e abbassando leggermente la mano che sorreggeva il telefono. «Elle, me ne vado prima di combinare altri casini e dire qualcos'altro che ti faccia star male, d'accordo? Riattacco e ti mando qualche meme.»

A quelle parole riuscii a tirar fuori una risata. «Grazie, Levi.»

Dopo aver riattaccato e aver ricevuto, come promesso, un paio di schermate di meme che Levi aveva salvato sul telefono, mi chiesi se non avrei dovuto parlargli del mio dilemma sul college.

No, decisi velocemente. Non volevo trascinare anche Levi in questo caos. Era già fin troppo avviluppato nei miei drammi con i fratelli Flynn, pensai.

Questa era una cosa che dovevo risolvere da sola. E il tempo stava per scadere.

5

Nell'anno passato insieme, viaggiare sulla motocicletta di Noah era diventata un'esperienza sempre meno terrificante. Non tremavo nemmeno quando scesi davanti alla casa sulla spiaggia, ma il casco mi aveva davvero rovinato i capelli.

Le immagini nei film e nelle pubblicità in cui le donne si toglievano il casco e scuotevano una chioma perfettamente morbida e lucente erano solo illusioni.

Noah mi sorrise mentre controllavo il mio aspetto nello schermo del cellulare, tentando di sistemarmi i capelli crespi prima di rinunciare e farmi la coda.

Si tolse il casco. I suoi capelli, come previsto, erano morbidi e lucenti.

«Non ti preoccupare» mi disse «sei ancora carina.»

«Vorrei poter dire lo stesso di te.»

Noah mi prese la borsa dallo scomparto sotto il sedile.

Facevo sempre fatica a preparare la roba per la casa sulla spiaggia.

Sempre.

Ma oggi, per la prima volta, era stato facile. Avevo buttato una manciata di borse di tela vuote nella mia sacca insieme al portafoglio e al caricabatterie del cellulare, e basta. Eravamo venuti qui solo per iniziare a svuotare la casa, ed ero sicura che avremmo trovato roba che avremmo voluto conservare e portare via (ecco perché le borse vuote).

Strinsi la mano intorno al manico della borsa e inorridii nel sentire gli occhi che pizzicavano. Non avevamo ancora neanche iniziato, non eravamo ancora nemmeno entrati, e io avevo già il magone.

La giornata sarebbe stata difficile, lo sapevo. La notte precedente non avevo quasi dormito, cercando di capire che cosa fare con l'improvvisa vita sentimentale di papà, con il college… almeno, oggi avrei solo dovuto pensare a una cosa: dire addio alla casa sulla spiaggia.

Alla faccia dell'ultima estate di libertà prima di iniziare il college.

La mia mano trovò quella di Noah mentre salivamo i gradini del portico. La vernice bianca era scrostata e la panca accanto alla porta era ancora più malmessa dell'anno passato. Sembrava sempre che dovesse rompersi da un momento all'altro, ma finora non ci aveva mai traditi. La sabbia che copriva le vecchie assi di legno scricchiolava sotto i nostri piedi.

La casa sulla spiaggia era, a dirla tutta, un po' angusta e piuttosto vecchia. Al contrario della casa dei Flynn – con il suo arredamento elegante, le pareti tinteggiate con i colori più alla moda, la cucina moderna, le stanze ampie e spaziose – la casa sulla spiaggia era piena di mobili scombinati e tutto era sbiadito. I cardini scricchiolavano, l'intonaco era pieno di crepe…

Ma, proprio come a casa dei Flynn, mi sentivo a casa.

Riuscivo già a immaginare, con una certa amarezza,

come sarebbe stata descritta nell'annuncio immobiliare: adorabile, piena di carattere, compatta.

Mi sentii ribollire per il risentimento al pensiero degli agenti immobiliari e dei potenziali clienti che avrebbero esaminato la nostra adorata casa sulla spiaggia, alla ricerca dei difetti di questo luogo che avevamo amato per anni.

«Siamo arrivati» annunciò Noah quando entrammo.

Dalla cucina sbucò la testa di sua mamma. Aveva i capelli raccolti con una pinza, disordinati ma pratici, e indossava un paio di vecchi jeans e una t-shirt. «Oh, bene! Perfetto. Noah, papà sta pulendo all'esterno. Vai a dargli una mano, per favore. Elle, Lee ha iniziato dalla vostra stanza. Forse dovresti andare ad aiutarlo.»

Dopo aver impartito le istruzioni, scomparve di nuovo in cucina. Sentii le ante sbattere e il fracasso metallico delle pentole.

Noah mi diede un rapido bacio sulla guancia e si allontanò con un sospiro. «Mi sa che ci tocca metterci al lavoro.»

«Mi sa di sì.»

Percorsi il corridoio accarezzando con lo sguardo le foto che affollavano le pareti. Ero talmente abituata a vederle che negli ultimi anni le avevo notate a malapena, ma ora le osservai una a una. June aveva sempre stampato in bianco e nero le foto per queste pareti, cosa che le rendeva gli oggetti più raffinati in tutta la casa.

Mi ferì vedere che quest'anno non ne aveva appese di nuove, scattate qui l'estate passata. La maggior parte delle foto ritraeva me, Lee e Noah, ma in alcune c'eravamo tutti e cinque. Avanzai lungo il corridoio, ricordando il momento in cui ciascuna foto era stata scattata. Ogni cena fuori, ogni giornata in spiaggia… Quella volta a quattordici anni quando Lee si era scottato le braccia. La prima volta che Noah aveva cercato di aiutare suo padre con il barbecue e aveva bruciato tutto, ma avevamo mangiato lo stesso per non farlo rimanere male. L'anno in cui mi ero sviluppata e avevo tenuto coperto il seno con una t-shirt per tutta l'estate, ma Lee si era infilato il pezzo sopra di un bikini imbottito di fazzolettini di carta, e lo aveva tenuto per tutto il giorno in spiaggia, per farmi sentire meglio. L'ultima estate prima che Noah iniziasse le medie, talmente magro e allampanato da essere quasi irriconoscibile. In ogni foto eravamo sempre più piccoli e giovani, ma il nostro folle divertimento non mancava mai.

C'era una foto, in cima al muro dal lato opposto, che ritraeva me, mia mamma e mio papà in spiaggia. Mamma era incinta di qualche mese.

Le assomigliavo un po', pensai. Pelle un po' più scura, capelli più scuri, fianchi più rotondi e i suoi occhi castani. Anche Brad aveva i suoi occhi, e i suoi ricci.

Sembravamo così felici.

Improvvisamente, fui grata di non dover un giorno vedere una foto di mio padre e della misteriosa Linda che giocavano alla famiglia felice.

Mi allontanai a fatica e superai a grandi passi la porta della camera di Noah e il bagno che separava la sua stanza da quella dove dormivamo io e Lee.

A quanto pareva, non avevo il permesso di dormire in camera con Noah qui, ma io e Lee avevamo da sempre condiviso la camera nella casa sulla spiaggia. Sarebbe stato strano non dormire con lui, l'estate precedente.

Immaginai che il problema non si sarebbe posto quest'anno, dato che la volevano vendere.

«Ehi.»

«Ehi, ciao» disse Lee, nascosto da un mucchio di asciugamani e vestiti abbandonati davanti alla cassettiera. Sembrava sconsolato: aveva parlato con voce bassa e piatta e mi guardava con gli occhi spalancati e quell'espressione da cucciolo che con me non funzionava (quasi) mai. «Non vi ho sentiti entrare.»

«Dov'è Rachel?»

«Con mia madre in cucina.»

Mi accovacciai sul pavimento accanto a Lee, nel mucchio di abiti. I cassetti erano stati aperti e traboccavano di roba. «Allora, qual è il piano per oggi?»

Lee abbassò gli occhi sul pezzo di stoffa che teneva tra le mani e recitò, senza espressione: «Passare in rassegna tutto. Decidere che cosa dare via e che cosa buttare... che cosa conservare. Pulire a mano a mano che proseguiamo.»

Fissai il lato della stanza occupato da Lee, e il massacro che era scoppiato intorno alla sua cassettiera, e dissi: «Penso che ci vorrà più di un giorno di lavoro».

Increspò le labbra. «Speriamo. Ehi, guarda qui». Alzò l'oggetto che teneva in mano, un piccolo costume da bagno. «Taglia sei-sette anni.»

«Porca miseria. Quando è stata l'ultima volta che hai messo a posto la tua roba?»

«Io?» sbuffò Lee. «Scommetto cinque bigliettoni che troveremo il tuo primo reggiseno nella tua cassettiera.»

46

«Accetto la scommessa perché sono sicura di non aver lasciato qui niente di così vecchio.»

Lee prese un asciugamano dal mucchio e lo tenne sollevato mentre mi alzavo. «E guarda! Te lo ricordi questo?» L'asciugamano era decorato con un'enorme immagine di Carl Attrezzi di *Cars*. «L'avevamo preso per Brad quell'anno, ma poi ci avevo vomitato sopra quando avevo scommesso con Noah che sarei riuscito a mangiare più gelato di lui.»

Scoppiai a ridere al ricordo. «Non aveva mangiato tipo otto gelati?»

«Nove» mi corresse Lee. «Fidati, quel ricordo è marchiato a fuoco per sempre nella mia memoria.»

Risi di nuovo e mi allontanai dalla roba di Lee per svuotare la mia cassettiera. Aprii il primo cassetto. Un paio di magliette, un bikini che avevo lasciato qui l'anno prima... un flacone di crema solare, un paio di auricolari dal cavo attorcigliato e un sacco di sabbia.

Mi misi a controllare le magliette. La maggior parte erano vecchie t-shirt stampate, una era di Noah, che l'aveva passata a Lee, a cui io l'avevo a un certo punto rubata. La piegai e la posai con cura sul letto, inaugurando il mucchietto di roba da conservare.

Nel secondo cassetto c'erano altre magliette, pantaloncini, un prendisole che non ricordavo di avere, ma che ormai era decisamente troppo piccolo per me. Poi una maschera da snorkeling, che indossai per fare una smorfia a Lee, e lo vidi con il minuscolo costume da bagno sulla testa e l'asciugamano di Carl Attrezzi legato intorno al collo come un mantello, cosa che mi fece scoppiare a ridere.

Tutti i miei cassetti erano mezzi vuoti. Trovai un libro, degli orecchini, vecchi braccialetti e cavigliere di corda. Alcune carte da gioco spaiate e una pallina da ping pong, che mi stupì davvero perché non ricordavo che ci fosse mai stato il ping pong qui. Un paio di asciugamani che avevo usato negli ultimi anni e che, a guardarli con occhio critico, erano diventati troppo ruvidi e consunti. Profumavano d'estate: di sale marino e limonata.

Li strinsi a me per un minuto prima di posarli nel mucchio al centro della stanza destinato alla spazzatura. Quando finii di svuotare l'ultimo cassetto, mi chinai per accertarmi di aver preso tutto e infilai una mano all'interno. Le mie dita sfiorarono sabbia e batuffoli di polvere, e poi – proprio in fondo, incastrato nel cassetto – un pezzo di stoffa.

Oh, mio Dio, pensai all'improvviso, *ecco perché questo cassetto si incastrava sempre quando cercavo di aprirlo e chiuderlo*, cosa che, a sua volta, spiegava perché ci avessi trovato dentro così tanta roba che non avevo mai smistato prima.

Afferrai la stoffa con le dita e mi inginocchiai per riuscire a tirarla meglio, e con un grugnito la liberai e caddi all'indietro sul mio mucchio di cose da dare via (che consisteva solo in un abito e un paio di pantaloncini che non mi erano mai andati bene ma che avevo sempre trovato carini).

«*Ah-ah!*» gracchiò Lee mentre mi raddrizzavo per osservare l'indumento malandrino. «Te l'avevo detto, Miss Perfettina! "Non ho niente nella mia cassettiera"!»

Gli lanciai addosso il vecchio reggiseno ormai rotto,

facendogli cadere il minuscolo costume da bagno da sopra la testa. «Questo non conta affatto.»

«Certo che conta. Cinque dollari, Shelly.»

Gli feci la linguaccia e mi fermai un attimo per valutare i suoi progressi. Non pensavo di essermela cavata male: la pila di cose da tenere era piccolina – la maggior parte della roba che avevo trovato era da buttare – ma non ci avevo messo molto.

Lee, invece, sembrava non aver combinato granché.

«Quella è tutta roba da buttare?» chiesi, anche se avevo la sensazione di conoscere già la risposta.

«Niente di tutto questo è da buttare, Shelly. Rimangiati ciò che hai detto!»

«Quei pantaloni sono bucati, Lee.»

Li sollevò, esaminandoli con attenzione. «È un effetto invecchiato. È fashion. Cosa che tu di certo non puoi capire.»

Feci una smorfia. «Lee, dai. Lo so che non è divertente, e dover pulire tutto è uno schifo, specialmente visto il motivo, ma sono solo abiti vecchi.»

«Sono ricordi, Elle.»

«Ah, sì? E quali ricordi abbinati a quella polo rosa ti rendono così difficile buttarla via?»

«Quella volta che mia mamma si è affidata a me per fare il bucato e io ho clamorosamente fallito.»

Scossi la testa. «Be', datti una mossa, d'accordo? Non voglio dover guardare tutta la nostra roba da sola. E se tua mamma viene a controllare perché ci metti così tanto, butterà via tutto quanto.»

Borbottando, Lee si tolse l'asciugamano-mantello dal

collo e lo appallottolò con rabbia prima di ficcarlo nella borsa dell'immondizia, già piuttosto piena. Mi presi un istante per andarne a cercare un'altra. A giudicare dalla quantità di roba che Lee aveva accumulato nei suoi cassetti, ci sarebbe servita.

In cucina, June e Rachel si erano sedute davanti a una tazza di tè e ridevano per qualcosa. «Ho trovato questo in fondo alla dispensa» mi disse June, battendo un dito sulla tazza. «Arancia e lavanda. Ne vuoi un po'?»

Questo spiega lo strano odore che c'è qui dentro, pensai, e mi sforzai di non arricciare il naso.

«*Ehm*, no, grazie. Sono solo venuta a prendere un altro di questi.» Agitai il sacco della spazzatura che avevo appena staccato e mi cadde lo sguardo su una scatola di plastica e un rotolo di pluriball. «Avete intenzione di imballare proprio tutto oggi?»

«Oh, no. Dubito che riusciremo a concludere un granché oggi, tesoro. Abbiamo solo pensato che fosse una buona idea iniziare il prima possibile. D'altronde, non possiamo ancora smontare la cucina, specialmente se faremo avanti e indietro per tutta l'estate per sistemare tutto quanto e preparare la casa alla vendita.»

«Giusto.»

Non era una gran consolazione, ma meglio di niente.

Tornai di malumore in camera da letto prima di rimanere intrappolata in una conversazione su quanti lavori bisognasse fare in casa. La casa non aveva bisogno di lavori.

Insomma, certo, un'estate sì e una no io e Lee pitturavamo il portico, che continuava a scrostarsi poco dopo. E va bene, forse la casa era sempre piena di sabbia, e i cespugli e le sterpaglie ai lati del sentiero che conduceva alla spiaggia erano sempre troppo folti, e forse la finestra della cucina lasciava entrare la pioggia a volte...

Ma non mancava niente. La casa era perfetta così com'era. Era nostra.

Tornai in camera e i cumuli di roba che avevo sistemato mi tolsero il respiro. Lee era riuscito a preparare un paio di mucchietti, ma c'era ancora troppa roba che voleva conservare. Posai la nuova borsa dell'immondizia senza dire una parola e mi diressi verso l'armadio condiviso.

Ne uscì una palla gonfiabile da spiaggia che mi colpì sul viso e rotolò a terra, sgonfiandosi leggermente e deformandosi.

Lo calciai di lato e Lee intervenne immediatamente, fissandomi con uno sguardo accusatorio. «Ehi, mi raccomando, non metterlo nell'immondizia. È un ottimo pallone.»

«Vuoi darlo in beneficenza?»

«No, tenerlo.»

Be', insomma, era un ottimo pallone... era stata la nostra più fedele palla da volley (e da calcio, quando necessario) per diverse estati, ma avevamo dovuto sostituirla con un pallone vero quando tutti si resero conto che ogni volta che cercavo di partecipare al gioco al posto che colpire la palla, venivo colpita da lei.

Ma no, non dovevamo avere scrupoli. La spinsi verso l'immondizia, sperando che Lee non se ne accorgesse e cercasse di conservarla.

Avevo più roba di Lee nell'armadio. Entrambi avevamo delle giacche a vento, e ne trovammo altre sul fondo del mobile, una blu e una rosa da vero cliché, che a giudicare dalle etichette usavamo quando avevamo dieci anni. Dopo aver rovistato tra i vestiti – tutti da dare in beneficenza tranne i jeans che Lee aveva lasciato qui l'estate passata e credeva di aver perso, e una mia giacca che avevo dimenticato, ma che miracolosamente mi entrava ancora – salii in punta di piedi per perlustrare il ripiano più alto.

«Ehi, signor Sentimentale, vieni ad aiutarmi. Sfrutta quei muscoli da football una volta tanto.»

Lee sospirò rumorosamente, borbottando che avevo interrotto il suo ritmo (stava sfogliando un mazzetto di scontrini e non c'era alcun ritmo da interrompere) ma non esitò a chinarsi mentre salivo in piedi sul letto. Mi arrampicai sulle sue spalle e mi sollevò per i pochi passi che ci separavano dall'armadio. Lee aveva passato l'estate precedente ad allenarsi e mettere su un po' di massa muscolare e dopo un anno nella squadra di football aveva davvero dei bei muscoli, che in quel momento si erano rivelati decisamente utili.

«Guai a te se mi fai cadere.»

Lee barcollò e gli diedi una sberla sulla testa, facendolo ridere.

«Qualcosa di interessante?»

«*Mmm...*» Arricciai il naso per lo strato di polvere sul ripiano e... come aveva fatto la sabbia ad arrivare fin qui? Estrassi una vecchia borsa da spiaggia, un altro asciugamano, un salvagente sgonfio color verde acido e dei vecchi braccioli. Buttai tutto a terra accanto al sacco dell'immondizia.

«Oh, mio Dio!» esclamai, chinandomi in avanti e tendendo entrambe le mani per prendere l'orsacchiotto di peluche, grigio con un farfallino a quadretti e... ancora morbido! Lo ripulii delicatamente dalla polvere prima di stringerlo al viso e poi mostrarlo a Lee. «Guarda! È Bubba! Credevo di averlo perso anni fa.»

Mamma e papà mi avevano regalato Bubba quando avevano portato Brad, appena nato, a casa dall'ospedale.

«Farà un figurone nella tua elegante stanza nel dormitorio di Berkeley» mi disse Lee.

«*Ah-ah*. Giusto. Come no.»

Perché era improvvisamente così difficile immaginare la stanza nel dormitorio di Berkeley che avevo sognato per anni?

«Allora...» Mi tolse di mano Bubba e con l'altra mano mi strinse il ginocchio per non rischiare di farmi cadere. «Da buttare, vero? Immondizia, ti presento Bubba. Bubba, questa è l'immondizia.»

«No, Lee!»

Mi tuffai per afferrare Bubba e Lee rise, tenendolo appena fuori dalla mia portata. Mi chinai, agitando le braccia per prendere l'orsacchiotto, e Lee iniziò a muoversi per la stanza. Con uno strillo, mi aggrappai ai suoi capelli ed esclamai: «Mettimi giù, mettimi giùùù!»

Lee si chinò in avanti e mi buttò sul letto, e cadendo sentii lo stomaco sobbalzare. Lee rideva tanto che faticava a respirare. Afferrai la prima cosa che mi capitò a tiro – uno dei braccioli che avevo appena tirato fuori dall'armadio – per tirarglielo addosso, ma Lee si accasciò a terra, ridendo ancora più forte e tenendosi lo stomaco.

«Certo che state proprio lavorando sodo» disse una voce strascicata in corridoio. Smisi di guardare male Lee e vidi Noah appoggiato allo stipite della porta, a braccia incrociate, che mi sorrideva.

«Sarà meglio che non cominciate a lanciarvi sguardi sexy» disse Lee, ancora senza fiato per le risate. Si era messo un braccio sugli occhi, e l'altro lo teneva ancora intorno alla pancia. «Non sotto il mio tetto, nossignore.»

«Sexy? Io?» Noah sbuffò, portandosi una mano al petto e facendomi l'occhiolino. «Sempre.»

Lee finse di vomitare.

«Mamma vuole che scendiate ad aiutarla in tavernetta quando finite. Il che significa che il vostro tempo qui è quasi terminato.»

Tutti e tre guardammo quello che c'era per terra, principalmente cose di Lee, anche se avevamo appena calpestato il mio mucchio di roba da dare in beneficenza e io ero sdraiata su quella da conservare.

«Dacci cinque minuti» disse Lee. Si alzò in piedi, infilò un po' di cose nella cassettiera, il resto nel sacco dell'immondizia, e poi si voltò verso di me. «Miseriaccia, Shelly, sembra che sia esplosa una bomba qui dentro. Tieni in ordine il tuo lato della stanza, d'accordo?»

6

Dopo aver ripulito la nostra stanza, portato i sacchi
dell'immondizia fuori di casa e sistemato gli oggetti da
dare in beneficenza in una delle scatole di cartone che
Matthew aveva sistemato in salotto, ci prendemmo una
pausa e andammo a sederci fuori. Avevo in mano una
lattina di Pepsi fresca di frigo, coperta di condensa.

I genitori di Lee passarono dieci minuti buoni a cercare
di farci rientrare.

Alla fine, Matthew prese una vecchia pistola ad acqua
che aveva trovato chissà dove, la riempì nella piscina e ci
schizzò in faccia finché cedemmo, correndo all'interno
tra strilli e grida di protesta.

«Vedi» sospirò Lee mentre ci pulivamo il viso sulla maglietta e sulle braccia dirigendoci in tavernetta. «Ecco perché qui è così fantastico. Papà non farebbe mai una cosa
del genere a casa. Abbiamo bisogno di questo posto.»

Aveva ragione. La casa tirava fuori il meglio da ognu-
no di noi. Non pensavo che June o Matthew avessero
davvero riflettuto su come avrebbero fatto senza la casa
sulla spiaggia.

Non facemmo grandi progressi in tavernetta, una stanza sul retro della casa che avevamo quasi sempre usato
come sala giochi.

C'era un armadietto appoggiato a una parete, che conteneva diversi vecchi vinili di Matthew e un giradischi. Lee si avvicinò a quello prima che iniziassimo a fare qualcosa, e mise su un disco dei Beach Boys. Sull'altra parete c'era un divano sfondato, con accanto una vecchia poltrona e un paio di pouf che avevano smesso di essere comodi da circa dieci anni. Sapevo che lo sgabuzzino nell'angolo sarebbe stato pieno di vecchi giocattoli e giochi da tavolo. Accanto alle finestre, c'era una vecchia TV su un mobiletto.

Quanti giorni di pioggia avevamo passato qui dentro a giocare a Monopoli o a Indovina chi? O battaglia navale, o la versione per bambini di Trivial Pursuit? E poi c'erano le sere in cui il signore e la signora Flynn volevano starsene in pace per un po' e ci sistemavano qui con un film e dei popcorn.

Rachel si diresse verso uno degli armadietti e aprì un'anta. La maniglia le si ruppe tra le dita e lei ci guardò allarmata, ma Lee gliela tolse di mano ridendo. Era una manopola di vetro, decisamente kitsch, macchiata da anni di utilizzo, che doveva essere stata molto moderna anni fa, il tipo di oggetto che tutti desideravano. Lee la lucidò sulla maglietta prima di sollevarla.

«Non ti preoccupare, Rach, è così da anni. Elle, ti ricordi quando facevamo finta che fosse un diamante?»

Sorrisi. «E ci intrufolavamo per rubarla.»

«Il grande furto di gioielli...» sospirò Lee, con un'espressione nostalgica che ben esprimeva anche il mio pensiero. A dirla tutta, forse eravamo stati noi a staccare la maniglia dall'anta per avere la scusa per usarla nel nostro finto furto di gioielli.

Bei tempi.

Lee si voltò verso Rachel e le posò il pezzo di vetro tra le dita come un anello. Rachel arrossì, ridacchiando, e si sporse a dargli un bacio sulla guancia.

Guardai Noah, che finse di vomitare come aveva fatto Lee con noi poco prima, ma più silenziosamente. Gli diedi un buffetto con il gomito. «Secondo me è molto dolce» sussurrai.

«Fin troppo.»

Mmm, forse un po' troppo.

Rachel rimise a posto la maniglia e aprì l'armadietto. All'interno c'era una pila di libri e Rachel ne estrasse alcuni, portandoli al centro del nostro gruppetto. Ne presi uno dalla cima, accorgendomi troppo tardi che era un album di fotografie.

Insomma, d'accordo, forse era colpa mia se non avevamo fatto progressi in tavernetta, perché ero stata io a iniziare a sfogliare gli album di foto. I ragazzi non aspettavano altro che una scusa per procrastinare ancora, così si unirono a me e condividemmo le foto migliori che trovavamo e i ricordi che scatenavano. Rachel sembrava divertirsi tanto quanto noi ascoltandoci e guardando le foto a sua volta.

Mi fermai quando trovai una foto di quando eravamo tutti e tre bambini. Avevamo otto, nove anni forse, tutti e tre in piedi sulla spiaggia. A Lee mancava un dente. Io avevo i capelli corti e spettinati, soffici ma impossibili da tenere a posto. Noah non era tanto più alto di noi nella foto, e i suoi capelli erano cortissimi, più corti di quanto li ricordassi. Aveva in mano un hot dog, mentre

Lee agitava una bandierina. Io ero in mezzo a loro, con le braccia intorno alle loro spalle, e gli occhi stretti per quanto sorridevo al fotografo. La qualità della foto non era altissima, ma si intravedevano i fuochi d'artificio colorati sullo sfondo.

«Guarda questa» dissi avvicinandomi a Noah e spingendogli in grembo l'album di foto. Lee si chinò a guardare. Indicai con il dito la scritta che avevo appena notato: «Era il Quattro Luglio di dieci anni fa. Guardate come eravamo piccoli».

«È strano che non sembri passato poi tanto tempo, vero?» disse Lee, guardandoci entrambi con un sorriso triste, gli occhi lucidi e la bocca appena piegata all'insù. Indicò la salopette rosa acceso che indossavo nella foto. «Me la ricordo, questa. L'hai indossata per un'estate intera.»

«Credo sia stata la cosa più femminile che tu abbia indossato per anni» concordò Noah.

Probabilmente non hanno torto, pensai, con una risata leggera. Passai un dito sopra la foto. Io e i miei ragazzi. Ecco il posto giusto per me.

Il mio telefono vibrò. Spostai lo sguardo verso dove lo avevo lasciato sul pavimento, poi lo afferrai di scatto per spegnere il promemoria che avevo impostato un paio di giorni fa: CHIAMARE BERKELEY.

«Devi andare da qualche parte?» scherzò Rachel.

«Devo prendere la pillola» mentii, saltando in piedi e tornando a raccogliere la borsa che avevo lasciato davanti alla porta d'ingresso, grata che non potessero vedermi e che nessuno mi avesse fatto domande né seguita di sopra. Fissai il telefono per un altro paio di secondi poi lo infilai in borsa.

Lontano dagli occhi, lontano dal cuore.

Giusto?

Aprimmo lo sgabuzzino e fu un errore. Il primo gioco che tirammo fuori fu Ippopotami affamati, il che ovviamente rese necessario un torneo "chi vince prende tutto", uno contro uno. Io persi contro Rachel e Lee perse contro Noah, poi Noah e Rachel combatterono un'accesa finale, e Rachel vinse. Io e Lee esultammo a gran voce, saltando di qua e di là per la gioia; nessuno dei due ricordava l'ultima volta in cui Noah avesse perso, nonostante fossero anni che non giocavamo.

E Noah, a meno che mi sbagliassi di grosso, aveva il muso.

Gli scompigliai i capelli e gli circondai le spalle con le braccia. Lui gemette, sconfitto, e allora gli diedi un bacio sulla testa. «Dai, non te la prendere. Rachel è tosta. Un degno avversario.»

«Penso che dovremmo giocare la rivincita. Sono un po' arrugginito, tutto qui.»

«*Mm-mm*» sbuffò Rachel, sorridendo.

«Ecco il tuo premio, oh affamatissimo ippopotamo» annunciò Lee. Infilò la mano nello sgabuzzino ed estrasse un enorme paio di occhiali rosa a forma di cuore, e un boa di piume. Rachel rise e se lo fece sistemare addosso. Indossò entrambi per almeno un'ora, li aveva ancora quando June e Matthew ci chiamarono dicendo di aver portato della pizza per pranzo.

Trovammo gli accessori da pirata che io e Lee avevamo adorato per un'estate intera. Un trampolo a molla con il quale scoprii di essere stranamente brava, ma dal quale Lee cadde quasi subito. Una vecchia console di videogiochi di Noah, che collegò immediatamente, per poi inserire un gioco e lasciarsi totalmente catturare, riprendendo da dove l'aveva lasciato e giocando per almeno venti minuti, fino a quando non lo trascinammo via a forza.

Trovammo racchette da tennis e palline per diversi giochi, un paio di palloni da football e un guantone da baseball nuovo di zecca che era troppo piccolo persino per la mia mano. Lo misi nel mucchio delle mie cose da conservare, pensando che a Brad sarebbe piaciuto. Poi ci fu una fascia coperta di spillette dei boy-scout che scoprimmo essere appartenute a Noah, e per questo lo prendemmo in giro. Lee trovò una scatola di trucchi di magia e passammo un bel po' di tempo a cercare di capire come funzionavano e a stupirci a vicenda con le nostre abilità di scena, fino a quando Rachel non scoprì un vecchio e scassato registratore per karaoke che era appartenuto a mia mamma.

Avevo pensato che Lee fosse un disastro con la cassettiera, ma fu anche peggio quando si trattava dei nostri vecchi giochi; fu quasi impossibile per tutti noi convincerlo a separarsi da qualcuna delle sue scoperte, anche se non le aveva considerate minimamente da almeno cinque anni. Lui e Noah bisticciarono per un paio di oggetti, poi Noah si sedette addosso a Lee mentre io gli toglievo di mano il trampolo a molla per metterlo in uno degli scatoloni destinati alla beneficenza, in salotto. Rachel lo convinse con gentilezza ad abbandonare una pistola ad acqua rotta. Io lo sfidai a duello con le vecchie spade da pirata per togliergli i trucchi di magia, e alla fine dovetti buttarlo a terra e strappargli di mano la spada quando mi resi conto che non avrebbe ceduto.

Fu dura, e Lee continuò a spostare di nascosto le cose nel mucchio da conservare, che continuava misteriosamente a crescere. Vidi di nuovo comparire i trucchi di magia, anche se li avevo messi nello scatolone per la beneficenza almeno tre volte.

Rachel era andata in salotto con una pila di vecchi giocattoli da dare via, e non era ancora tornata. Immaginai che June l'avesse convinta ad aiutarla con qualcos'altro, o le avesse offerto un'altra tazza di quello strano tè floreale.

«Ehi, figliolo, vieni a tenere ferma la scala. Voglio controllare le grondaie» disse Matthew dal corridoio.

Lee alzò lo sguardo dalla collezione di carte dei Pokémon e fissò Noah. «Parla con te.»

«Forse anche io voglio giocare ai Pokémon.»

«Gloom ha usato Fiortempesta!» esclamò Lee, sbattendo una carta davanti ai piedi di Noah.

«Cavolo, se avessi Psyduck...» Noah scosse la testa, già diretto alla porta, ma si voltò e agitò le braccia a scatti, con gli occhi stretti. «Ti aspetterebbe un bell'Incrocolpo, amico!»

«Sì, ti piacerebbe.»

Quando Noah se ne fu andato, Lee sospirò, scuotendo la testa e raccogliendo le carte. «Capisci cosa intendo? Qui è tutto diverso. Immagina se gli altri a scuola potessero vedere il terribile ragazzaccio Noah Flynn, con la sua motocicletta e le sue sigarette, il tizio che ha fatto a botte così tante volte, che gioca ai Pokémon. Non possono vendere questa casa, Elle, non possono.»

Sospirai a mia volta, dandogli una mano ad alzarsi in piedi e circondandogli la vita con il braccio. «Lo so. Ma penso che abbiano deciso ormai, Lee. Non è che possiamo comprare noi la casa. È solo...» Mi interruppi per buttare giù il nodo che mi stringeva la gola. «È solo un altro passo per crescere, credo.»

Un passo che nemmeno io volevo affrontare, ma meglio questo che scegliere il college immediatamente.

Lee posò il mazzo di carte e mi restituì l'abbraccio, prendendo con l'altra mano l'album che avevamo lasciato fuori. Sfogliò le pagine fino alla foto del Quattro Luglio e sospirò pesantemente, piegando la testa di lato fino ad appoggiarla alla mia. «Vorrei che potessimo tornare qui, a quando eravamo piccoli e i miei non pensavano di vendere questo posto. Dirci che prima o poi saremmo andati via e avremmo trovato un lavoro...»

«Batti i tacchi tre volte» scherzai, ma lo facemmo entrambi.

«Non voglio credere che questa sarà la nostra ultima estate qui, che non potremo nemmeno godercela, sai? Mi sembra che ci siano così tante cose che non siamo mai riusciti a fare qui. E ora non avremo mai più la possibilità.»

Non ero sicura se fosse colpa delle parole di Lee, o della foto, o di tutti questi ricordi che tornavano a galla, ma all'improvviso mi venne in mente una cosa che mi fece sussultare. Scappai via, spostai un tavolino e un paio di giochi da tavolo e spalancai completamente la porta dello sgabuzzino.

«Che stai facendo?»

«Un... secondo...»

Le mie dita danzarono lungo le assi del pavimento, affidandosi alla memoria muscolare nella ricerca di quella crepa nel legno che... Ecco! Mi morsi il labbro e affondai le unghie intorno ai bordi dell'asse di legno fino a farla scattare.

«Oh, mio Dio» sussurrò Lee, e capii che anche lui ricordava.

Il nostro nascondiglio segreto. Ci chinammo entrambi sull'asse sollevata e io infilai una mano al di sotto, estraendo un vecchio contenitore per alimenti in alluminio, che coccolai tra le mani quasi fosse il Santo Graal.

E per noi lo era davvero.

Aprii la scatola e la posai sul pavimento tra noi. C'era la collana che Lee mi aveva comprato con la sua paghetta quando avevamo sette anni. Un dente che mi era caduto (e che ora mi faceva veramente schifo, e mi faceva ancora più schifo l'idea che lo avessimo trovato tanto interessante da decidere di conservarlo). Un euro che Lee aveva trovato e che ci era sembrato misterioso e affascinante all'epoca. Un paio di aggeggi che avevamo collezionato durante le nostre estati quando eravamo piccoli, e...

Dal fondo della scatola estrassi una pagina di quaderno tutta stropicciata e la lisciai contro la gamba. Proprio il tesoro sepolto che stavo cercando.

«Aspetta» sospirò Lee, stringendomi il polso con la mano. «È... è quello che penso?»

«Cerrrrto» dissi, allungando la erre. «La nostra lista delle cose da fare alla casa sulla spiaggia.»

«*Wow.*»

Sedemmo in rispettoso silenzio, leggendo la lista. La carta era soffice tra le mie mani, l'inchiostro sbiadito, e la calligrafia infantile. Quella di Lee era persino più disordinata e scarabocchiata di adesso.

Così tanti anni fa che non ricordavo nemmeno quanti ormai, io e Lee ci eravamo presi del tempo per mettere insieme una lista di tutte le cose folli che avremmo voluto fare da grandi, prima di andare al college. Quando fossimo stati adolescenti, così cresciuti da sapere tutto del mondo.

Non importavano i giocattoli, i giochi da tavolo e i palloni sgonfi. Questo fragile pezzo di carta: ecco qual era il forziere in cui erano contenuti tutte le nostre fantasie d'infanzia.

La lista di cose da fare per un'estate epica di Lee ed Elle

1. Compiere il Grande Furto di Gioielli

2. Buttare Noah in piscina!

3. Insegnare a Brad a nuotare senza braccioli

4. Fare una corsa con i dune buggy
(senza dirlo a mamma e papà)

5. Laser tag... in stile Star Wars! Elle si prenota per essere Han Solo! (E ALLORA LEE FA LA PRINCIPESSA LEIA!)

«Missione salvataggio Barbie» lessi dalla lista, con un sogghigno. «Mi ricordo perfettamente che quella era una tua idea.»

«Ovvio. Anche saltare dalla scogliera era una mia idea, però.»

«Gara sui go-kart...» ne indicai un'altra, ridacchiando al pensiero di quanto ci eravamo divertiti prima con il karaoke: «Ehi! Karaoke all'elio!»

«Scordatelo» disse Lee. «Ci faremmo arrestare, con questa.»

Ci scambiammo un sorriso.

«Cavolo, Shelly» disse piano, guardando di nuovo l'elenco con occhi pieni di meraviglia. «Avevamo messo insieme una bella lista, ai tempi. Pensavamo che saremmo stati invincibili e avremmo dominato il mondo.»

Scoppiai a ridere e posai il pezzo di carta sopra la scatola. «Ehi, forse tu ti sei ritirato ora che ti sei diplomato, ma io sono ancora in tempo a diventare invincibile e dominare il mondo.»

Lo dissi con più sicurezza di quanta ne sentissi, e il mio stomaco si annodò di nuovo quando pensai al mio cellulare e al promemoria di richiamare Berkeley che avevo ignorato, ma Lee non sembrò accorgersene, e continuò a sorridermi.

7

«Allora, siete andati avanti, ragazzi?» chiese June con un'occhiata scettica agli scatoloni di cartone diretti alla beneficenza e ai miseri sacchi della spazzatura.

Rachel evitò lo sguardo tagliente di June, chinando la testa e mordendosi il labbro. Noah sbuffò, ma Lee lo interruppe velocemente. «Un sacco» gridò.

June guardò me, con le braccia incrociate e un sopracciglio alzato.

«Già. Un sacco, decisamente.»

«*Mm-mm.*» Si voltò verso Noah con espressione poco convinta. «Pensavo che tu dovessi fare da supervisore.»

«Ero impegnato a supervisionare la scala di papà che stava controllando le grondaie e fingendo di capirci qualcosa.»

«Ehi, attento» disse Matthew, puntandogli addosso scherzosamente un dito.

Noah alzò gli occhi al cielo e ci fece un sorrisetto. «Sei tu che li hai chiusi in una stanza piena di giocattoli, mamma. Che cosa ti aspettavi? Questi due non hanno mai detto di no a un trampolo a molla.»

Matthew rise. «Il ragazzo non ha torto, tesoro.»

«Sentite, ragazzi» disse June. «Lo so che è difficile, e so che troverete un sacco di bei ricordi d'infanzia e giocattoli, ma ho davvero bisogno che vi diate una mossa e mi aiutiate, d'accordo? Dobbiamo proprio sistemare questo posto.»

Scambiai uno sguardo con Lee e capii che anche lui si sentiva un po' in colpa, specialmente perché June sembrava così stanca. Mi chiesi se fosse per il peso di dover vendere la casa sulla spiaggia, o solo per aver lavorato tanto tutto il giorno.

«Di solito quanto ci vuole a vendere una casa da queste parti?» chiese Rachel, nel chiaro tentativo di stemperare la tensione.

Non funzionò affatto.

«Dobbiamo ancora metterla sul mercato» disse Matthew «ma abbiamo già avuto un paio di richieste. Considerando che dobbiamo venderla, il trasloco...»

«E le questioni burocratiche...»

«Probabilmente due o tre mesi.» Annuì, scambiando un sorrisetto con la moglie. «Sarà una scocciatura dover fare avanti e indietro ogni volta, però.»

«Cosa? Davvero?» chiese Lee, con una smorfia.

«Be', ci sono molte cose da fare: dobbiamo incontrare i periti, i geometri, i muratori... e tutti i potenziali acquirenti, ovviamente» spiegò suo padre. «E poi dovremo mettere in sicurezza un paio di cose qui dentro, per essere tranquilli.»

Lee si mise a sbuffare alla sola idea, ma il mio cervello era già partito in quarta.

Un paio di mesi per vendere la casa... e di certo non avremmo finito di impacchettare tutto in due pomeriggi, a giudicare da come era andata quel giorno...

E né io né Lee né Noah eravamo ancora pronti a dire addio a questo posto...

Diedi una gomitata a Lee perché mi guardasse. Dopo un attimo, finalmente capì. Vidi i suoi occhi illuminarsi e condividemmo un istante di totale sincronia, come quando avevamo deciso di mettere in piedi la *kissing booth* alla fiera di primavera della scuola, l'anno passato, quando avevo baciato Noah per la prima volta.

Perché qual era il modo migliore di trascorrere la nostra ultima estate prima del college?

Qual era il modo migliore di trascorrere la nostra ultima estate nella casa sulla spiaggia?

«Wow» dissi ad alta voce voltandomi di nuovo verso i genitori di Lee. «Sembra proprio una scocciatura.»

«Soprattutto con i lavori stradali in corso quest'estate» aggiunse Lee.

«E tutte queste pulizie saranno pesanti.»

«Bisogna togliere tutte quelle erbacce...»

Vidi Noah guardarci come se fossimo impazziti (ma in tutta onestà ci guardava spesso così) prima di capire a sua volta.

«Bisognerà anche riparare il vialetto» si intromise, rivolgendo ai suoi genitori uno sguardo forse fin troppo serio, e annuendo quando si voltarono a guardarlo.

«Dover venire fin qui in continuazione, per controllare tutti questi lavori...» sospirò Lee, aggrottando le sopracciglia. «Vero, Rach?»

«Vero» rispose lei, velocemente. «Decisamente. Ci vorrà un sacco di tempo, nei prossimi mesi. C'è tanto lavoro.»

«Così tanto lavoro» aggiunsi.

June e Matthew si guardarono a lungo, metà confusi e metà divertiti. June arricciò le labbra, nel chiaro tentativo di trattenere un sorriso; Matthew scrollò le spalle, indifeso.

«D'accordo» disse June battendo le mani e voltandosi per guardarci di nuovo uno a uno, a lungo, con il suo sguardo penetrante da mamma. «Sputate il rospo. Dove volete arrivare?»

Lee prese la parola, dichiarando a gran voce: «Sono lieto che tu l'abbia chiesto, mamma carissima! Siccome questa sarà la nostra ultima estate alla casa sulla spiaggia, siccome i vostri cuori sono rimpiccioliti di dieci volte e rinsecchiti per la vostra avidità, o forse per la vecchiaia, e siccome avete deciso di distruggere i miei delicati ricordi d'infanzia, mi sembra che vi possa servire qualcuno – o più di un qualcuno – che rimanga qui per coordinare il tutto...»

«E noi saremmo felici di rimanere qui tutta l'estate e occuparci della faccenda per voi» intervenne Noah. «Possiamo fare una parte del lavoro, per giunta. Tranne le grondaie, dato che papà con quelle ha già fatto un lavoro spettacolare.»

Avrei voluto tappare la bocca con le mani a tutti e due. Lee chiamava i suoi genitori avidi e vecchi, e Noah derideva l'abilità di suo padre nel fai-da-te... *Ottimo*, pensai. *Gliela state vendendo proprio bene, ragazzi.*

«*Wow*, Noah!» lo interruppi, mentre Lee prendeva fiato, mettendo su una voce da televendita. «Sembra proprio una vittoria per tutti! Quest'estate, signori e signore, e solo per quest'estate, un'offerta esclusiva e irripetibile! Sistemate la vostra adorata casa di famiglia sulla spiaggia, pulita e pronta per la vendita, e accaparratevi un team di supervisori per coordinare la vendita! Chiamate 800-NOI-ALTRI per essere certi di non perdervela!»

Matthew fece un sorrisetto, ma il viso di June divenne di pietra. «E immagino vi toccherà rimanere qui tutti e quattro per supervisionare.»

«Temo proprio che sia un pacchetto completo» disse Lee. «Niente rimborsi e la merce non si cambia.»

«Ci prenderemo davvero cura di questo posto» dissi sinceramente. «Lo sapete anche voi. Insomma, chi meglio di noi potrebbe badare alla casa?»

Lee aggiunse: «E potremo essere qui per il Quattro Luglio! Mamma, tu dici sempre che è importante mantenere le tradizioni».

«Sarebbe davvero un ottimo modo di dire addio alla casa» disse Rachel, esitante.

«E Lee porterà persino fuori l'immondizia ogni domenica» promise Noah, facendo l'occhiolino al fratello minore e assestandogli una pacca sulle spalle. Lee rispose con una smorfia, ma breve, e poi si voltò raggiante verso i suoi genitori.

«Allora, mamma? Papà? Che ne dite?»

I due si scambiarono un altro sguardo, e nella mia testa sentii suonare una melodia drammatica, come se fossimo a X Factor in attesa di scoprire il vincitore. I secondi si trascinarono per un'eternità e avrei giurato che nessuno di noi stesse respirando. Persino Noah sembrava teso ed emozionato.

Matthew fece un lungo sospiro e ci mise un secolo a espirare.

June ci guardò un'altra volta.

«D'accordo. Potete rimanere qui quest'estate.»

Strillai, saltando in aria e agitando le braccia e le mani. Lee si chinò e poi saltò a sua volta, alzando il pugno. Rachel squittì, emozionata.

Noah mi strinse la vita con le braccia e mi sollevò in aria per farmi girare. Mi posò velocemente per stringere la testa di Lee, scompigliargli i capelli e poi dare un cinque a Rachel.

«Siete i migliori!» urlò Lee, ancora stretto nella presa di Noah. «A parte il fatto che venderete la nostra casa delle vacanze, cosa per cui non vi perdoneremo mai, siete i migliori!»

Un'intera estate qui, con Lee e Noah e Rachel...

L'anno prima eravamo preoccupati che tutto sarebbe cambiato. Eravamo preoccupati che Noah non ci sarebbe stato durante l'estate, e quando Rachel era venuta qui per un paio di giorni la cosa aveva creato una dinamica, nuova e strana.

Ma dopo quest'anno, le cose sarebbero cambiate davvero. Matthew e June avrebbero venduto la casa e non avremmo più trascorso estati qui, e di certo le cose tra noi sarebbero cambiate.

Ne avevamo bisogno: un ultimo *urrà*, un'opportunità di dire addio una volta per tutte alla casa sulla spiaggia, e alla nostra infanzia.

8

Era stata una giornata lunga ed estenuante, ma il mio umore era decisamente migliorato ora che i genitori di Lee avevano accettato di lasciarci trascorrere l'intera estate alla casa sulla spiaggia. Riuscii persino quasi a divertirmi durante il tragitto verso casa con la moto di Noah.

Noah spense il motore e rimasi aggrappata a lui ancora un minuto prima di dargli un bacio sulla spalla e allontanarmi. Gli porsi il mio casco e attesi che mi prendesse la borsa.

Noah capì al volo e increspò le labbra in un sorrisetto.

«Non mi inviti a entrare?»

Scossi la testa. «Voglio passare un po' di tempo con Brad stasera.»

Noah sollevò di scatto le sopracciglia. Non che mio fratello non mi piacesse, o che non stessi mai con lui, ma non eravamo i tipi da desiderare di passare tempo insieme. E non era... non era del tutto una bugia...

«Tutto a posto?»

«Sì. Certo, va tutto bene.»

Noah mi conosceva bene, però, e alzò la mano ad accarezzarmi la guancia. Il suo palmo era caldo e ruvido sulla mia pelle. I suoi occhi azzurri affondarono nei miei. «Sicura? Sai che mi puoi parlare di qualunque cosa.»

Non di questo.

Mi avrebbe fatto bene un po' di tempo da sola per pensare a come procedere con il college, o almeno, sola per quanto potessi esserlo facendo da baby-sitter. Ma non avevo neanche voglia di raccontare tutta la questione di Linda a Noah in quel momento. La giornata era stata monopolizzata dalla casa sulla spiaggia, perciò non avevo avuto tempo di parlarne con nessuno.

E non potevo sganciare la notizia bomba adesso.

Così feci un sospiro e un sorriso e lo baciai, dicendo: «Lo so. Magari domani, okay?»

«Okay.»

«Ti amo.»

«Ti amo anch'io, Elle.»

Mi voltai per andarmene, ma Noah mi afferrò il polso, attirandomi di nuovo a sé. Appoggiai le braccia al suo petto, sentendo sotto le dita la sensazione familiare della giacca di pelle, mentre le sue labbra si muovevano sulle mie, lentamente, appassionatamente, facendomi tremare le ginocchia.

«Detesto quando fai così» mormorai, con le labbra ancora sulle sue.

Lo sentii sorridere.

«Quando faccio cosa?» chiese, con innocenza.

«Quando mi baci e mi fai venire voglia di passare il resto della vita a baciarti e dimenticare tutto il resto.»

Noah ridacchiò, un suono che vibrò nel suo torace, contro le mie mani. Mi baciò di nuovo, un bacio tenero e leggero e lungo... fino a quando finalmente ci separammo.

Una volta dentro, mio papà mi chiese: «Elle? Come è andata oggi?»

Posai la mia roba e presi il guantone da baseball che avevo portato a casa per Brad.

Papà era nel suo ufficio, e mi affacciai. «Sì, è stato... *ehm*... è stato strano, in realtà. Ma, ehi, ho preso questo guantone da baseball per Brad.»

«Ho sentito il mio nome! Ho sentito il mio nome!»

Brad uscì di corsa dal salotto, colpendomi sul fianco, e cercò di afferrare il guantone. D'istinto, lo alzai sopra la testa.

«Dai, Elle! Che altro mi hai portato? Lee mi ha mandato una foto di una pistola ad acqua e un trampolino a molla, mi hai portato anche quelli?»

Guardai papà ed entrambi alzammo gli occhi al cielo. Tipico di Lee, scaricare i suoi vecchi giocattoli su Brad per non doverci rinunciare del tutto.

«No, ma puoi avere il guantone da baseball» gli dissi, dandoglielo finalmente. «E non ti sognare neanche di prendere il trampolino a molla. Non ho intenzione di badare a te quando cadrai da quel coso e ti romperai un braccio.»

«Tanto devi badare a me in ogni caso.»

«Ascolta tua sorella» disse papà. «E tu, Elle... dì a Lee di non portare alcun trampolino.»

«Già fatto.»

Mi aspettavo che papà si mettesse in ghingheri, con troppo dopobarba, impacciato e serio, con scarpe eleganti e una cravatta. Ma quando finì di prepararsi, indossava solo un paio di jeans e un maglione e le scarpe che portava praticamente tutto l'anno.

Insomma, sembrava il solito papà.

«Sei pronto per il grande appuntamento?» chiesi, appiccicandomi in faccia un sorrisone.

«Andiamo solo a cena, Elle.» Alzò gli occhi al cielo, ma sembrava... emozionato. Felice. E sembrava che fosse più che "solo una cena".

Feci del mio meglio per imitare il suo atteggiamento quando io avevo appuntamenti con Noah: mi misi le mani sui fianchi e strinsi gli occhi, con il mento in fuori, e finsi di avere occhiali da sopra i quali guardarlo, uno sguardo che conoscevo fin troppo bene, avendolo visto così tante volte. «Spero che la tua amica si ricordi che hai un coprifuoco da rispettare, piccolo. Viene lei a prenderti?»

Papà rise. «Ho prenotato un Uber. Andremo insieme.»

«E da quando tu usi Uber?»

«Da quando ho finalmente trovato il coraggio di dire ai miei figli che ho un appuntamento, così posso lasciare qui la macchina e condividere una bottiglia di vino con una donna bellissima.»

Indietreggiai con una smorfia. «Dio, quanto sei sdolcinato. Lei lo sa che sei così sdolcinato?»

Papà si limitò a ridere, e quando si fermò mi strinse una spalla. «Grazie per essere stata così comprensiva, Elle. So che dev'essere un po' strano per te. È strano anche per me.»

Non avrei mai immaginato di essere tanto comprensiva quanto lui credeva che fossi, ma non avevo intenzione di correggerlo.

«Allora, hai preso una decisione per il college?»

Scossi la testa, e sentii un peso nello stomaco solo a sentirlo nominare. «Non proprio. Cercherò di decidere stasera e parlarne con i ragazzi domani. Ma a proposito di Lee e Noah... prima che tu vada via...»

Gli spiegai brevemente la nostra idea di trascorrere l'estate alla casa sulla spiaggia, per aiutare a prepararla per la vendita, per incontrare i muratori e gli acquirenti e fare tutto ciò che c'era bisogno di fare.

Non avevo esattamente pianificato di dirglielo quando aveva solo un paio di minuti prima dell'arrivo del suo Uber, ma a dire la verità, mi faceva comodo.

«Per tutta l'estate?»

«Be', solo finché non si vende la casa. E ovviamente posso tornare a dare una mano con Brad e fare la baby-sitter, andare a comprare il latte e accompagnare Brad agli allenamenti di calcio... ti prego, papà! Ci vuole proprio un'estate con Lee, specialmente se deciderò di andare ad Harvard.»

Era uno sporco trucco e papà lo sapeva benissimo, ma questo non lo rese meno efficace. Papà sospirò. «Se ho anche solo l'impressione che creiate problemi o organizziate feste pazzesche...»

«Giuro. Faremo i bravi.»

«Brad ha gli allenamenti di calcio...»

«Il giovedì e il lunedì, lo so. E tu hai in programma quella conferenza, e probabilmente altri appuntamenti con Linda. Lo so, papà.»

Non era niente che non avessi già fatto per un paio d'anni.

Il cellulare di papà squillò e un'auto accostò davanti a casa nostra. Papà mi rivolse un sorriso indulgente prima di sospirare ancora una volta e abbracciarmi. «Puoi stare alla casa sulla spiaggia fintanto che potrò contare su di te. Affare fatto?»

«Affare fatto. Affare fatto, giuro. Grazie, papà. Sei il migliore.»

Aspettai sulla soglia per salutarlo mentre andava al suo non-primo appuntamento. Quando rientrai e chiusi la porta, mi voltai e trovai Brad appostato in corridoio.

«Che cos'è questa storia di Harvard?»

Dopo averlo costretto a giurare che avrebbe mantenuto il segreto, e dopo aver cenato ed esserci seduti a guardare un film, riuscii finalmente a fermarmi un attimo e passare un paio d'ore a rimuginare su cosa fare con il college. Detestavo la pressione di dover scegliere: prima facevo quella telefonata e prima sarebbe finito tutto.

Da un lato c'era Berkeley. L'*alma mater* di mia mamma, il college che avevo sempre avuto nel cuore, vicino a casa... il college dove avevo sempre desiderato andare insieme a Lee. Ogni volta che immaginavo il college, c'era sempre Lee. Avevamo passato tutta la vita insieme; non mi sarei mai aspettata che questo capitolo potesse essere diverso.

E dall'altro...

Oh, cavolo, non riuscivo a dimenticare l'espressione sul viso di mio padre quando aveva scoperto che ero entrata ad Harvard.

Ricordai quando, l'anno prima, ero andata a sedere in cima alla collina con Noah mentre lui cercava di venire a capo della stessa decisione, se accettare o meno l'offerta. Eravamo andati nel suo posto preferito per parlare di tutto quanto, e della nostra relazione, e gli avevo detto che era matto a lasciarsi scappare un'occasione del genere.

Ora la questione era uguale, ma perché era così tanto più difficile convincere me stessa?

Boston mi era piaciuta molto quando ci ero andata per le vacanze di primavera...

Forse era una cosa terribile, ma non avevo mai davvero esaminato il programma di Berkeley. Non ne avevo mai sentito la necessità. Perciò, in questo momento, paragonandolo ad Harvard, che invece avevo esaminato eccome, si riduceva tutto a...

Be', a Lee.

E per quanto volessi bene al mio migliore amico, non poteva essere lui la ragione per cui sceglievo un college piuttosto che un altro.

Il pensiero mi colpì come un camion. E in quel momento mi accorsi di aver preso la mia decisione.

9

Avvicinandomi alla porta d'ingresso di casa Flynn avevo
una nausea terribile. Ero già tornata indietro quasi trenta
volte, lungo il tragitto.

Adoravo casa Flynn. Ci avevo passato un sacco di tempo nel corso degli anni; io e Lee eravamo così uniti che
per me era quasi una seconda casa. C'era persino il mio
spazzolino in bagno. Era molto più elegante di casa mia,
e aveva addirittura una piscina privata. Anche se questo mi aveva messa a disagio, a volte, era comunque una
casa familiare, che conoscevo bene come la mia. Ma in
quel momento sembrava imponente, e persino le aiuole
che June aveva recentemente sistemato ai lati del vialetto
d'ingresso sembravano essere sul punto di assalirmi.

Ce la potevo fare.

Lee avrebbe capito. Per forza.

E quanto a Noah... be', era stato lui a suggerire che
avremmo potuto affittare un appartamento insieme, no?

Sospirai. Chi volevo prendere in giro? Non era Noah
che mi preoccupava.

Ora che finalmente ero in piedi davanti alla porta
d'ingresso, strinsi la maniglia e mi feci forza. Potevo riuscirci. Non era un vero e proprio segreto... non come
quando uscivo con Noah di nascosto da Lee. Era solo...

uno sviluppo recente. Una sorpresa. E Lee avrebbe capito che questa era una decisione che dovevo prendere da sola.

Speravo solo che capisse che non significava scegliere Noah al posto suo.

Bussai alla porta; come previsto, era aperta.

«Sono io» urlai entrando. La mia voce rimbombò nell'ingresso. A differenza della casa sulla spiaggia, compatta e allegramente disordinata, questa era enorme. Un labirinto di stanze, una dopo l'altra, tutte squadrate e con gli angoli perfetti, e senza neanche l'ombra di un granello di polvere (o di sabbia). Dall'ingresso riuscivo a vedere fino in fondo al corridoio, attraverso l'open space della cucina e le porte a vetri che portavano al giardino posteriore e alla cucina.

«Elle! Ehi.» Noah sbucò dalla porta della cucina, con un coltello sporco di senape in mano. «Non sapevo che saresti venuta. O cerchi Lee?»

«Entrambi, in realtà» mormorai, avvicinandomi a lui. Noah tornò a prepararsi il panino. Scossi la testa per un istante al solo vederlo. Noah e Lee facevano sempre dei panini giganteschi, e questo era uno dei più impressionanti. Sarà stato alto più di dieci centimetri.

Noah si accorse che lo guardavo e fece un sorrisetto. «Che c'è? Era avanzato del manzo.»

«Certo, e anche tutto il resto.» Osservai il panino: spinaci, pomodori... anche tacchino, a occhio. «Potresti sfamare un villaggio intero con quello.»

Noah arricciò il naso. «Sì, il villaggio dei Puffi. Ne vuoi?»

Scossi la testa. Non pensavo di poter mangiare niente in quel momento, ma in ogni caso non mi sarei sorpresa se dando un morso avessi trovato acciughe o ananas o qualcos'altro di totalmente fuori luogo.

«Allora, che succede?» chiese, afferrando il panino con entrambe le mani, per poi azzannarlo con foga. A differenza di Lee, masticò e degluti prima di parlare di nuovo. «Oppure sentivi solo la mia mancanza?»

Mi contorsi le mani. «Devo parlarti di una cosa.»

Noah si fermò con il panino a metà strada verso la bocca. Lo posò lentamente, aggrottando la fronte e le sopracciglia. I suoi splendidi occhi blu elettrico penetrarono i miei, nel tentativo di capire.

Non potevo certo biasimarlo per l'espressione così preoccupata: iniziare un discorso con "dobbiamo parlare" non era mai un buon segno. Anche se stavolta... be', forse stavolta era diverso.

Feci un paio di sospiri profondi, poi raddrizzai le spalle e gli dissi: «Sono stata ammessa ad Harvard. E ho intenzione di andarci.»

Mi ero preparata tutto il discorso: volevo solo vedere se riuscivo a entrare, mio papà era molto fiero, ero finita in lista d'attesa, Noah e Lee non c'entravano niente, e... non so che fine avesse fatto il discorso, ma ormai la notizia era uscita, e non c'era modo di riprendersela.

Noah mi fissò.

Ero a disagio ma non dissi una parola.

Poi cedetti, sospirando. «Be', di' qualcosa!»

In un istante, Noah mi afferrò per la vita e mi sollevò in aria. Strillai quando i miei piedi si staccarono da terra e mi fece girare, esultando per me, e poi mi posò di nuovo giù e mi baciò appassionatamente.

I baci di Noah erano inebrianti. Il sapore delle sue labbra dava dipendenza; la sensazione della sua lingua sulla mia e delle sue mani sulla mia pelle riuscivano a farmi dimenticare l'esistenza del resto del mondo; il calore del suo corpo così vicino e il suo profumo così familiare riuscivano a farmi sciogliere.

Ma in quel momento, niente di tutto ciò riusciva a dissipare l'ansia crescente di dover parlare del college anche con Lee.

E poi sentii la voce di Lee: «Vi prego, ditemi che non state per sposarvi o avere un bambino... Se così fosse, sarà meglio che mi facciate fare la damigella d'onore o il padrino».

Noah interruppe il nostro bacio, e la sua espressione si intristì un poco nel realizzare che la mia decisione di andare ad Harvard poteva essere motivo di festeggiamento per lui, ma significava deludere Lee. Si allontanò da me, lasciando cadere le mani dai miei fianchi, e ci guardò entrambi. Poi si schiarì la voce e si sfregò la nuca con la mano.

«Io... *ehm...* vi lascio soli.»

Prese il suo panino e scomparve.

Lee sembrava un po' pallido, e io riuscivo a malapena a guardarlo negli occhi. Si avvicinò a me, esitando, poi mi posò una mano sul braccio. «Elle? Che cosa... che cosa succede? Ehi, dai» mi disse con voce dolce e gentile e un sorrisetto sul viso, e mi guidò verso gli sgabelli al tavolo della colazione. «Non piangere.»

«Non sto piangendo» dissi, ma la voce mi tremava, e in effetti avevo la vista un po' appannata... sbattei le palpebre un paio di volte e presi le mani di Lee tra le mie. «Si tratta del college.»

«Che succede?»

Oh, mio Dio, detestavo sentirlo così allegro. Così ottimista. Così emozionato.

E io stavo per spezzargli il cuore.

Cercai di ricordare il mio discorso, quello che avevo pianificato nei minimi dettagli, parola per parola, la sera prima; ma ora riuscivo a ricordarne solo frammenti sparsi.

«So che fin da bambini abbiamo programmato di andare a Berkeley. Da sempre. Come le nostre mamme, e poi, sai, anche per via di Brad, e... Dio, Lee, non avrei mai pensato che succedesse. Davvero... Ma è... tu non hai visto la faccia di mio padre. Era così maledettamente fiero. E... onestamente lo sono anche io. È una cosa pazzesca. Non che Berkeley non lo sia, niente del genere, ma... pensa a quante porte mi si potrebbero aprire se fossi a Boston! E ti giuro che non avevo nessuna intenzione di tenertelo segreto. Nemmeno Noah lo sapeva, e mio papà neanche... non l'ho detto nemmeno a Levi. La lettera mi è appena arrivata, e...»

«E» disse Lee, sollevando il petto in un sospiro «tu non verrai a Berkeley, vero?»

Perché mi sentivo così male? Avevo preso la mia decisione.

«Da quando ti interessa andare ad Harvard?» chiese, sospirando di nuovo e fece mezzo passo indietro, passandosi una mano sul viso e poi tra i capelli. «Lascia stare, non me lo dire. Ovviamente, da quando ci è andato Noah.»

«Tu hai fatto domanda anche alla Brown» dissi timidamente. «E...»

«Sì, ma mio papà è andato alla Brown. Non era solo per via di Rachel.»

No, ma lo era per il novanta per cento.

«Ero in lista d'attesa» dissi, tornando sui miei passi. «Non mi aspettavo di entrare. Non mi sarei mai neanche aspettata di entrare in lista d'attesa! Penso di aver fatto domanda solo perché sapevo che non sarebbe mai successo, ma... ora è successo, e... e ho dovuto fare una scelta.»

«E hai scelto lui» disse Lee sottovoce. «Di nuovo.»

Stavo ancora tenendo una delle sue mani tra le mie, e la strinsi più forte ancora, chinandomi verso di lui. La mia voce divenne disperata. «Non è stato per questo, Lee.»

E invece lo era.

Lo era per circa il cinquanta per cento, probabilmente.

Ma come facevo a spiegargli che mi ero informata sui corsi di Harvard, sul campus, su tutto, cosa che non avevo mai fatto per Berkeley? Certo, lo avevo fatto soprattutto perché c'era Noah, ma... Be', quello che avevo visto mi era piaciuto abbastanza da fare domanda, no? Avevo scelto Berkeley solo perché... perché io e Lee lo avevamo deciso insieme. E come potevo dirgli che se avessi scelto di andare a Berkeley, lo avrei fatto solo per lui? Si sarebbe sentito ancora più ferito e rifiutato se glielo avessi detto.

Lee mi restituì la stretta di mano, scioccandomi, e mi rivolse un altro di quei sorrisetti che decisamente non meritavo. «Tranquilla. Lo capisco. È Harvard. Devi andare. Proprio come Noah. Non è una cosa che si può rifiutare, giusto?»

Avevo voglia di piangere e di affondare il viso nella sua spalla. Volevo afferrargli il viso e urlare di sollievo. Volevo spingerlo via e dirgli di smetterla di essere gentile con me, di smetterla di essere così dolce e comprensivo, perché io al posto suo mi sarei detestata.

L'unica cosa che potevo fare, invece, era rimanere seduta con la bocca chiusa e fissare le nostre mani.

«E ci credo che tuo padre era super fiero» disse Lee, un po' troppo allegramente. Sollevai lo sguardo e vidi che il suo sorriso era quasi folle, la mascella contratta. «Eri preoccupata di non riuscire a entrare neanche in un college, passavi tutto il tempo a stressarti per il saggio di ammissione, poi mi hai costretto a entrare nel consiglio studentesco e passare tutte le pause pranzo a organizzare balli e eventi di beneficenza e... ce l'hai fatta! Ha funzionato! E ora... ora tu...» Si schiarì la voce, agitandosi sulla sedia. «E ora puoi andare ad Harvard, Shelly.»

Il fatto che usasse il mio vecchio soprannome d'infanzia, quello che solo lui (e da poco tempo) Noah avevano il permesso di usare, rese tutto infinitamente peggiore.

Ti prego, smettila di essere così comprensivo.

Ma non era questo che desideravo? Non avevo pregato che reagisse così?

«Già» riuscii a mormorare «papà è super fiero. E non è che non ci vedremo mai. Avremo i fine settimana e le vacanze di Natale e di Pasqua. Potremmo persino fare un altro viaggio in macchina! E ci sono le videochat e... e non deve cambiare niente, sai? Possiamo passare insieme tutte le feste.»

Lee fece una smorfia. Con voce piatta, mi disse: «Le passerò con Rachel, le feste. Abbiamo già preparato un calendario e tutto quanto.»

«Be'... be', ottimo, perché la Brown non è così lontana da Boston.»

«Così posso venire sulla East Coast a trovare sia te sia Noah sia Rachel. Fantastico.»

Okay. Questo era quello che mi aspettavo.

Stranamente, fu quasi un sollievo vedergli perdere il controllo, anche se per poco. Detestavo l'idea che Lee ce l'avesse con me ma non me lo dicesse. Il pensiero che potesse comportarsi così, e poi andarsi a sfogare con Rachel e non con me, mi fece quasi tornare la nausea. Non potevo permettere che mi allontanasse già adesso.

«Certo» proseguì, attraversando la cucina a grandi passi e prendendo una bottiglia di succo dal frigo. «Possiamo passare insieme tutte le feste e i week-end lunghi, e così io non passerò del tempo di qualità né con te, né con Rachel. E nemmeno con Noah!»

Aprì con forza un'anta, prese un bicchiere, lo posò rumorosamente sul bancone e chiuse l'anta facendola sbattere forte.

«Ma certo che potrai passare del tempo di qualità con noi, Lee.»

«Ho visto che effetto ha avuto la distanza su te e Noah. Prima del Ringraziamento avevate già mandato tutto all'aria. E sì, lo so che poi avete risolto, e che ora andate bene, ma non ho intenzione di permettere che accada anche a me e Rachel.»

«Mi dispiace» sussurrai. «Lee, non voglio farti sentire come se dovessi scegliere tra me e Rachel. Noi... troveremo una soluzione, d'accordo? La troviamo sempre. Possiamo creare un calendario per il tempo da passare insieme, come hai fatto con Rachel.»

Lee mi rivolse un lungo sguardo severo, ma capii che non era del tutto serio. Continuavo a sperare che si mettesse a urlare, che andasse proprio fuori dai gangheri, come quando aveva scoperto che uscivo con Noah di nascosto. Riuscivo a vederlo sobbollire sotto la superficie.

Ma Lee non era un tipo rabbioso, non lo era mai stato. Ed era per questo che ora stringeva gli occhi e piegava la testa di lato per dirmi, con voce fredda e distaccata: «Sarò con Rachel per la Festa del Lavoro. Ma forse... forse ti posso concedere la giornata nazionale dei cupcake.»

«Ti prometto che ti preparerò i cupcake più buoni, più incredibili, più indimenticabili che tu abbia mai anche solo sognato.»

Lee sollevò le sopracciglia ed entrambi ci lasciammo improvvisamente sfuggire un sorriso. Sono sempre stata un'autentica frana con i dolci, come avevo dimostrato un paio di anni prima durante una lezione disastrosa di economia domestica.

«Prometto che convincerò Levi a prepararti i cupcake più buoni, più incredibili, più indimenticabili che tu abbia mai anche solo sognato» mi corressi. Levi adorava preparare dolci, tanto che si era trovato un lavoro in pasticceria oltre ai turni al 7-Eleven. Se la giornata nazionale dei cupcake fosse diventata la nuova festa per me e Lee, mi sarei di certo affidata a Levi per renderla memorabile. (Soprattutto perché c'era la concreta possibilità che io la rendessi memorabile per un avvelenamento accidentale...)

Il sorriso di Lee sparì troppo in fretta, ma non si mise a urlare né a fare una faccia da povero cucciolo. Si agitò un po', passeggiando su e giù, e sapevo che stava rimuginando su tutto questo e su quanto avrebbe cambiato le cose.

«Di' qualcosa, Lee» mormorai. Il suo silenzio mi stava uccidendo.

«Questo doveva essere il nostro anno, Elle, ricordi? L'ultimo anno doveva essere la nostra conquista, dovevamo divertirci da matti prima che arrivasse il momento di andare al college e che tutto cambiasse. Ma sta già cambiando, vero? Noi siamo già cambiati. Questa doveva essere l'estate migliore di sempre, la nostra ultima estate. È appena iniziata e si sta già rovinando. E non sono solo i nostri programmi per il college. Mamma e papà vendono la casa sulla spiaggia e... niente va come avrebbe dovuto, capisci?»

Si accasciò su uno degli sgabelli accanto a me. Gli cinsi le spalle con un braccio, grata che non mi spingesse via. Affondò il viso nella mia spalla.

«Ti giuro che sono contento per te, per Harvard» disse con la faccia nel mio maglione.

«Lo so.» Ed era vero. «Non ho... insomma, non ho ancora accettato. Né disdetto Berkeley...»

Lee si riscosse improvvisamente, scuotendo la testa. «No, Elle, dai, non farmi passare per quello che non sono. Hai ragione, è un'opportunità fantastica. Come potresti rifiutarla? E se è questo che vuoi, io sono contento per te. Davvero! Anche se adesso non sembra.»

Mi morsi il labbro, sentendomi un po' in colpa.

Avevo voluto venire a parlargli prima di disdire ufficialmente Berkeley. Era una mia decisione, ma Lee era il mio mondo. Lo era sempre stato. Se davvero gli avessi spezzato il cuore, se me lo avesse chiesto, ci avrei ripensato, avrei rivalutato la situazione.

Mi sentivo in colpa perché sapevo che non mi avrebbe mai chiesto di farlo. E anche Lee lo sapeva. Gli stavo dando una via d'uscita che non avrebbe mai usato, neanche in un milione di anni.

Incerta su come scusarmi per questo, gli dissi: «Ti giuro che non volevo nasconderti nulla. Non è andata così. Ho ricevuto la lettera un paio di giorni fa, e... dovevo decidere. Sai, con tutto quello che stava succedendo per via della casa sulla spiaggia, non volevo farti stare ancora più male del necessario, nel caso avessi deciso di andare a Berkeley...»

«Ma hai deciso di no.»

«Mi dispiace.»

«E che mi dici di Brad?»

Questa era una cosa che non potevo risolvere con una chiacchierata; non potevo farci niente. Ma ora che avevo vuotato il sacco sul college, gli dissi: «A proposito, mio papà ha una morosa».

Lee fece un verso strozzato e si ritrasse per guardarmi

con la bocca aperta, il viso contratto e un occhio semichiuso. «Tuo papà ha una *cosa*?»

Gli spiegai di Linda, con la quale papà era andato a un non-primo appuntamento proprio la sera prima, e mi trattenni per un pelo dal raccontargli per filo e per segno quanto la faccenda mi sembrasse bizzarra e troppo grande da concepire.

Lee fece un fischio. «Signor Evans, ma che furbacchione. Chi l'avrebbe mai detto?»

«Ehi, dai! Non chiamare così mio papà.»

«Sai che aspetto ha questa Linda?»

«No.»

«Cognome?»

«L'avrei cercata online se l'avessi saputo.»

«Almeno qualcuno si diverte quest'estate» ridacchiò Lee. Il malumore di poco prima era tornato in un batter d'occhio. Riuscivo quasi a vedere le nubi temporalesche radunarsi sopra la sua testa.

Era ovvio che non si sarebbe messo a litigare per questo, però. Stava chiaramente provando in tutti i modi a essere felice per me, orgoglioso di me, e per questo gli volevo molto bene.

Dovevo farmi perdonare, in qualche modo.

Non appena il pensiero mi passò per la mente, capii che cosa fare. Lee era distrutto per la casa sulla spiaggia e perché non sarei andata a Berkeley, anche se non voleva darlo a vedere. Voleva una conclusione col botto, una spettacolare, indimenticabile ultima estate insieme prima che tutto cambiasse e che dovessimo iniziare a crescere. E io gliela avrei regalata, a ogni costo.

Anni prima, da bambini, io e Lee avevamo sognato tutte le cose favolose e pazzesche che avremmo fatto durante le nostre estati.

Se lui voleva che le cose rimanessero come erano sempre state, anche se solo per qualche settimana, be', potevo concederglielo.

«Lee, ti giuro sulla nostra amicizia che questa sarà l'estate migliore di sempre. Questo è pur sempre il nostro anno. E per di più, se questa è la nostra ultima estate alla casa sulla spiaggia, dobbiamo sfruttarla al meglio.»

«Ah, sì?» Mi rivolse un sorriso svogliato, e chinò la testa da un lato. «Sarà meglio che tu abbia un piano a prova di idiota, Shelly.»

«Rifletti» sbottai, cercando di tenere il passo con la mia mente, che era già corsa avanti fuori controllo prima che avessi il tempo di realizzare quello a cui stavo pensando. «Abbiamo avuto il permesso di usare la casa sulla spiaggia per tutta l'estate. Sì, certo, dobbiamo fare la nostra parte e lavorarci un po', e allora? Staremo lì da soli – con Noah e Rachel, intendo – senza adulti a controllarci! Dimmi se non sono queste le condizioni ideali per un'estate fantastica! Conosco gente che darebbe qualsiasi cosa per un programma del genere! Abbiamo tutto ciò che ci serve, a poca distanza da qui.»

«Ti ascolto.»

«E poi» continuai «la nostra versione più giovane ha già scritto la ricetta per noi.»

Rimasi a guardarlo fino a quando non capì.

«Non stai dicendo quello che penso tu stia dicendo.»

«Sto assolutamente dicendo quello che tu pensi che stia

dicendo. Lee, nella casa sulla spiaggia abbiamo una lista di cose da fare che ci dice esattamente come rendere quest'estate la migliore di tutte le estati. Tutto ciò che abbiamo sempre desiderato fare prima del college, ogni cosa folle e divertente che abbiamo sognato fin da bambini... Ora abbiamo l'occasione di fare tutto!»

Con voce lenta e misurata, come se non osasse quasi crederci, Lee disse: «Intendi fare tutte le cose sulla lista?»

«Intendo fare tutte le cose sulla lista!»

I suoi occhi blu si strinsero, sospettosi. Brillavano di quella luce maliziosa che conoscevo così bene; Lee stava lottando a sua volta per non farsi sfuggire neanche il minimo sorriso. In quell'istante capii che lo avevo conquistato, e che questa proposta sarebbe potuta bastare a seppellire la rabbia per il college. Come poteva avercela con me dopo che gli stavo proponendo di trasformare in realtà la sua estate da sogno? Come avrebbe mai potuto essere arrabbiato con me, o dire che avevo dato la precedenza alla mia relazione con Noah a scapito della nostra amicizia, quando ero disposta a fare tutto questo per lui?

«Persino la gara sui go-kart?»

Con un sorriso stampato in faccia, risposi: «Soprattutto la gara sui go-kart! Allora, che ne dici? Ci stai?»

Doveva dire di sì, per forza. E sapevo che lo avrebbe fatto, perché conoscevo Lee quasi meglio di me stessa, e sapevo che non sarebbe stato in grado di resistere. Ma trattenni comunque il fiato, con l'ansia che mi pungeva la pelle come un milione di minuscoli spilli.

Rinunciare a Berkeley era stata una mia scelta. Era un po' come rinunciare a Lee dopo anni trascorsi a programmare di andare al college insieme. Ma quest'estate mi sarei guadagnata il suo perdono. Avrei fatto qualunque cosa per regalargli un'ultima estate perfetta prima che tutto cambiasse e prima di dover iniziare questo nuovo capitolo della nostra vita e diventare adulti. Se lo meritava.

Lee si alzò dallo sgabello e mi guardò dall'alto in basso. «L'estate migliore che abbiamo mai vissuto. Promesso?»

Gli feci eco un'ultima volta. «L'estate migliore che abbiamo mai vissuto. Promesso.»

10

Avevo pensato che parlare della "questione college" con Lee mi avrebbe fatto stare meglio. Avevo pensato che una volta formalizzata la rinuncia sul sito, e accettato ufficialmente il posto ad Harvard, mi sarei sentita meglio. Pensavo che preparare le valigie per la nostra estate alla casa sulla spiaggia mi avrebbe fatta sentire meglio.

Mi sbagliavo di grosso.

Avevo la nausea mentre rifiutavo il posto a Berkeley, anche se accettare il posto ad Harvard, con mio padre raggiante appollaiato dietro di me, era stato piuttosto emozionante e mi aveva fatto capire quanto fosse valsa la pena di impegnarsi duramente a scuola.

Lee era stato bravissimo e non me la stava facendo pagare per aver rovinato i programmi per il college che avevamo messo a punto sin da bambini. Era stato lui a dirlo ai suoi genitori quella sera a cena, ma mi sembrava ancora un po' troppo felice per me.

Ma se lui poteva fingere che gli andasse bene, potevo farlo anche io.

Ci mettevo sempre una vita a preparare le valigie per andare alla casa sulla spiaggia, ma stavolta sembrava persino più difficile del solito. Il mio cervello continuava a rimuginare su Lee, e su quanto disperatamente volessi farmi perdonare da lui durante l'estate; questo rese impossibile rispettare la mia lista di cose da mettere in valigia.

E davvero dovevo farmi perdonare. Dovevo provarle tutte. La lista di cose da fare era un'idea divertente – sarebbe stato fantastico riuscire davvero a realizzarla – ma richiedeva anche una quantità spaventosa di preparativi e di pianificazione.

E di soldi.

Fantastico, mi dissi. *Un'altra questione da risolvere.*

Non avevo neanche lontanamente pensato a come potermi permettere tutti i punti della lista quando l'avevo proposta a Lee. Insomma, già solo la gara sui go-kart... avevo passato così tanto tempo durante l'estate precedente e per tutto l'ultimo anno a cercare un lavoretto, senza riuscirci... principalmente perché non avevo esperienza. Qualcosa mi diceva che quest'estate non sarebbe stata diversa. Forse potevamo organizzare una specie di *crowdfunding*? Ammesso che fosse legale.

Presi un paio di trucchi dalla cassettiera e li buttai nella valigia aperta, poi mi passai le mani sul viso. Sarebbe andato tutto bene. Per forza. Il college era risolto, perciò ora dovevo solo riuscire a completare la lista, trovare i soldi per pagarla, aiutare a sistemare la casa sulla spiaggia secondo le istruzioni di June e Matthew, tornare a fare da baby-sitter a Brad mentre mio padre usciva con la perfetta, favolosa Linda...

«Calma» mormorai tra me.

Una cosa per volta. Potevo stressarmi per il lavoro da baby-sitter quando sarebbe stato il momento, e anche la lista poteva attendere ancora un poco. In questo momento non dovevo fare altro che le valigie, ed ero già in ritardo.

Alla fine, comunque, riuscii a concludere. Trascinai il mio bagaglio di sotto e salutai papà e Brad, che si lamentò di nuovo di non poter trascorrere l'estate con noi alla casa sulla spiaggia. Ne avevamo dovuto discutere quasi ininterrottamente da quando glielo avevo detto ed ero sicura che se gliene avessi dato la possibilità si sarebbe intrufolato nel baule di una delle nostre auto.

Ma anche questo finì in fretta. Caricai la valigia in macchina e mi diressi verso casa di Lee e Noah, dove scoprii che nessuno dei due era pronto a partire.

«Credevo che voi ragazzi aveste già fatto le valigie?»

Quando mi vide comparire sulla soglia della sua camera, Noah si morse il labbro per un secondo, con espressione vagamente colpevole. Cedette in fretta, comunque, e disse: «Abbiamo pensato che se ti avessimo detto che non saremmo partiti prima di pranzo, saresti stata ancora lì a preparare le valigie.»

Con un'esclamazione scandalizzata, gli diedi un buffetto sul braccio a cui rispose con una risata. Mi sistemai in un angolo libero del suo letto, vicino alla sua valigia e alle pile di vestiti che stava sistemando, e incrociai le gambe. «Siete due sporchi bugiardi. Dammi un po' di fiducia. Sono pronta ora, no?»

«Lo sei davvero?»

Non aveva torto. Mancavano un paio d'ore alla partenza, come avevo appena scoperto, e c'era la concreta possibilità che mi ricordassi di qualcosa che avevo scordato di mettere in valigia. Il che era sciocco, lo sapevo benissimo, perché sarei tornata a casa ogni due o tre giorni per aiutare mio padre a badare a Brad, perciò potevo tranquillamente prendere quello che avevo dimenticato.

«Oh, cavolo.» Mi sbattei il palmo della mano sulla fronte. «Non ho preso i reggiseni.»

Noah mi fece un sorrisetto e alzò un sopracciglio. «A me non sembra che sia un problema.»

Alzai gli occhi al cielo. «Comportati bene, tu. Finisci di fare le valigie.»

Restammo seduti in silenzio per un attimo, mentre Noah estraeva una maglietta dall'armadio per piegarla e io ripensavo alla mia lista mentale alla ricerca di altre dimenticanze.

«Sai» disse con quel tono sospettosamente indifferente che mi faceva sempre capire quando stava per dire qualcosa di serio «so che le circostanze non sono perfette perché vendiamo la casa sulla spiaggia, ma per noi potrebbe essere una cosa buona. Per me e te, intendo. Quasi una prova... di convivenza.»

Lo fissai mentre ripiegava la sua maglietta per la terza volta.

«Di convivenza... come coppia.»

«Perché no? Siamo sopravvissuti alla distanza, l'anno scorso, giusto? Perciò questo dovrebbe essere un gioco da ragazzi.»

«Un gioco da ragazzi» ripetei. La distanza non era stata quello che avrei definito un gioco da ragazzi. Ci eravamo lasciati, una volta, e non era stato tutto rose e fiori dopo. Era andata meglio, era andata bene, ma non era stato facile.

Non pensavo che vivere insieme potesse essere più difficile, però.

E non potevo negare che il mio cuore avesse messo le ali all'idea.

«Vorresti davvero vivere con me, ad Harvard?»

«Insomma, ci stavo pensando.» Noah sospirò e finalmente si girò a guardarmi. Era un po' evasivo, e si mordeva l'interno della guancia. All'inizio della nostra storia, era del tutto incapace di parlare delle sue emozioni, ma era diventato più bravo da quando stavamo insieme, e decisamente di più da quando era andato al college. Questa, però, evidentemente non era una conversazione che lo faceva sentire a proprio agio. «Ovviamente, tu starai nei dormitori per le matricole, quest'anno, ma magari... sai, se ci fermiamo durante l'estate per fare dei tirocini, oppure quando inizi il secondo anno... insomma... Tu sarai ad Harvard. Io sarò ad Harvard. Stiamo insieme già da un anno. Non è che sia... insomma, c'erano ragazzi nella mia classe in seconda liceo che si sono sposati dopo essere stati insieme un solo mese.»

«Stai pensando di sposarmi, Noah Flynn?» lo presi in giro, senza riuscire a trattenermi, godendomi appieno il rossore che gli tinse le guance e sentendomi solo un pelo in colpa nel vederlo spostare il peso da una gamba all'altra, a disagio.

«Non sarebbe una mossa così repentina. A meno che tu non la pensi diversamente. Ho solo pensato, sai, che potremmo... risparmiare sull'affitto.»

«Perciò la tua decisione di andare a convivere l'anno prossimo si basa sul... risparmio economico?»

Noah alzò lo sguardo in tempo per vedermi sorridere con la lingua tra i denti, e annuì con serietà. «Al cento per cento.»

Gettò di lato la pila di biancheria che aveva appena tirato fuori dal cassetto per inginocchiarsi sul letto, con il corpo chino verso di me. I suoi luminosi occhi azzurri si incresparono appena, e vidi comparire la fossetta sulla guancia sinistra che trovavo così terribilmente adorabile.

«Elle Evans, sono innamorato di te. E mi piacerebbe vivere insieme a te a Boston l'anno prossimo.»

Un verso leggero mi sfuggì dalle labbra, e mi chinai verso di lui a mia volta. «Dillo di nuovo.»

«Sono innamorato di te.»

«Eccome se lo sei.» Gli strinsi il viso tra le mani e attirai le sue labbra verso le mie. Sentii il sapore del caffè che stava bevendo quando ero arrivata, e lo baciai ancora più profondamente, muovendo le dita tra i suoi capelli.

Mi chinai all'indietro e Noah si spostò insieme a me, cadendomi addosso e mantenendo a malapena l'equilibrio su un gomito, poi ridacchiò e spostò la testa per baciarmi sul collo.

«Credevo che avessi detto che dovevo fare le valigie» mormorò sulla mia pelle.

Risi e riportai la sua bocca sulla mia. «Chiudi il becco.»

«Non dimenticarti di prendere queste» dissi, afferrando le mutande di Superman dalla pila che Noah aveva rovesciato sul letto poco prima e gettandogliele addosso. Le afferrò al volo con una mano appena prima che gli cadessero in faccia.

Un giorno, avrei smesso di trovare divertente il fatto che il bad boy Noah Flynn indossasse le mutande di Superman, ma quel giorno non era vicino.

«Okay, allora corro a casa a prendere dei reggiseni e poi torno qui così possiamo partire in orario. Promesso. Giurin giurello.»

«Sì, come no. Ehi, non dimenticarti questo.»

Raccolse il mio reggiseno da terra e me lo lanciò.

«Cavolo, grazie. E guai a voi se partite senza di me.»

«Elle, guidi tu. Lee ha la macchina piena, perciò non potrei partire senza di te neanche se volessi.»

Non aveva torto, ma avevamo comunque degli orari da rispettare, soprattutto per via di Rachel. Gli diedi un bacio veloce prima di correre a casa, dove infilai qualche reggiseno in borsa, sollevata per il fatto che papà avesse portato Brad al cinema così non avrei dovuto salutarli di nuovo.

Tornata da Lee e Noah, li trovai impegnati a caricare la macchina. Noah stava infilando le nostre valigie nel baule della mia vecchia Ford scassata. Lo raggiunsi, spostando la mia scorta di reggiseni dalla borsa alla valigia e ignorando volutamente il modo in cui lui e Lee si guardarono con le sopracciglia sollevate.

«Te l'avevo detto che sarebbe arrivata in ritardo» disse Lee.

«Non sono in ritardo» obiettai. «Siete voi che siete in anticipo.»

Arrivò un messaggio sul telefono di Lee. «Questa è Rachel che chiede se sono già partito. Sei sicura di aver preso tutto stavolta, Shelly?»

«Sì, abbastanza sicura» dissi, ripercorrendo la mia lista mentale. Un attimo, avevo preso il balsamo?

Lee doveva aver capito che cosa stessi pensando, perché salì in auto di corsa e si sporse dal finestrino per dirci: «Ci vediamo là, d'accordo?»

«A dopo» rispondemmo entrambi.

«Sei sicura che non vuoi che guidi io?» chiese Noah, salendo in auto.

«Oh, andiamo, non guido così male! E devi far finta di non sentire quel rumore sputacchiante quando accendo il motore.» Diedi una pacca affettuosa al cruscotto e misi in moto. Non mi sfuggì la smorfia incerta di Noah quando il motore emise il suo solito sputacchio.

L'aria condizionata dell'auto lasciava a desiderare, perciò abbassai i finestrini e misi gli occhiali da sole, facendo un sorriso a Noah. «Quella che sta iniziando sarà l'estate migliore di sempre.»

All'inizio dell'anno, io e Lee avevamo attraversato il Paese in auto per arrivare ad Harvard per le vacanze di primavera. Il tempo era volato, e la vacanza era stata troppo breve, ma anche davvero divertente. E adesso, con il vento tra i capelli e il sole sul viso e la radio a tutto volume, mi sembrava di essere tornata a quel momento, a vivere l'esperienza che tutti avevamo sognato e a divertirci come matti.

E a proposito di esperienze da sogno... dovevo davvero impegnarmi per farmi perdonare da Lee. Con una fitta di senso di colpa pensai che Noah era lì con me, e che sembrava davvero che da quel momento in avanti ci sarebbe stato sempre lui al posto di Lee. Non riuscivo a immaginare come sarebbe stata la mia vita senza la presenza costante di Lee, e a essere onesti mi ero abituata a non vedere Noah ogni giorno.

Stavo iniziando a pensare a tutti i modi in cui Noah si sarebbe sostituito a Lee nella mia vita, al termine dell'estate. Al cinema, al centro commerciale... interi week-end trascorsi a cercare di battere il nostro stesso record ai videogiochi...

Sarebbe diventato troppo?

E se vivere insieme si fosse rivelato impegnativo, per entrambi?

E se non fossimo riusciti a sopravvivere nemmeno all'estate che ci aspettava? Stare separati aveva già creato una crepa tra me e Noah prima del Ringraziamento, al punto che avevo rotto con lui. Chi poteva dire che non sarebbe successo lo stesso ora che saremmo stati sempre l'uno tra i piedi dell'altra?

Andiamo, Elle, ti stai facendo prendere la mano. Calmati.

Feci del mio meglio per scrollarmi quei pensieri di dosso e guardai di nuovo Noah, ammirando il modo in cui la luce del sole sottolineava i suoi zigomi, la barba che ricresceva lungo la mascella, il blu acceso dei suoi occhi. Si accorse che lo fissavo e le sue labbra si tesero in un sorriso, facendo comparire la fossetta sulla guancia sinistra.

«L'estate migliore di sempre» ripeté, sollevando la mia mano per baciarla.

11

Non ci mettemmo molto per sistemarci nella casa sulla spiaggia, lasciando una scia di caos dove solo pochi giorni prima avevamo sistemato tutto a puntino.

Meno male che dovevamo svuotare la casa, pensai, sarcastica.

Dopo aver scaricato le valigie (e aver messo ogni cosa sottosopra), tutti e quattro andammo al supermercato più vicino.

«Non pensate che sia un po' troppo questo cibo?» chiese Rachel, osservando il carrello stracolmo, mentre ci avvicinavamo alla cassa.

«Hai mai visto quanto mangiano questi due? Lee è in grado di finire da solo quella scatola di ciambelle in cinque minuti.»

«Per favore» sbuffò Noah. «Io ci riuscirei in quattro.»

«Ah, sì?» Lee puntò il dito verso di me. «Shelly ci riuscirebbe in tre. Quella ragazza sì che sa mangiare. Rach, credimi, torneremo qui tra un paio di giorni e dovremo rifare tutto da capo.»

Probabilmente era un po' esagerato. Diciamo tra quattro giorni.

Rachel si prese la responsabilità di sistemare la spesa. Lee stava gonfiando un materassino all'esterno, dove

Rachel poteva tenerlo d'occhio e impedirgli di mangiare gli snack prima ancora che lei potesse tirarli fuori dalle borse. Noah aveva sistemato le casse e fatto partire una playlist, che si sentiva in tutta la casa.

Nel frattempo, io avevo preso la mia valigia e l'avevo trascinata lungo tutto il corridoio fino alla camera... di Noah. Be', forse era la nostra camera ormai. Lee e Rachel avrebbero preso la camera dei suoi genitori, dato che la nostra aveva solo due lettini singoli. In quel modo, avrebbero avuto anche il bagno privato. Sembrava la cosa più sensata.

Ma era comunque stranissimo disfare le valigie in camera di Noah e non in quella mia e di Lee.

Quando Noah tornò in camera da letto, concluso il suo compito, mi guardò con espressione strana. Iniziò ad aggrottare le sopracciglia e a sporgere il labbro inferiore come se stesse decidendo se dire o meno qualcosa.

«Cosa c'è?»

«Solo... quello è il mio lato del letto.»

Tornai a guardare il comodino che stavo riempiendo, con una smorfia. «No che non lo è.»

«*Ehm*, sì invece.»

Feci un passo indietro ed esaminai il letto, paragonandolo a quello di casa. In effetti aveva ragione. Era il suo lato, però...

«Ma a me non piace dormire accanto alla finestra.»

Noah mosse la bocca come se volesse ribattere, ma poi scrollò le spalle. «Certo.»

«Be', posso spostarmi se...»

«No, no, va bene così. Stai tu da quella parte.»

«Sei sicuro?»

Mi auguravo che lo fosse.

«Certo.» Mi sorrise. «Senza dubbio.»

Non mi sembrava così convinto, ma avevo la mia vittoria e di certo avevo intenzione di accettarla. Dovetti scendere a compromessi quando Noah occupò quasi tutti gli attaccapanni e quasi tutto lo spazio all'interno dell'armadio, però, e quindi alla fine fummo pari.

Anche se sbuffò e mi lanciò un'occhiataccia quando presi il primo cassetto, nonostante lui avesse usato quasi ogni angolo disponibile in bagno.

Ma era così che funzionavano le relazioni, giusto? Compromessi. Non si poteva essere egoisti. E avremmo dovuto trovare una quadra se volevamo convivere a Boston, come suggerito da Noah, e come forse volevo fare anche io.

Siccome avevamo tutti saltato il pranzo, cenammo presto. Io e Lee prendemmo l'iniziativa e preparammo i tacos, anche se dovevo ammettere che aveva cucinato quasi solo Lee, mentre io avevo tagliato le verdure, preparato l'insalata e apparecchiato la tavola fuori.

Ci eravamo appena seduti a mangiare quando Noah scomparve in casa per riapparire poco dopo con quattro bicchieri e una bottiglia di champagne, che tutti noi accogliemmo con un gran coro di esultanza.

«L'ho rubata a mamma e papà» spiegò, snodando il fil di ferro intorno al tappo. «Ne avevano una dozzina, non ne sentiranno la mancanza.»

Si preparò a estrarre il tappo.

Pop!

Fui percorsa da un'emozione che danzava dentro di me come le bollicine dello champagne che Noah stava versando nei nostri bicchieri. Posò la bottiglia e alzò il bicchiere per un brindisi.

«A quest'estate!»

«La nostra ultima e più bella estate alla casa sulla spiaggia!» concordò Lee, e tutti e quattro brindammo a gran voce, facendo tintinnare i bicchieri.

Ci sedemmo a mangiare, sorseggiando lo champagne che non ero del tutto sicura mi piacesse. Lee ammise che avrebbe preferito una birra, a essere sincero, e fu un sollievo sentirglielo dire.

Rachel rise. «Be', se voi non lo volete, lo bevo io.»

«Meglio tenerne un po' per dopo» disse Noah.

«Cosa? Perché?»

«Be', giusto per prepararvi... io e Lee potremmo aver detto a un paio di persone di passare a salutarci stasera. Una specie di... inaugurazione della casa.»

Strinsi gli occhi e guardai entrambi i fratelli Flynn che avevano gli occhi spalancati e grandi sorrisi innocenti stampati in faccia. Rachel mi guardò, a disagio.

«Che cosa significa un paio?» chiesi.

Lee sorseggiò di nuovo il suo champagne, deglutì con una smorfia, e mi zittì con un cenno. «Solo una festicciola tra pochi intimi...»

La festicciola tra pochi intimi di Lee e Noah si trasformò velocemente in una vera e propria festa in pieno stile fratelli Flynn.

I due avevano organizzato un paio di feste davvero epiche negli ultimi anni. Di solito, la mente dietro le quinte era quella di Noah, e anche se a scuola faceva il duro e non voleva stare con noi, ci lasciava sempre partecipare e invitare i nostri amici. Casa Flynn era talmente grande che era il posto perfetto per dare una festa.

La casa sulla spiaggia era sempre stata accogliente e sicuramente intima.

E forse lo era anche in quel momento. Le sette persone strette su un solo divano sembravano decisamente intime. Anche il sedere che strusciò contro il mio passandomi accanto era piuttosto intimo.

Il ritmo della musica dentro casa sembrava il battito di un cuore. Gli invitati avevano portato casse di birra, bottiglie di vodka e soda, e succo di frutta per chi doveva guidare. C'era gente ammassata in salotto, in cucina, in tavernetta. C'era gente fuori. Un gruppo di ragazze sedeva con i piedi a mollo in piscina. Un paio di ragazzi si erano spogliati ed erano saltati dentro. Ora li guardavo schizzare le ragazze, che strillavano e ridevano.

Rachel aveva iniziato a stressarsi, perciò le avevo dato il mio secondo bicchiere di champagne. Aveva già prosciugato il resto della bottiglia e aveva iniziato con la birra. Aveva le guance arrossate, i capelli un po' arruffati, e sembrava divertirsi un mondo.

Lee era in tavernetta, sentivo le sue grida in sostegno a un'aguerrita partita a Ippopotami affamati. Noah era in salotto a chiacchierare con vecchi compagni della squadra di football. Incrociò il mio sguardo, mi fece l'occhiolino, e sorrise. Il cuore mi sobbalzò nel petto e gli restituii il sorriso.

Nonostante fossimo alla casa sulla spiaggia, era proprio come ai vecchi tempi. Noah aveva radunato un gruppo di amici della scuola, che erano tornati per le vacanze estive, e lui e Lee avevano invitato anche un gruppo di nostri amici. Intravidi Ethan Jenkins e Kaitlin del consiglio studentesco, e Tyrone, che ne era stato il capo e si era diplomato un anno prima di noi. Gli amici del club di teatro di Rachel erano qui da qualche parte.

Suonò il campanello, e abbandonai lo straccio con cui stavo asciugando della birra versata per correre ad aprire la porta d'ingresso, chiedendomi quale idiota avesse girato la chiave.

Olivia e Faith, due mie compagne di classe, erano dall'altra parte della porta. Con uno strillo, mi buttarono le braccia intorno al collo, cosa che mi colse totalmente di sorpresa dato che eravamo sempre state amiche ma mai particolarmente intime.

«Tesoro! Ci sei mancata!»

«Ci siamo viste pochi giorni fa, per il diploma.»

Olivia ridacchiò, con il singhiozzo, e mi accorsi che erano già un po' alticce, cosa che probabilmente spiegava anche l'abbraccio.

Faith, nel frattempo, si guardò intorno con occhi sbarrati e disse: «Oh, mio Dio, Elle, questo posto è così... pittoresco.»

«Accogliente» suggerì Olivia.

Faith annuì. «Assolutamente affascinante. E ce l'avete tutto per voi! È una figata.»

«Ehi, Liv, rivuoi le scarpe o no?»

Tutte e tre ci voltammo e vedemmo Jon Fletcher, un

membro della squadra di football, salire sul portico con una cassa di birra sottobraccio. Insieme a lui c'era un altro ragazzo che non riconobbi. Agitò con la punta delle dita un paio di sandali rosa acceso con la zeppa in sughero.

«Oh! Certo!» Olivia si voltò per prenderli, accasciandosi sulla panca scricchiolante per infilarseli. «Sono belli da morire ma, santo cielo, è impossibile camminarci» mi disse, poi si alzò barcollando e quasi cadde addosso a Faith con un'altra risatina.

«Ehi, Elle.» Jon mi rivolse un sorriso e mi diede un cinque. Guardò alle mie spalle e alzò la mano in un saluto. «Lee! Ehi, amico.»

«Fletcher» rispose Lee con un grido. Mi gettò un braccio intorno alle spalle rovesciando un po' di birra dalla lattina aperta. «Che bello vederti.»

«E questo» Jon fece un passo indietro e indicò con un cenno il ragazzo al suo fianco «questo è il nostro nuovo amico Ashton. Spero che non ti dispiaccia se abbiamo invitato anche lui...»

«La casa è strapiena» dissi, sorridendo al nuovo arrivato. «Che differenza fa uno in più?»

C'era qualcosa di strano in Ashton, però, e non riuscii a individuare cosa finché non entrarono tutti e quattro e Ashton finì in piedi accanto a Lee.

Si assomigliavano in modo pazzesco. Anche se Lee aveva i capelli scuri e Ashton biondo scuro. Ed era anche più magro.

Indossava jeans, una felpa verde col cappuccio, e un cappellino di Berkeley.

Anche Lee lo aveva già notato. Lo indicò con il dito

e disse: «Piacere di conoscerti, amico. Allora vai a Berkeley?»

«Ho appena finito il primo anno» rispose Ashton con una luce negli occhi e un gran sorriso.

La somiglianza tra loro era incredibile quando sorridevano. Avevano lo stesso ardore negli occhi.

«Ma no! Incredibile!» esclamò Lee, afferrandogli la spalla. «Io inizio in autunno. Ho un milione di domande da farti.»

Sentii immediatamente una fitta al petto. Qualcosa di terribilmente simile alla gelosia. Il mio sorriso di benvenuto si congelò in una smorfia.

Ashton rise, ignaro della mia reazione. «Spara.»

«Dai, vieni, ti prendo una birra.» Lee lo condusse in cucina e io rimasi lì, con un peso nello stomaco, sentendomi dimenticata. Solo un pochino.

No. No, questa era una buona cosa. Se abbandonavo Lee e rinunciavo al nostro sogno per andare ad Harvard, era una buona cosa che Lee avesse conosciuto qualcuno che andava a Berkeley. Una cosa fantastica. Ero emozionata che avesse trovato un nuovo amico.

(Era così che Lee si era sentito quando gli avevo detto di Harvard?)

La porta si spalancò di nuovo e sentii dei rumori all'esterno, una distrazione apprezzata.

Oliver, Cam, Dixon e Warren si infilarono dentro casa, ridendo di qualche battuta. Mi videro immediatamente e urlarono il mio nome. Cam mi strinse in un abbraccio e Warren mi offrì una bottiglia di vino.

«Omaggio di mia sorella» disse.

«Oh! Molto stiloso! Grazie.»

Feci per prenderla ma la ritrasse. «No, no, non è per te.» Rifletté un secondo, tentando di aprirla. «Okay, Evans. Puoi berla anche tu. Ma solo perché mi sei simpatica. E perché ho bisogno che me la apri.»

«Come sei generoso» gli dissi, prendendo il vino e svitando il tappo.

Dixon gli diede una sberla sulla testa. «Smettila di fare lo scemo. E poi, *ehm*, Elle, un messaggio da parte di Levi: non è riuscito a trovare nessuno che lo sostituisse al lavoro, perciò non riuscirà a venire.»

Con un gemito, piegai la bocca in una smorfia. Non vedevo l'ora di incontrare Levi, considerato che non ci vedevamo già da qualche giorno, dal diploma, in realtà. Non mi era neanche passato per la mente che questa festa dell'ultimo minuto potesse cozzare con i suoi turni di lavoro. Dovevo ricordarmi di mandargli un messaggio più tardi, o magari domani. Forse poteva venire alla casa sulla spiaggia verso il fine settimana e stare un po' con noi... se lui e Noah riuscivano ancora a rimanere nella stessa stanza.

Velocemente, riacquistai il mio sorriso da perfetta padrona di casa. «Be', almeno voi siete riusciti a venire!»

«È una festa Flynn» rise Olly. «Non potevamo perdercela. Per giunta, niente genitori a intrufolarsi e mandarci a casa! Non riesco ancora a credere che avrete questo posto tutto per voi per l'intera estate.»

«E tu e Noah convivete» aggiunse Cam con sguardo incredulo. «Come dei veri e propri adulti. Quando si dice fare le cose sul serio... non è pazzesco?»

«Neanche la metà di quanto è pazzesca questa festa» dichiarò Warren. «ANDIAMO!» Mi gettò un braccio intorno alle spalle, l'altro intorno alle spalle di Olly, e ci condusse verso il cuore della festa.

In piedi accanto alle porte che conducevano alla piscina con Ashton, Lee sollevò la lattina e urlò alla folla, sia dentro sia fuori: «Alla nostra ultima estate nella casa sulla spiaggia!»

Cam stava bevendo il vino dalla bottiglia, e gliela tolsi di mano per partecipare al brindisi.

«Ehi, Elle?» mi voltai e vidi Jon Fletcher indicare con il pollice un punto al di sopra della sua spalla e rabbrividire. «*Ehm*... forse dovresti... Noah se la sta prendendo con un tizio.»

Feci per chiedergli che cosa intendesse esattamente, ma qualcuno lo chiamò per nome e Jon si voltò per abbracciare un amico, dandogli grandi pacche sulle spalle, e lasciandomi lì impalata. Corsi fuori verso la piscina, seguita a ruota dai ragazzi.

Trovammo Noah e un tizio di una squadra di football rivale che conoscevo vagamente, in piedi l'uno di fronte all'altro con aria minacciosa. Le mani di Noah erano strette a pugno, e un gruppetto di persone stava già urlando e facendo il tifo per incitarli. Al di sopra del baccano riuscii a malapena a sentirli scambiare qualche battuta secca, e a meno che non mi sbagliassi di grosso stavano parlando di me.

«... Detto a tutti a quella festa all'ultimo anno che lei era off limits, e perché? Solo per non avere concorrenza?» disse l'altro tizio a Noah, con derisione. «Amico, lo sai che è davvero patetico? L'unico modo in cui riesci a conquistare una ragazza è fare a botte con chiunque ci provi con lei?»

«O forse» ringhiò Noah in risposta «non volevo che dovesse avere a che fare con stronzi come te. A quante ragazze hai dato appuntamento a quella partita? Quattro?»

«Oh, cavolo, adoro quando Flynn perde le staffe» disse Warren accanto al mio orecchio, afferrando la bottiglia di vino per dare un sorso. Poi me la passò per mettersi le mani intorno alla bocca e urlare: «Qualcuno si decida a tirare un pugno!»

L'altro tizio cercò di dare uno spintone a Noah, il quale allontanò di scatto il suo braccio e tirò un pugno che, come prevedibile, fu accolto da un coro di tifo. Entrambi si tuffarono in avanti. Un pugno colpì Noah sulla mascella, e il suo gomito colpì la spalla del tizio.

Forse non avrei dovuto essere così sorpresa, ma feci un passo avanti, afferrai il retro della maglietta di Noah e dissi seccamente: «Ehi, teste di rapa, piantatela!»

Si fermarono quasi immediatamente, fecero un passo indietro e si accontentarono di guardarsi in cagnesco.

«Scusa tanto, ma chi ti ha invitato?» chiesi al tizio.

Borbottò qualcosa, però doveva aver colto il messaggio, e se ne andò imprecando contro Noah.

Lui mi guardò, a disagio, e disse piano: «Elle...»

«Lascia perdere, razza di idiota. Cerca solo... di non fare a botte con nessun altro, d'accordo? Sono la tua ragazza, non la tua baby-sitter.»

Arrossì, e io rientrai in casa. Non avevo nessuna voglia di fare i conti con il suo atteggiamento in quel momento né con scuse che sarebbero state in ritardo e insufficienti. Credevo davvero che andare al college lo avrebbe fatto crescere e abbandonare questi atteggiamenti.

Sentii un fracasso provenire dalla tavernetta e rabbrividii. Sarebbe stata una lunga notte.

Oppure...

Bevvi un altro sorso di vino.

Potevo preoccuparmi dello stato della casa sulla spiaggia, oppure... potevo affrontare il problema l'indomani, unirmi ai festeggiamenti e contribuire davvero a questa festa di inaugurazione. Non avevo già abbastanza cose a cui pensare? Non meritavo anche io una sera in cui rilassarmi prima che tutto diventasse di nuovo serio e stressante?

Non fu una decisione difficile.

Anche se devo ammettere che quando mi trascinai fuori dal letto il mattino seguente e mi feci strada tra bicchieri di plastica e lattine e bottiglie vuote fino al salotto e alla cucina, e vidi che disastro avevamo combinato, mi pentii un po' di non essermi impegnata di più per tenere le cose sotto controllo.

(Forse i nostri genitori avevano ragione. Forse stavamo davvero crescendo.)

Il mio umore migliorò quando trovai Lee riverso sul divano con una patatina appiccicata alla fronte e baffi da gatto disegnati sul viso. Sentivo Rachel muoversi nel loro bagno mentre Noah era nella nostra doccia, così mi accovacciai accanto alla sua testa e cercai sul cellulare il rumore di una sirena su YouTube e glielo sparai a tutto volume nell'orecchio.

Scattò in piedi così velocemente, agitando braccia e gambe, che cadde di lato. Indietreggiai rapidamente quando rotolò a terra. La patatina era ancora appiccicata alla sua fronte quando si sedette; aveva gli occhi annebbiati, e si sfregò il viso risistemandosi sul divano.

«Cavolo, Shelly. La sirena era proprio necessaria?»

«Necessaria? No. Divertente? Moltissimo.»

Lee gemette, si sdraiò di nuovo sul divano e si gettò un braccio sopra la testa. «Che ore sono?» chiese.

«Presto» risposi.

«Potevi lasciarmi dormire. È il nostro primo giorno di vacanza ufficiale.»

Con una smorfia, lo stuzzicai finché non si alzò, in modo da potermi sedere sul divano accanto a lui.

«Avrei potuto ma, caro il mio amico, abbiamo una tabella di marcia da rispettare.»

«Di che cosa stai parlando?»

«Be', mentre tu e Noah passavate il pomeriggio a pianificare una festa, io ho creato un piano diabolico per la nostra lista di cose da fare. A cominciare dal tuffo dalla scogliera di oggi pomeriggio. Be', tecnicamente, a cominciare dalla pulizia di questo posto, che però non è sulla lista, perciò... Su! Su! Su! Non abbiamo tempo da perdere!»

E sinceramente, tra badare a Brad, completare la lista e passare del tempo con Noah, non ne avevamo davvero.

12

Lista delle cose da fare di Lee e Elle:

~~13. Tuffo dalla scogliera!~~
14. Fare le comparse in TV!
~~15. Farsi arrestare (LEE NON HO NESSUNA INTENZIONE DI FARMI ARRESTARE) e dai, shelly (DICO DAVVERO)~~
va beeeeeene niente arresti.
15. Battere un record mondiale. Ma SUL SERIO.
Con la medaglia e compagnia bella.

Dopo esserci tuffati dalla scogliera, ci sedemmo sulla spiaggia con la nostra sbiadita e preziosa lista, cercando di pianificare le attività future. Ce n'erano così tante tra cui scegliere, e programmarle era un compito non da poco. Insomma, non potevamo tenere tutte le migliori per la fine dell'estate, perché sarebbe arrivata in un batter d'occhio; allo stesso tempo, non volevamo farne troppe subito, nelle prime due o tre settimane, per poi non aver più nulla da aspettare con ansia.

Per giunta, alcuni punti (la corsa dei go-kart, in particolare) richiedevano un sacco di preparazione. Già solo per capire come vestirci ci sarebbero volute ore...

Più andavamo avanti a cercare di incastrare i vari punti della lista, e che cosa avremmo dovuto preparare, più mi rendevo conto di quanto fosse mastodontico questo compito.

Lo avevo decisamente sottovalutato quando lo avevo proposto a Lee.

«Dovremo assicurarci che niente di tutto ciò ci impedisca di fare quello che i tuoi genitori ci hanno chiesto» lo avvertii, vedendo l'espressione compiaciuta e quasi maniacale quando trovò sul cellulare l'annuncio di uno show televisivo che cercava comparse poco lontano dalla casa sulla spiaggia. «Tua mamma ha detto che ci manderà una lista di cose da fare via mail, e potrebbe essere persino peggio della nostra.»

«Lo dici come se queste cose fossero un lavoro» rise, indicando la lista «e non la cosa più divertente che tu abbia mai fatto o potrai mai fare in tutta la tua vita.»

«Dico sul serio! Hai visto le foto che ci ha mandato di come vuole che sia il giardino sul retro? Dovremo togliere le erbacce e le sterpaglie, pulire a fondo il cortile e il vialetto... ci metteremo un intero fine settimana. E io ho promesso che sarei tornata per occuparmi di Brad...»

«Shelly, ti prometto che faremo tutto. Be', forse non la pulizia profonda, ma di certo i baby-sitter. E poi, Noah e Rachel possono darci una mano.»

Borbottai sottovoce, incerta, ma lasciai che continuasse a parlare dell'annuncio per le comparse. Dovetti ricordarmi del perché stavo facendo tutto questo. Per Lee. Per la nostra amicizia. E poi aveva ragione, sarebbe stato divertente.

Un divertimento ad alto, altissimo prezzo.

Più parlavamo delle cose sulla lista, più mi rendevo conto di quanti soldi mi sarebbero costate. Anche solo affittare i dune buggy avrebbe dato un bel colpo al mio conto in banca...

Potevo chiedere dei soldi a papà. Avrebbe fatto le smorfie e probabilmente avrebbe imbastito un discorsetto sull'importanza di spenderli in modo responsabile, ma mi avrebbe aiutata. Era solo che... non mi sembrava giusto. Non ora che stavo per andare ad Harvard, dall'altra parte del Paese, invece che nella vicina Bay Area, a Berkeley. Già non avevo idea di come avrei coperto le spese di iscrizione... ora, improvvisamente, dovevo fare i conti con il prezzo di un biglietto aereo per arrivarci, e aggiungere i bagagli, e poi tornare per il Ringraziamento e per Natale...

Oh, cavolo.

Forse non ci avevo pensato bene. Forse mi ero lasciata trasportare dall'emozione. E forse anche papà...

Era troppo tardi per cambiare idea?

(Mi immaginavo come avrebbe reagito Donna Washington dell'ufficio iscrizioni di Berkeley se le avessi detto che volevo annullare il mio rifiuto.)

Potevo chiedere un prestito per studenti e coprire le spese del college, come facevano tutti, e fare domanda per un finanziamento... a patto che Linda, la collega di mio padre, non si trasferisse improvvisamente da noi... ma non pensavo di poter ottenere un prestito per "completare la lista delle cose da fare che io e il mio migliore amico abbiamo scritto da bambini".

«Lee...» dissi con ansia, mordendomi il labbro e alzando lo sguardo dalla pagina Facebook di una ditta che affittava dune buggy sulla spiaggia. «Penso che potremmo avere un problema.»

«Non dirmi che hanno deciso di vendere tutto come mamma e papà» sbuffò, sporgendosi per prendermi di mano il telefono.

«No, no, è che... Lee, lo so che ti ho promesso che avremmo fatto tutto quello che c'è sulla lista, e non fraintendermi, vorrei tanto, ma sto pensando che... potremmo... potremmo eliminare un paio di cose, forse. Solo un paio. Non posso permettermi di farle tutte. Andrò in rovina prima di arrivare alla numero dieci» dissi, scherzando solo in parte.

Lee sembrò sinceramente confuso, e per una volta lo invidiai per davvero. Lui non si doveva mai preoccupare di cose del genere. Si sapeva che i Flynn avevano più soldi di noi. Insomma, avevano una piscina, avevano auto eleganti e gli abiti di June sembravano sempre costare più di quanto noi spendessimo per mangiare.

Ma eravamo così intimi che non aveva mai avuto importanza. Di certo non era mai stato motivo di conflitto.

Fino a ora, forse.

«Posso chiedere ai miei di pagare» disse lui, come se fosse così facile. «Non è un problema.»

Era un grosso problema, avrei voluto dirgli, ma aveva già preso il mio telefono e stava guardando la pagina dei dune buggy, dicendo con entusiasmo che avremmo ottenuto un prezzo migliore con un pacchetto di gruppo se avessimo coinvolto anche altre persone. Warren e Dixon non vedevano l'ora, a sentire lui.

Ed era un grosso problema perché se non mi sembrava giusto chiedere i soldi a mio padre, come potevo chiederli a June e Matthew? Capivo che i soldi non erano un problema per Lee e per la sua famiglia come lo erano per noi, ma...

Con lo stomaco annodato, guardai il suo enorme sorriso, e il modo in cui i suoi occhi azzurri brillavano alla luce del sole, i suoi capelli ancora umidi dopo il nostro tuffo in mare. Sembrava così felice, cavolo.

Non potevo deluderlo.

Forse, solo per stavolta, non poteva far male, pensai.

Di ritorno alla casa sulla spiaggia dopo il tuffo dalla scogliera, io e Lee avevamo il compito di prendere qualcosa per cena, il che ovviamente significava Dunes.

Dunes era un elemento imprescindibile delle nostre estati alla casa sulla spiaggia. C'era sempre stato, sin da quando avevo memoria, ed eravamo visitatori frequenti. Un bell'edificio bianco appena oltre la sabbia, con un tetto blu sbiadito: il tipico ristorante per famiglie. E facevano le patatine fritte migliori del mondo.

Io e Lee stavamo praticamente sbavando solo a parlarne. Parcheggiammo ed entrammo, e io mi fermai di botto. Lee non se ne accorse e lasciò andare la porta, che dondolò all'indietro e mi colpì in pieno sul braccio.

«*Ahia!*»

«Scusa! Che succede?» Lee si voltò verso di me e seguì il mio sguardo. «Che cosa stai fissando?»

Senza parole, con la bocca improvvisamente secca, non riuscii a fare altro che indicare il cartello in vetrina che diceva a grandi lettere rosse CERCASI AIUTANTE.

Questo era per forza, letteralmente, un segno.

Tutte le mie preoccupazioni su come avrei potuto pagare la lista di cose da fare o mettere da parte qualche soldo per il college? Questo era destino. Giusto?

Saremmo stati alla casa sulla spiaggia tutta l'estate. E, certo, dovevamo sistemarla per la vendita, ma quanto tempo ci sarebbe voluto, in realtà? E avrei potuto organizzare i turni in modo da mantenere gli impegni con Brad...

E avrei di certo avuto tempo per stare con Noah e completare la lista con Lee.

Di certo.

«Sono da voi tra un secondo» disse una signora dal grembiule verde, superandoci. Posò alcuni bicchieri vuoti sul bancone e poi si voltò a salutarci. Un sorriso le illuminò il viso. «Elle! Lee! Ma dai! Non mi aspettavo di vedervi qui così presto.»

«Ciao, May.»

May era forse un pelo più giovane di mio padre. Aveva i capelli tinti di un rosso arancione, lo stesso di ogni estate che avevamo trascorso qui. Sembrava non invecchiare mai di un giorno.

«Dov'è il resto del clan?»

«I miei vogliono vendere la casa sulla spiaggia, perciò noi ragazzi siamo qui per sistemarla, diciamo così» le spiegò Lee.

«Ma davvero?» esclamò sgomenta. Con espressione triste, schioccò la lingua e incrociò le braccia. «Che peccato. Sembra che tutti stiano vendendo ora che inizia la riqualificazione. Non sarà più lo stesso da queste parti.

Be', comunque almeno vedremo voi ragazzi più spesso, giusto? Farò in modo che abbiate una scorta infinita di patatine.»

Io e Lee ci scambiammo un'occhiata sorridendo. May ci aveva sempre dato porzioni extra di patatine. Era parte del motivo per cui erano così buone.

«Allora, che cosa posso fare per voi? Volete un tavolo per cena?»

«Pensavamo di prendere qualcosa da asporto, se si può, May» disse Lee, dirigendosi verso il bancone e prendendo un menù, una penna e il taccuino di qualcuno. «Passo l'ordine direttamente a Gary.»

«Oh, tesoro, Gary è andato in pensione lo scorso Natale, oggi comunque è di turno Kenny.» May sembrava pronta a rimproverare Lee in quel momento, dirgli che non poteva entrare lì dentro comportandosi come se fosse il padrone, ma si limitò ad alzare gli occhi al cielo e lasciarlo fare.

Prima che potesse andare via, esplosi. «May?»

«Sì, tesoro?»

«Posso... *ehm*...» Feci una smorfia e un sospiro tremolante. Mi sudavano le mani. *Ma dai, Elle, ce la puoi fare.* «Volevo chiederti del lavoro, del cartello CERCASI AIUTANTE.»

May fece un verso di sorpresa e sbatté le palpebre, formando un cerchio con le labbra. «Volevi proporti?»

Mi lanciai immediatamente in un discorsetto per convincerla dei "motivi per assumere Elle Evans", malgrado la mia totale inesperienza in qualunque lavoro e soprattutto nei ristoranti, malgrado il fatto che non avessi con me un curriculum, malgrado non avessi idea di quali fossero le competenze richieste.

«E sono davvero responsabile, e lavorerò sodo, May, te lo prometto, e posso iniziare quando vuoi, e ...»

«Okay, okay.» May rise e alzò le mani. «Rallenta, ragazzina. Guarda, sinceramente, il cartello era per un aiuto in cucina, e abbiamo già assunto qualcuno ieri.»

Il mio cuore sprofondò. Meno male che doveva essere un segno...

Mi sentivo una perfetta idiota.

May fece un respiro. «Ma...»

Ma! C'era un ma!

«Mi farebbe comodo una mano in più. Siamo sempre molto presi in questo periodo dell'anno. E ti conosco» aggiunse facendomi l'occhiolino. «Mi posso fidare di te, perciò, d'accordo, piccola Elle Evans: hai ufficialmente un lavoro.»

Mi tese la mano e saltai in aria agitando il pugno con uno strillo, poi mi ricomposi velocemente e le strinsi la mano, solenne. May riuscì a rimanere seria ancora un secondo prima di farmi un sorriso affettuoso.

Estrasse un taccuino dalla tasca del grembiule e una penna da dietro l'orecchio e me li porse. «Ecco qui. Scrivimi il tuo nome e la tua mail e ti manderò il contratto e le indicazioni sulla data di inizio. Probabilmente sarà tra qualche giorno.»

«Sarebbe fantastico» esclamai, emozionata. «Grazie mille, May, grazie. Non te ne pentirai.»

«Sarà meglio.»

«Certo! Sì, assolutamente. Grazie ancora, May!»

Dopo aver dato a May i miei contatti, raggiunsi Lee per controllare di aver ordinato tutto quello che volevamo, e contammo i soldi e la mancia. Ero al settimo cielo.

Tornai alla macchina praticamente galleggiando. Mi chiusi la portiera alle spalle e strinsi le dita sul volante, con un enorme sorriso. Tutto lo stress, tutta la fatica per cercare un lavoro l'anno passato, tutta la preoccupazione di poco prima su come trovare i soldi... tutto era svanito in un batter d'occhio.

Forse mi sbagliavo, prima. Non avevo scelto il college troppo in fretta, o senza pensarci a fondo, e non ero stata troppo impaziente nel proporre la lista. Forse le cose dovevano andare esattamente così. Forse tutto stava andando perfettamente a posto.

Mi sentivo leggera, euforica. Esattamente come quando mi ero lanciata dalla scogliera poche ore prima. Ogni cosa stava andando a meraviglia. E avrei fatto in modo che continuasse esattamente così.

13

Noah mi sorprese a fare pose da Wonder Woman in bagno, quella sera.

«Che stai facendo?» mi chiese, con un sorriso che lentamente gli sbocciava sul viso a vedermi in piedi in pigiama, con le gambe divaricate, le mani appoggiate con fermezza sui fianchi, le spalle indietro, il mento in su e, a coronare il tutto, uno sguardo sicuro, un "ce la puoi fare" rivolto al mio riflesso.

Mantenni la posizione, ma sorrisi e incrociai il suo sguardo nello specchio. «Mi metto in posa per il successo.»

«D'accordo...»

«Me l'ha detto Amanda» dissi, girandomi verso di lui. «Mi ha mandato dei video su Instagram. Mi ha detto che stava attraversando una fase particolare, e ho pensato di provarci anche io. Vedi, devi fare così» mi rimisi in posa lentamente «e ti sentirai al top, come se potessi fare qualunque cosa.»

Noah sollevò le sopracciglia. Le sue labbra si strinsero in una linea sottile e fece una smorfia, ma non perché fosse risentito: stava cercando di non ridere.

«Dico sul serio!» esclamai. Afferrai le sue mani e gliele misi sui fianchi, poi usai i piedi per allargare i suoi. Gli raddrizzai le spalle e gli sollevai il mento. «Noah Flynn, dimmi che non ti senti più sicuro di te.»

Feci un passo indietro per ammirare l'effetto e confermare la mia idea, e scoppiai immediatamente a ridere. La vista del mio fidanzato, così alto e con spalle così larghe, senza maglietta, che mostrava i suoi addominali scolpiti (anche se meno di una volta, da quando andava al college) e le sue braccia muscolose...

Be', era davvero esilarante.

«Hai ragione» mi disse, serissimo. «Sono una giovane donna sicura di sé e indipendente che è stata ammessa ad Harvard. Praticamente, sono *La rivincita delle bionde*.»

Risi, e quando tornò in posizione normale gli diedi una pacca sul braccio. «Si chiama Elle Woods, e so che lo sai perché tua madre adora quel film, perciò non far finta di niente.»

«Colpevole.» Alzò le mani poi si appoggiò alla porta, incrociando le braccia. «Avevi un aspetto totalmente sicuro di te, per la cronaca. Specialmente con quella maglietta di Topolino che hai da quando avevi tipo tredici anni.»

Probabilmente non aveva torto. Una volta era una camicia da notte.

«Allora, perché ti metti in posa per il successo davanti allo specchio del bagno?»

«Perché posso affrontare ogni cosa. Voglio dire, ho trovato un lavoro oggi. Un vero lavoro. Lo sai per quanti lavori ho fatto domanda lo scorso anno? E poi entro da Dunes ed ecco che May mi dà un lavoro, come se niente fosse. Questa è la mia estate. Voglio dire, la nostra estate. Poi sai, tutta quella faccenda di Harvard, e quanto ha reso fiero mio padre... Sembra che tutto stia andando a posto, capisci?»

Noah non era un tipo facile da interpretare, ma mi piaceva pensare di conoscerlo meglio di tutti, e avevo la netta impressione che stesse cercando in tutti i modi di non dirmi che May mi aveva dato il lavoro solo perché le piacevo o le avevo fatto pena o qualcosa di simile.

«Hai ragione» mi disse invece dopo un attimo, con voce dolce. «Tutto sta andando a posto.»

Noah si raddrizzò e mi strinse a sé. Adoravo il modo in cui le sue braccia si avvolgevano intorno a me e adoravo il suo profumo, quello del bagnoschiuma agli agrumi che usava sempre. Il mio cuore sobbalzò e mi alzai sulle punte dei piedi per baciarlo, trovando le sue labbra con facilità.

La prima volta che ci eravamo baciati, Noah mi aveva fatto girare la testa. La seconda volta, nella cucina di casa sua, io era stata impacciata e avevo sbattuto i denti contro i suoi. E la prima volta che avevamo fatto sesso era stata maldestra, impaziente e dolcissima.

Ora, stare con Noah mi era familiare. Conoscevo la sensazione delle sue braccia intorno a me, della sua lingua sul mio labbro inferiore, della sua pelle sulla mia. E lui conosceva il punto esatto del mio collo che mi faceva sciogliere, e quello che mi faceva dimenare e ridacchiare se solleticato. Sapeva che mi piaceva stare dietro di lui e stringerlo tra le braccia, perché a volte anche a lui piaceva essere abbracciato e sentirsi piccolo; anche se lo teneva segreto, pensava che fosse dolce e divertente.

Era familiare, ma mi faceva ancora battere il cuore a

mille e faceva ancora scomparire il mondo intorno a noi, proprio come la prima volta che ci eravamo baciati.

Uscimmo barcollando dal bagno e ci dirigemmo verso il letto, stretti l'una all'altro, staccandoci a malapena per riprendere fiato.

Non mi stancherò mai di questo, pensai.

Non mi sarei mai stancata neanche di stare sdraiata accoccolata vicino a lui, con la testa appoggiata accanto al suo collo, e la mano che disegnava sagome sul suo petto. Noah mi passò le dita tra i capelli, lentamente.

«Come sono contenta» gli dissi. Ed era solo il secondo giorno della nostra estate alla casa sulla spiaggia. «Potrei far questo per tutta l'estate, o anche più. Senza dover tornare a casa la mattina per cambiarmi i vestiti o fare lavoretti, senza doverci vedere solo il week-end quando torni a casa dal college...»

Mi interruppi con un sospiro.

«Immagino che durerà anche dopo l'estate, comunque» continuai. «Sai, come dicevi tu, magari andremo a convivere l'anno prossimo.»

Noah rimase in silenzio.

Forse troppo silenzio.

Fermai la mano sul suo petto. Non era lui che aveva parlato di andare a vivere insieme solo qualche giorno prima? Forse avevo travisato del tutto? Aveva cambiato idea perché avevo occupato il suo lato del letto?

«Elle?»

«Sì?»

«Non hai... voglio dire, non hai scelto Harvard solo... solo per me, vero?»

«Qualcuno è un po' pieno di sé» dissi, cercando di scherzare e tentando disperatamente di ignorare il disagio che mi mordeva la mente. «Non mi fraintendere, ovviamente il fatto che ci sia tu è un plus, ma... No, Noah. Forse ho fatto domanda perché c'eri tu, ma non l'ho scelto perché c'eri tu.»

Tirò un lungo, profondo sospiro. «Okay. Già. Voglio dire, ovviamente. certo.»

«Fammi indovinare» dissi, chinando la testa di lato e sollevando le sopracciglia. «Amanda?»

«Rachel, in realtà. Parlavamo di te e Lee e della vostra faccenda della lista, e del fatto che tu non vai a Berkeley, e... non so, credo che mi abbia portato a pensare che...»

«Che la mia vita ruota intorno a te?»

«Che forse metti me e Lee e tuo fratello e tuo padre davanti a te stessa, a volte» disse piano, stranamente serio, con un tono che si allontanava molto dal mio umore sereno di poco prima.

Ora era il mio turno di rimanere in silenzio un po' troppo a lungo.

«Non è vero.»

«Be', certo, lo so, e non voglio dire...»

«E allora che cos'è che vuoi dire, Noah?» scattai, sedendomi sulle caviglie e fissandolo con uno sguardo severo.

Noah sospirò di nuovo, ma stavolta era esasperato. Tenne gli occhi fissi sul muro opposto e vidi che stringeva la mascella, poi fece un lungo respiro silenzioso e tornò a guardarmi. Mi prese la mano e la strinse e, anche se sorrideva, sembrava forzato. «Niente, Elle. Non ha importanza.»

Sembrava che invece importasse eccome, ma…

In tutta onestà, non avevo voglia di litigare con lui, perciò lasciai perdere e tornai ad accoccolarmi al suo fianco. Noah mi diede un bacio sulla testa.

«Pensavo che potremmo andare in spiaggia domani» disse piano, quasi con cautela. «Divertirci per un paio d'ore prima di dover iniziare con i lavori per mamma e papà. Hai visto la lista che mia mamma ha mandato via e-mail? E io che credevo che quest'estate sarebbe stata rilassante.»

«Già, non me ne parlare. Certo, la spiaggia è un'ottima idea.»

Avevo capito che stava cercando di rimediare, ed ero pronta ad accettarlo. Dopotutto, eravamo solo al secondo giorno della nostra estate di convivenza alla casa sulla spiaggia. Non avevo alcuna intenzione di mettermi a litigare così presto, soprattutto perché sembrava che volesse solo difendermi, a modo suo.

«Davvero, non vedo l'ora che tu sia ad Harvard, Elle» mi disse.

«Sarà meglio.»

Ma mi girai verso di lui e lo baciai.

14

Un paio di giorni dopo feci il mio primo turno da Dunes. Avevo la mia uniforme e May iniziò con calma a spiegarmi cosa dovevo fare. Non era troppo difficile capire come servire i clienti, e di certo, il fatto che conoscessi il menù a memoria era un grosso aiuto. Versai un paio di bibite sui vassoi, ma May non sembrò prendersela.

«Capita a tutti all'inizio» disse. «E poi, almeno non le hai versate addosso ai clienti! A me è capitato quando ho iniziato a fare la cameriera.»

«La giornata è appena iniziata, May. Non portarmi sfortuna.»

Dovetti tornare a casa il venerdì per badare a Brad, e Levi era via con la famiglia per un week-end lungo, perciò non potemmo passare neanche un po' di tempo insieme, sfortunatamente. Era un po' strano tornare a casa ma non fermarmi.

Mi chiesi se mi sarei sentita così a ogni visita, dopo essere partita per il college. Questa sensazione improvvisa che casa mia fosse una cosa temporanea.

Al termine della nostra prima settimana alla casa sulla spiaggia, io e Lee eravamo riusciti a completare un paio di punti della nostra lista delle cose da fare per un'estate epica. Ci eravamo già tuffati dalla scogliera, e Levi ci aveva mandato una foto di un volantino che aveva trovato al 7-Eleven per un volo in mongolfiera. E per giunta, Brad era già capace di nuotare senza braccioli: era un ottimo inizio.

Eravamo anche riusciti a fare motocross grazie a un Groupon trovato dalla mamma di Lee, e sabato pomeriggio avevamo partecipato a una gara per mangiatori di torte – che ovviamente avevamo vinto – dopo il mio turno da Dunes e prima della mia serata romantica con Noah.

Per quanto fosse fantastico passare del tempo con Lee e cercare di completare la lista, era anche meraviglioso potersi accoccolare con Noah ogni sera, e svegliarsi accanto a lui. Era un'estate calda, ma mi crogiolavo nel calore del suo corpo per un paio di minuti ogni mattina, prima di dovermi alzare e iniziare la giornata.

E avevamo litigato solo un paio di volte.

Non c'era niente di nuovo. Io e Noah avevamo sempre bisticciato, e questi litigi erano molto meno seri della discussione sul college che avevamo avuto qualche sera prima a letto. Ora litigavamo per tenere aperta o chiusa la finestra mentre dormivamo, o perché Noah aveva finito tutti i Cheerios, o perché aveva pestato uno dei miei orecchini e l'aveva rotto. (Noah era arrabbiato perché aveva pestato un orecchino a piedi nudi. Io mi ero innervosita perché non era poi così difficile da vedere e perché, insomma, lo aveva rotto.) Bisticciavamo su cosa vedere in TV, o su chi mangiasse l'ultima fetta di pizza.

In quel momento, borbottò nel sentire la mia sveglia suonare per la terza volta. Schiacciai lo schermo con il pollice per zittirla e feci ricadere il telefono sul comodino.

«Che ore sono?» mormorò Noah sollevando a fatica il viso dal cuscino.

«Le sei e trentasei.»

La voce roca e ruvida di Noah al mattino e il modo in cui schioccò le labbra, mi fecero riprendere molto meglio delle mie tre sveglie. Allungò il braccio e lo strinse intorno alla mia vita, tirandomi a sé. Aveva i capelli tutti dritti da un lato e ridacchiai, poi lo pettinai con le dita. Le sue labbra trovarono le mie in un lungo e morbido bacio. Intrecciammo le gambe, e sfregammo la punta del naso.

«Sei sicura di doverti alzare?»

«*Mm-mm*. Devo preparare dei cupcake per una vendita di beneficenza organizzata dal campo estivo di baseball di Brad prima del mio turno al lavoro...»

«Tu che fai dolci?»

«Ho imparato qualcosina a forza di passare del tempo con Levi.»

Noah sbuffò.

«D'accordo. Levi ne ha portati un bel po' a casa nostra ieri sera e li devo decorare. E poi io e Lee abbiamo dei piani per la nostra lista...»

Noah sospirò. «Ma certo.»

«Però torno stasera. Pensavo che potremmo andare in spiaggia per un po'? Portarci un picnic o qualcosa del genere. E tu puoi sempre venire con noi, lo sai.»

Noah scosse la testa e mi posò un altro bacio sull'angolo della bocca. «Non voglio interferire. La lista è una cosa vostra. Ma un picnic mi sembra un'ottima idea. Forse puoi mettere da parte un paio di quei cupcake per noi?»

Sorrisi, ma la mia sveglia si mise di nuovo a suonare, così diedi un bacio veloce a Noah prima di spegnerla e scendere dal letto. «Questo si può fare.»

Non ci misi molto a vestirmi, e avevo già messo l'uniforme di lavoro nello zaino per dopo. Noah era mezzo addormentato, ma si svegliò abbastanza per tendere una mano, afferrare la mia, e tirarmi a sé per un bacio d'addio. «Passa una buona giornata. Ti amo.»

«Ti amo anche io, pigrone.»

Andai in cucina, e la casa era talmente silenziosa che riuscivo a sentire il mare. Una brezza frusciava tra gli alberi. I tubi scricchiolavano.

Non l'avevo mai trovata così tranquilla.

Cercando di non fare rumore mi preparai dei cereali ed ero talmente concentrata a pianificare i dettagli della giornata che non mi accorsi che qualcuno era entrato in cucina finché Lee non agitò la mano davanti al mio viso e disse: «Ehi, c'è nessuno? Terra chiama Elle!»

Sobbalzai, con il cuore in gola. «Santo cielo, Lee! Non sbucare all'improvviso in quel modo!»

Mi rivolse un sorriso assonnato e prese i cereali dal bancone, poi ci infilò la mano per mangiarli direttamente dalla scatola. Mi accorsi in quel momento che era vestito. Non si era pettinato, però; i suoi capelli erano peggio di quelli di Noah.

«Che ci fai in piedi?»

Lee mi rivolse uno sguardo inespressivo e continuò a infilarsi in bocca i cereali. «Shelly, quelle trenta milioni di sveglie che hai messo avranno svegliato tutta la maledetta spiaggia. Ho pensato che se ci sbrighiamo con i cupcake possiamo fare a gara a congelarci il cervello prima che tu vada al lavoro. D'altronde, sappiamo entrambi che sei la peggior pasticcera del mondo e ti servirà aiuto, anche se è solo per le decorazioni.»

«Mi piace il tuo stile. Ma pensavo che dovessi stare qui per parlare col tizio che viene a rifare il vialetto?»

«Può pensarci Noah.»

Lee era ancora assonnato, perciò prendemmo la mia macchina. Quando arrivammo a casa, papà stava per andare a lavorare e quindi non chiacchierammo molto. Mi aveva mandato messaggi ogni giorno per sapere come stavo e come andavano le cose, ma ce lo chiese di nuovo anche in quel momento.

«Alla grande!» esclamò Lee. «Avere la casa tutta per noi è fortissimo. Anche se Shelly e Noah trovano ogni giorno un nuovo motivo per litigare.»

Papà mi fece una smorfia. «Non mi avevi detto che tu e Noah litigavate.»

«Non litighiamo!» gli dissi, rifilando al mio presunto migliore amico una sberla sul braccio e lanciandogli un'occhiataccia. «Be', insomma... un po', ma... quando mai siamo stati senza bisticciare? Va tutto alla grande, lo giuro.»

«*Mmm*» fu tutto quello che mio padre ebbe da dire. «Be', devo andare al lavoro. Grazie per l'aiuto con la vendita di beneficenza di Brad. E ringrazia ancora Levi da parte mia. È un bravo ragazzo, non ha nemmeno voluto dei soldi.»

«Glielo dirò.»

«Be', passa una buona giornata al lavoro. E non dimenticare che mi serve che tu vada a prendere Brad domani.»

135

«Sì, papà, lo so, sono io che ho messo il post-it sul frigo, ti ricordi?»

Dopo che papà se ne fu andato, diedi uno spintone a Lee e mi misi al lavoro. In cucina erano impilati alcuni contenitori Tupperware. Tre erano pieni di cupcake, nel quarto c'era l'occorrente per decorarli. Mentre sistemavo il piano di lavoro, Lee preparò il caffè per entrambi.

Questo, però, non mi impedì di arrabbiarmi con lui, almeno un poco.

«Grazie tante» sbuffai. «Comunque io e Noah non litighiamo.»

«Non ho mai sentito nessuno urlare così per uno spazzolino» mi disse Lee, tirando fuori una ciotola e alcuni utensili. «Uno spazzolino da denti, Shelly.»

«Era dentifricio» lo corressi, alzando il mento per aria. «E non dirmi che tu e Rachel non litigate per sciocchezze come queste.»

«Certo che no.»

«Come sarebbe, certo che no? Vi ho sentiti…» Mi interruppi per pensarci bene. Ora che ci riflettevo, non erano bisticci veri e propri, più… «Okay, ogni tanto succede che siete in disaccordo.»

«No, ogni tanto succede che Rachel mi fa notare che ho fatto qualcosa di stupido. Tipo lasciare l'asse del water sollevata o usare il suo diario come sottobicchiere.»

«È esattamente la stessa cosa.»

Lee fece una smorfia che sembrava dire: «Invece no».

«Chiudi il becco» gli dissi. «D'accordo, voglio decorare questi cupcake di blu, e tu fai quelli con il bianco.»

«Ricordami perché non hai chiesto a Levi di fare anche

questa parte? È il genere di cose che adora, e sua sorella sarebbe stata felicissima di aiutarlo.»

«Perché no» scattai. Ero ancora un po' irritata con lui per aver detto a mio padre che litigavo con Noah, e per aver dubitato di me.

Stavo cercando di dimostrare a me stessa di poter gestire ogni cosa, quest'estate. Ci eravamo diplomati e ben presto saremmo partiti per il college. Stavamo crescendo e potevo gestire tutto. Avevo un lavoro. Stavo trasformando in realtà un'epica lista di cose da fare della nostra infanzia per creare l'estate perfetta. Ero entrata ad Harvard, cavolo.

Questa era solo una vendita di torte per beneficenza. Un paio di dozzine di cupcake. Niente di che.

Brad si svegliò proprio mentre stavamo aggiungendo cristalli di zucchero sulle decorazioni. Gli sfuggì un'esclamazione quando ci vide in cucina, poi sorrise e gridò: «Lee! Non ci vediamo da una vita!»

«Oh, molto simpatico» sbuffai, abbandonando i cupcake per preparare la colazione a Brad. Quando se ne accorse, disse: «Sono in grado di versarmi il succo da solo, Elle.» E continuò: «No! Troppo latte! Così mi rovini i fiocchi d'avena!»

«Non ti eri mai lamentato di come ti preparo i fiocchi d'avena» borbottai. Brad si avvicinò per osservare con una smorfia i miei preparativi, e mi fece il broncio. Di certo, io non ero così scontrosa alla sua età.

Quando riposi il latte nel frigo, notai una bottiglia di vino rosé quasi vuota, e arricciai il naso. Da quando papà beveva rosé? E per giunta a metà settimana? Al massimo papà beveva due birre light al sabato sera, o se proprio gli andava di festeggiare un bicchiere di vino rosso.

E poi mi venne l'illuminazione.

«Linda è stata qui questa settimana?» chiesi a Brad.

«Sì» rispose, apparentemente per nulla infastidito. «Ehi, puoi aggiungere del miele nei miei fiocchi d'avena? Linda l'ha fatto l'altra mattina ed era ottimo.»

«Aspetta un attimo, era qui di mattina? Nel senso che ha dormito qui?»

Brad mi fece una smorfia, come se non capisse perché me la prendevo tanto, come se fossi matta. «Eh, sì. Si è addormentata sul divano guardando un film.»

Lee trasformò velocemente la sua risata in un colpo di tosse, e sollevò le sopracciglia nella mia direzione. Gli risposi con un'occhiataccia. Aveva messo il suo vino nel nostro frigo, interferiva nella preparazione della colazione per Brad, passava la notte da noi... non stava accadendo tutto un po' troppo velocemente, per una che aveva avuto il primo appuntamento con mio padre tipo una settimana prima?

(In realtà non era solo una settimana, vero? Andava avanti dalle vacanze di primavera, a quanto pareva...)

«Certo» borbottai «posso mettere del miele nei tuoi fiocchi d'avena, se vuoi.»

Da quel momento in avanti Brad mi ignorò completamente e si mise a chiacchierare con Lee (o meglio, a parlargli addosso). Continuò a blaterare e si fermò a malapena per ringraziarmi quando gli misi davanti la colazione.

Li lasciai stare e finii di sistemare i cupcake, impacchettandoli con cura nel Tupperware e, ovviamente, ne tenni da parte un paio per portarli alla casa sulla spiaggia.

«D'accordo! Non dimenticare di riportare indietro i contenitori, okay? Sono di Levi. Se li perdi, li rimborsi con la tua paghetta. L'ha detto papà.»

Brad prese una scatola per esaminare i cupcake. «La decorazione, però, a te non viene bene come a Levi» si lamentò.

«Che problemi hai?» scattai. «Sei ancora geloso perché papà non ti ha lasciato venire alla casa sulla spiaggia insieme a noi? Te l'ho detto, forse puoi fermarti una notte. Se fai il bravo.»

Lee gli diede una pacca sulla spalla. «*Pssst*. Ehi, non preoccuparti, piccolo. Ci penso io. Vedrai che riusciamo a convincerli.»

«Grazie, Lee.»

Poco dopo, accompagnammo Brad al campo estivo di baseball. Arrivammo abbastanza presto, così decidemmo di entrare al 7-Eleven per prendere delle granite.

«Salve, amici, in cosa posso servirvi quest'oggi?»

Mi voltai con un sorriso. «Levi!»

Stava sistemando scatole di assorbenti su una mensola, e mi restituì il sorriso. Levi era alto e snello, un po' allampanato, con capelli ricci e scuri, un mento appuntito e occhi calorosi. Aveva un sorriso ampio e amichevole, che ti faceva sempre sentire come se vederti gli migliorasse la giornata.

A volte, però, avevo la sensazione che non sorridesse a tutti in quel modo.

(Mi imbarazzava ancora pensare al Ringraziamento,

quando l'avevo baciato. Ma entrambi lo avevamo dimenticato ormai, o almeno, ce lo eravamo lasciato alle spalle.)

«Levi, amico mio» annunciò Lee, stringendo le mani dietro la schiena e dondolando sui talloni. «Posa quegli assorbenti! Abbiamo bisogno di dieci delle tue granite più fredde.»

«D-dieci? Avete portato il resto della banda, o roba simile?»

«È per la nostra lista delle cose da fare» spiegai mentre Levi sistemava le ultime scatole sulla mensola. Ci accompagnò verso la cassa e il distributore di granite. «E io voglio quella blu.»

«Immagino che voglia dire che mi tocca la rossa» sospirò Lee.

Levi sapeva tutto della lista. Ovviamente gli avevo raccontato ogni cosa, ma finora avevamo anche postato alcune delle nostre avventure online per permettere agli amici di seguire le nostre pazzie.

«*A-ah*» disse, versando la prima. «Si tratta della grande gara a chi si congela il cervello?»

«Esattamente» risposi con un sorriso.

«Non pensate che tre a testa siano sufficienti?»

Lee fece un sospiro melodrammatico e si voltò a guardarmi. Appoggiammo entrambi un gomito sul bancone. «Credevo avessi detto che era un tipo a posto.»

«Dopo tutto questo tempo» concordai, scuotendo la testa delusa «ci sottovaluta ancora.»

«D'accordo, d'accordo. Vada per dieci granite ghiacciate. Lo sapete che non sono neanche le dieci, vero?»

«Mi sembra che stia cercando di farci la ramanzina. Tu che dici, Shelly?»

«Forse, ma… non capisco… proprio.»

Levi rise. Mentre ci preparava le granite, gli raccontammo della decorazione dei cupcake, a nostro giudizio ben riuscita anche se Brad non ne era convinto.

«Ma guarda che padronanza del sac à poche! Guarda!» Gli agitai il cellulare davanti agli occhi.

«I giudici di *Bake Off* sarebbero fieri di voi» disse Levi, serio. Lee fece una smorfia, senza cogliere il riferimento, ma io scoppiai a ridere. Di recente, Levi si era appassionato fin troppo a quel programma. «Vi faccio subito il conto e poi…» Guardò attorno a sé il negozio, che era vuoto a parte un collega che lavava il pavimento. «*Cin cin*, direi.»

Lee pagò, Levi accettò di scattarci qualche foto, e ci sistemammo uno di fronte all'altra, con la prima granita in mano.

«D'accordo. Ricordate le regole?»

«Chi si ferma è fuori.»

«Niente time out.»

«Tre… due…»

Il freddo mi colpì all'istante come una corrente elettrica in mezzo agli occhi. Ma potevo farcela. Io e Lee ci fissammo, ingoiando le granite. Gli rivolsi il mio sguardo più cattivo, mentre lui continuava ad agitare le sopracciglia e incrociare gli occhi nel tentativo di distrarmi.

Ma non funzionava. Prendemmo la seconda granita con pochi secondi di distanza l'uno dall'altra, ma io arrivai alla quarta mentre Lee stava ancora faticando a finire la seconda.

Quando fu a metà della terza e io all'inizio della quinta, Lee rinunciò, facendo cadere il bicchiere quasi vuoto sul bancone e accasciandosi con un gemito. «Hai vinto, hai vinto tu. Ammetto la sconfitta. *Uuuf!*»

Per ribadire il concetto, finii di bere anche la quinta granita e poi alzai le mani al cielo in segno di vittoria.

«Non gongolare» gemette Lee, buttandosi sul bancone con fare melodrammatico e le ginocchia che cedevano. «Non lo posso sopportare in questo momento.»

Levi fece un lungo fischio. «Cavoli, Elle. Notevole.»

Chiusi gli occhi. Ormai, avevo il cervello così freddo da far male. «Se vomito al lavoro è tutta colpa tua, Lee.»

«Ve la sentite di guidare, voi due?» chiese Levi, cercando di non ridere.

«Certo che sì. Magari tra un pochino» ammisi. Di certo mi sarebbero serviti un paio di minuti per riprendermi. Io e Lee rimanemmo accanto alle casse in attesa di tornare in noi, mugugnando e tenendoci la testa, mentre Levi rideva e prometteva di mandarci tutte le foto.

Una ventina di minuti più tardi, battemmo un cinque e tornammo sulla strada. Lee estrasse il foglio accartocciato e sbiadito e lo aprì sulle ginocchia. Rovistò nel cruscotto alla ricerca di una penna, poi tirò una riga dritta sulla pagina, con un sorriso.

La lista di cose da fare per un'estate epica di Lee ed Elle:

~~20. Un'epica gara a chi si congela il cervello per primo!!!~~

Entrai nel parcheggio di Dunes, scesi dall'auto e porsi le

chiavi a Lee. «Ti mando un messaggio alla fine del turno? Vieni a prendermi e andiamo a giocare al laser game.»

«Ti fermerai solo per un paio d'ore» rispose scrollando le spalle. «Aspetto qui con te. A May non darà fastidio.»

Non dovetti chiedere di Rachel, perché sapevo che aveva in programma di andare a salutare i nonni quel giorno. Ma chiesi invece: «E che mi dici dell'agente immobiliare? Pensavo che dovesse venire oggi pomeriggio. Tua mamma voleva che ci foste tu e Noah».

Lee mi rivolse una smorfia, con espressione cupa. Mi fece tenerezza: ogni volta che si parlava di vendere la casa il suo umore peggiorava.

«Noah se la può cavare da solo. È adulto, ormai.»

«Be', d'accordo. Ma i costumi...»

«Li ho già messi nel baule prima. Siamo pronti per partire quando vuoi. Ehi, pensi che May avrà già delle patatine?»

May, a quanto pareva, non era così sorpresa di vedere che mi ero portata dietro Lee. Anche se tecnicamente Dunes non avrebbe iniziato a servire il pranzo per almeno un'altra mezz'ora, May gli portò una bibita e un piatto di patatine. Non chiese come mai ci fosse anche Lee, ma chiese, invece, come mai avesse la bocca macchiata di rosso, mentre la mia lingua e i miei denti erano tutti blu.

Le raccontammo della lista, e Lee disse: «E dopo andiamo a giocare al laser game».

«Oh! È...» Ci rivolse uno sguardo curioso, con un sorriso un po' rigido. «Senza offesa, ma sembra proprio... normale.» Fece un gemito melodrammatico. «Perché mi viene sempre da pensare che ci sia qualcosa sotto, con voi due?»

«È un laser game a tema *Star Wars*» spiegai con un sogghigno. «Abbiamo i costumi di Han Solo e della principessa Leia. Li abbiamo usati per Halloween un paio di anni fa, e per fortuna ci vanno ancora.»

«Noah non aveva voglia di comprare il costume da Chewbecca e unirsi a noi» aggiunse Lee.

May scoppiò a ridere. «Ragazzi, spero che mi farete vedere le foto! Oh, guardate, mi sa che abbiamo clienti. Elle, è ora di mettersi al lavoro.»

Temevo che Lee mi avrebbe distratta, ma alla fine fui talmente presa dalla folla di clienti per il pranzo che riuscii a malapena a degnarlo di uno sguardo. Mi accorsi però che ricevette una telefonata che lo fece diventare stranamente serio. Mi avvicinai a lui mentre portavo un'ordinazione alla cucina, abbastanza da sentirlo parlare con voce profonda e roca.

«Sì. Sì, certo. La prossima settimana va benissimo. Grazie mille per la comprensione, visto lo scarso preavviso. *Mm-mm*. Sicuramente le farò sapere. Buona giornata.»

«Che succede?»

Lee sobbalzò, con lo sguardo inconfondibile di chi si sente in colpa. Mi guardò con occhi sbarrati per un istante, poi diede un colpo di tosse e mi mostrò il telefono. «Oh, niente. Solo, *ehm*, solo l'agente immobiliare. Ha annullato, avevano un altro appuntamento.»

«E ha chiamato te?»

«Mamma ha lasciato il mio numero come riferimento. Per poter incastrare i nostri impegni considerando la lista, capisci?»

In effetti sembrava sensato.

«Insomma, non hai tavoli da servire, signorina? Quelle patatine non si mangeranno certo da sole.»

15

«Lee?»

Alzò gli occhi e lo feci anche io. Era tutto tranquillo – una pausa dopo che i clienti che avevano pranzato tardi se n'erano andati, e prima che arrivassero quelli che cenavano presto – una pausa a cui mi stavo abituando dopo diversi turni da Dunes in queste settimane d'estate. Io stavo sistemando bicchieri sotto il bancone.

«Sì, May?»

«Che stai facendo?»

Io e Lee ci scambiammo uno sguardo confuso, poi lui abbassò gli occhi sullo straccio che teneva in mano e il secchio poco distante. Vidi che stava pensando la stessa cosa che stavo pensando io: era una domanda trabocchetto? *«Ehm... sto lavando per terra?»*

May fece un lungo sospiro e incrociò le braccia. «Tu non lavori qui. Smetti di lavare per terra.»

«Ma il pavimento era appiccicoso.»

May gli rivolse uno sguardo tagliente, uno sguardo da mamma che sembrava dire: «Non rispondere in quel modo, giovanotto». Lee le rispose con uno dei suoi luminosi sorrisi vincenti, accompagnato da un'espressione da cucciolo. May alzò le mani in aria e le agitò davanti a sé come se stesse cercando di disperdere il malocchio.

«Quel ragazzo» mi disse con un sospiro. Non aggiunse altro, ma immaginai che non ci fosse altro da aggiungere. Sapevo esattamente che cosa volesse dire, e sorrisi al mio migliore amico. «Non me ne parlare.»

«In ogni caso» mi disse May, con un sospiro «Elle, non dimenticarti che oggi ti ho assegnato un doppio turno, e ti ho messo anche quei turni extra che mi avevi chiesto per la prossima settimana.»

«Oh, okay. Grazie.»

Mi rivolse uno sguardo strano. «È un problema?»

«No!» esclamai. «È fantastico. Grazie, May, lo apprezzo molto.»

Mi mostrò il pollice alzato e poi entrò in cucina. Lee tornò a lavare il pavimento, dondolando la testa e canticchiando tra sé.

Cercai di ingoiare il groppo alla gola. Avevo chiesto io i turni extra, perciò ovviamente ero contenta di averli e ovviamente non era un problema, altrimenti non li avrei chiesti.

Stavo cercando di accumulare tutte le ore che potevo, più ore significavano più soldi, e me ne servivano quanti più possibile in questo momento. Nelle ultime settimane, io e Lee avevamo completato una buona parte della nostra lista, dal nuoto con gli squali al lancio col paracadute, e persino una lezione di giocoleria. L'unica cosa che non mi era costata un soldo era stata costruire un forte con cuscini e coperte (che aveva davvero esasperato Noah e Rachel perché non li avevamo fatti entrare senza la parola d'ordine, e avevamo rubato gli snack più buoni). Lee aveva pagato il conto per alcune delle nostre esperienze, cosa che mi aveva solo fatto sentire peggio per tutta la questione denaro.

Non facevamo certo fatica ad arrivare a fine mese, ma non avevamo soldi in abbondanza come i Flynn. Più riuscivo a guadagnare durante l'estate, meglio era. Sapevo che il denaro mi sarebbe servito una volta al college, e non volevo dover continuamente chiedere contanti a mio padre.

Di certo volevo quei turni extra.

Ma il fatto che May me lo avesse ricordato in quel momento mi fece sentire... sfinita. Erano passate solo poche settimane, ma tra la lista e il guidare avanti e indietro per aiutare a badare a Brad... era pesante.

Per non parlare di quello che avevamo fatto nella casa sulla spiaggia. Finora avevamo sistemato alla perfezione il giardino sul retro e ridipinto la veranda, Rachel aveva pulito a fondo la cucina, e Noah si era messo a sistemare il filtro della piscina con l'aiuto dei tutorial di YouTube. Bisognava ancora pulire i divani con la Vaporella e dipingere il soffitto, lavori per cui era meglio collaborare tutti quanti.

Solo a pensarci mi veniva voglia di dormire per una settimana.

«Sai» mi disse Lee, distraendomi dai miei pensieri. Aveva di nuovo posato lo straccio e si era appoggiato al bancone, tirando fuori per l'ennesima volta la lista. Era ancora più consunta di quando l'avevamo trovata. Macchiata di granita, acqua di mare, salsa al cioccolato della coppa di gelato che avevamo tirato addosso a un ignaro Noah, e coperta di tratti a penna quando avevamo cancellato o segnato le cose che eravamo riusciti a completare.

Lee indicò la lista. «Sai, c'è una cosa qui sopra che non riusciremo a fare. Numero ventidue: vivere insieme a Berkeley.»

Il senso di colpa mi punzecchiò la pelle, come ogni volta che Berkeley sbucava in qualche conversazione.

Sapevo che Lee non stava cercando di farmi sentire in colpa. A parte la nostra conversazione iniziale, quando gli avevo detto che sarei andata ad Harvard, Lee ce l'aveva messa tutta per non farmi sentire peggio di quanto già mi sentissi a proposito di Berkeley. Ciononostante, ogni volta che spuntava l'argomento, temevo ancora che il risentimento stesse ribollendo appena sotto la superficie.

Lee mi rivolse un sorriso triste e disse: «Pensi che dovremmo cancellarlo dalla lista? Sembra strano lasciare qualcosa».

«Be'... e se non dovessimo cancellarlo? Forse potrei venire a Berkeley con te e aiutarti... non so, a sistemarti o a traslocare, o qualcosa del genere. Andare in perlustrazione? Non è esattamente quello che pensavamo, lo so, ma... potremmo passarci un week-end? Solo noi due?»

Lee si sporse sul bancone per prendermi la mano. «Ci sto. Ehi, mi farò consigliare qualcosa da Ashton, vediamo se ci sono posti da non perdere.»

«Ashton?»

«Sì, Elle, Ashton. Quello che è venuto alla nostra festa? Alto così, capelli biondi, ottimo gusto in fatto di fumetti?» Lee rise e mi riferì alcune cose che Ashton gli aveva già raccontato su Berkeley, tra cui un negozio di fumetti che Lee trovava divertente. Io ascoltavo a malapena, però.

Ashton abitava nella stessa via di Jon Fletcher ma andava a una scuola diversa. Jon e un paio dei ragazzi della squadra di football avevano affittato una casa sulla spiaggia tutti insieme dopo aver visto quanto ci stavamo divertendo nella casa sulla spiaggia dei Flynn. Olivia aveva supplicato i suoi genitori di lasciarle fare lo stesso con un paio di sue amiche.

(E io ero qui a infilare un paio di banconote da dieci dollari nel salvadanaio etichettato FONDO PER IL COLLEGE.)

Così Ashton aveva passato del tempo con i ragazzi, e lui e Lee avevano fatto amicizia. Lo sapevo. Sapevo che Ashton aveva taggato Lee in alcuni post buffi su Instagram che pensava gli sarebbero piaciuti.

Ma in qualche modo ero riuscita a non pensarci. Né ad Ashton né a Berkeley.

Pensavo di non aver bisogno di ricordare costantemente di aver deluso il mio migliore amico.

Il mio secondo turno stava per iniziare quando squillò il telefono di Lee. «Rach è qui fuori. Penso sia il segnale che è ora di andare a casa.»

«Mi tieni da parte qualcosa per cena?»

«Non ci contare.»

Sapevo che lo avrebbe fatto.

«Ci vediamo domani, May!» disse Lee, lanciandomi il suo grembiule.

«No che non ci vediamo!» rispose lei, anche se credo

sapesse che non avrebbe potuto dire niente per impedire a Lee di venire a lavorare gratis. Non l'aveva detto esplicitamente, ma avevo l'impressione che volesse tentare di recuperare il tempo che avremmo perso visto che non saremmo andati al college insieme.

C'erano altre persone che lavoravano da Dunes: un ragazzo un po' nerd un anno più piccolo di me, che ora sapevo chiamarsi Melvin; una donna che lavorava lì da tanto quanto May; un signore anziano che era già andato in pensione e veniva quasi solo a versare bibite o dare una mano a preparare in cucina; un paio di ragazzi del college che non conoscevo ma con cui andavo abbastanza d'accordo. Erano tutti un po' confusi sul perché Lee passasse così tanto tempo lì, anche se nessuno di loro aveva detto niente.

In quel momento, stavano arrivando Melvin e una delle ragazze del college. Incrociarono Lee sulla porta e lo salutarono, poi salutarono me.

E poco dopo di loro iniziarono ad arrivare anche i clienti per la cena. A quest'ora, si trattava per lo più di famiglie con bambini piccoli che avevano trascorso la giornata in spiaggia e dovevano riempire le pancine prima di tornare a casa.

Mi accorsi che May stava accompagnando una famiglia che conoscevo fin troppo bene a sedere in uno dei tavoli di Melvin, così lo afferrai per un braccio. «Ehi, ti dispiace se quel tavolo lo servo io?»

«Oh, certo.» Melvin si voltò a guardare dove indicavo e gli spuntò in viso un sorriso saputello. «Ma quello non è il tizio per cui hai scaricato Flynn?»

Con un gemito, risposi: «Te l'ho raccontato, era solo uno stupido pettegolezzo».

«Ma davvero?»

«Sì, Melvin.»

Il suo sorriso si ampliò ancora di più e si spinse gli occhiali sul naso. «E allora perché ti fissa?»

«Cosa?» Mi voltai a guardare al di sopra della spalla, ma Levi stava esaminando attentamente il menù. Aveva le guance un po' arrossate. Feci una smorfia a Melvin, che continuò a sorridermi fino a quando non afferrai una caraffa d'acqua e mi diressi a grandi passi verso tavolo.

Annunciai la mia presenza con un allegro e superfluo: «Salve! Mi chiamo Elle e sarò la vostra cameriera quest'oggi», e iniziai a versare loro dell'acqua.

Becca, la sorella minore di Levi, ridacchiò. «Sappiamo benissimo chi sei, Elle.»

«Non mi aspettavo di vedervi qui.»

«Non potevamo sprecare un pomeriggio come questo» disse sua madre allegramente. «Mio marito non ha potuto prendere ferie, perciò siamo solo noi tre oggi. Levi continua a parlare del fatto che lavori qui, perciò abbiamo pensato di venire a provare.»

«Mamma!» sibilò Levi.

Mi morsi il labbro superiore cercando di non ridere nel vedere con la coda dell'occhio quanto era agitato Levi.

«D'altronde» continuò lei, senza fare una piega «è da un po' che non ti vediamo in giro.»

Lo disse con una certa serietà, come se stesse cercando di mandarmi un messaggio. Un messaggio che mi era arrivato forte e chiaro. Per tutto l'ultimo anno di liceo, avevo trascorso un sacco di tempo insieme a Levi. Mi teneva compagnia quando dovevo fare da baby-sitter a Brad, e io andavo a casa sua quando lui doveva badare a Becca. Molte volte passavamo del tempo insieme solo perché eravamo amici.

E... sì, forse non avevamo più passato tanto tempo insieme di recente.

«Mamma» sibilò di nuovo Levi.

«Be', sa com'è...» Il mio sorriso si spense e spostai il peso sull'altro piede. «Sono stata impegnata con questo lavoro e... ora Noah è tornato a casa, perciò...»

«Ah, giusto. Il fidanzato.»

Lanciò a Levi un'occhiata che sembrava contenere un messaggio che stavolta non capii. Levi rispose con un secco, esasperato sospiro. «Mamma!»

Be', d'accordo... era strano.

«Vi lascio qualche minuto per decidere? Oppure, *ehm*... volete... volete ordinare da bere?»

Ordinarono da bere. Levi era accasciato sulla sedia ormai, anche se non capivo che cosa lo avesse imbarazzato a quel punto. Quando tornai con le loro ordinazioni, lui era in bagno.

«Verrai a trovarci presto, Elle?» mi chiese Becca con il broncio e occhi da cucciolo molto più efficaci di quelli di Lee.

«Io, *ehm*... magari. Ci provo! È che qui è tutto una follia al momento. Ma vengo a trovarti presto, d'accordo?»

«Scusala» mi disse la mamma. «Le piaceva molto avere un'altra ragazza con cui passare del tempo. Hai avuto una bella influenza su di lei, sai. E anche su Levi.»

«Già…»

Onestamente, non sapevo che cosa pensare. E non ero del tutto sicura che fosse una cosa buona, contrariamente a come la voleva far sembrare.

«E Harvard! Levi ce lo ha detto. Congratulazioni, tesoro, è un risultato incredibile. Tuo papà sarà davvero fiero di te. Vorrei che anche Levi avesse fatto domanda per il college. Si è diplomato con voti così alti…»

Tossicchiai. Parlare con i genitori degli altri non era mai stato il mio punto forte (senza contare June e Matthew, ovviamente) e mi metteva a disagio parlare con la madre di Levi della decisione del figlio di non fare domanda per il college durante l'ultimo anno di liceo. Francamente, non vedevo l'ora di chiudere questa conversazione.

«Sta solo cercando di capire cosa vuole fare» dissi, banalmente, e chiusi il mio taccuino con uno schiocco. «Un hamburger vegetariano, un hot dog, un lobster roll e anelli di cipolla fritti per contorno. Arrivano subito.»

Mi stavo prendendo una pausa di trenta secondi al bancone quando mi accorsi di qualcuno in piedi accanto a me. Chiunque fosse, si schiarì la gola.

«Mi spiace, signore, sono subito da… Oh, Levi.»

«Ehi.» Mi fece un sorrisetto un po' rigido, con un lato solo della bocca, e sollevò la mano in un saluto altrettanto impacciato. «Io volevo solo… *ehm*… io…»

«Tu…?»

Si schiarì la gola e provò di nuovo, passandosi la mano tra i capelli. «Mi dispiace per prima, se mia mamma ti ha messo in imbarazzo. È solo che, sai, insomma, Becca ha chiesto di te un paio di volte, e le ho spiegato che hai trovato un lavoro qui e che passi più tempo con Noah e Lee. Perciò... ecco. Tutto qui.»

«D'accordo.»

Dio, da quando era diventato così imbarazzante stare insieme a Levi? Quando era successo? Avevo i palmi sudati e una strana sensazione di irrequietezza nello stomaco che mi spingeva a sperare che qualcuno rovesciasse una bibita o facesse cadere del cibo per poter correre via a pulire.

Era questo che succedeva quando non passavamo del tempo insieme per un paio di settimane? (La gara delle granite non contava davvero.)

Era questo che sarebbe successo a me e Lee, quando ci fossimo separati per il college?

O era solo che Noah era tornato a casa e questo aveva modificato la dinamica tra di noi?

«D'accordo» disse Levi, annuendo.

«Mi dispiace di non essermi fatta vedere» dissi. «Non... non solo per Becca, ma... lo so che ci scriviamo ogni giorno e che ci parliamo al telefono ma non abbiamo passato del tempo insieme e questa... questa è colpa mia.»

Levi scrollò le spalle. Il suo sorriso era dolce anche se i suoi occhi erano un po' tristi, e mi posò una mano leggera sul braccio. «Va tutto bene. So che sei impegnata.»

Come in risposta a un segnale, il telefono mi vibrò in tasca. Lo estrassi per controllare.

Un messaggio di papà. NON DIMENTICARTI DI ANDARE A PRENDERE BRAD ALL'ALLENAMENTO DI CALCIO PIÙ TARDI!

Gemetti. «Merda. Merda.»

«Che succede?»

Mi premetti le nocche tra gli occhi, guardando il telefono con rabbia. «Ho insistito perché May mi desse un doppio turno oggi ma avrei dovuto andare a prendere Brad a calcio. Cavolo. Come...» Sospirai. «Dovrò chiedere a May di...»

«Be', possiamo andare a prenderlo noi» si offrì Levi. «A che ora finisce?»

«Sei e mezza.»

«È perfetto, passeremo proprio lì accanto. Lo prendiamo noi e lo riportiamo a casa.»

«No, Levi, non posso chiederti di farlo.»

«Non me lo hai chiesto» mi disse con un sorriso. «Sul serio, Elle, non c'è problema. Ho il numero di tuo padre, posso avvisarlo. La chiave di riserva è sotto il vaso di fiori accanto al cancello, vero?»

«Sì...» sospirai, e lo strinsi in un veloce abbraccio pieno di gratitudine. «Grazie. Mi hai davvero salvato la vita. Bisogna solo accompagnarlo a casa, non serve altro. Mio papà aveva una riunione tardi e il suo ufficio è dall'altra parte della città, perciò... grazie, Levi.»

Una riunione tardi che sospettavo fosse con Linda, ma comunque...

«Te l'ho già detto, so che sei impegnata.»

Mi rilassai. Almeno l'imbarazzo tra noi era evaporato, per ora. Mentre Levi si voltava per tornare da sua madre e sua sorella, gli afferrai il braccio. «Ehi, stiamo organizzando una giornata al parco acquatico tra qualche giorno. Il fratello di Jon Fletcher lavora là e riesce a darci una mano. Sarà una cosa pazzesca. Ci farebbe comodo un aiuto in più.»

Levi fece un sorrisetto. «Ha a che fare con la vostra lista?»

«Ovvio.»

«Mandami un messaggio con i dettagli. Ci sarò.»

Sorrisi e tirai un sospiro di sollievo. Ero contenta di passare di nuovo del tempo con Levi, anche se in gruppo. Vederlo oggi mi aveva fatto capire quanto mi fosse mancato.

Levi tornò al suo tavolo e gli lanciai un'occhiata appena in tempo per vederlo distogliere lo sguardo e fare una smorfia imbarazzata in risposta alle parole di sua madre.

Be', qualunque fosse l'argomento di quella conversazione, ero contenta di non farne parte.

16

Arrivai a casa e la trovai vuota. Sapevo che Lee e Rachel sarebbero stati fuori quella sera, ma non c'era traccia nemmeno di Noah. In cucina e in salotto la luce era accesa, ma la porta che dava sul retro era spalancata, così andai a cercarlo fuori.

Fu solo proseguendo lungo il sentiero che dalla casa conduceva alla spiaggia che sentii la sua voce arrivare fino a me. Chiuse la telefonata quando mi avvicinai e alzò lo sguardo al suono dei miei passi.

«Ehi, bellezza» disse, sorridendo.

Arrossii: ero tutt'altro che una bellezza in quel momento. Il sudore mi appesantiva i capelli, avevo la maglietta macchiata in più punti, e il braccio ancora appiccicoso per la bibita che ci avevo rovesciato sopra. Ma nonostante tutto, non mi stancavo mai dei complimenti di Noah, specie quando erano così sinceri.

Mi lasciai cadere sulla sabbia accanto a lui, sdraiata sulla schiena, senza preoccuparmi dei granelli tra i capelli o sui vestiti.

«Giornata lunga?» mi chiese.

«Giornata lunga. Però ho incontrato Levi.»

«Ma dai?»

«Sua mamma ha accompagnato lui e Becca alla spiaggia. Si sono fermati a cena da Dunes sulla strada del ritorno. Ho dovuto chiedergli di andare a prendere Brad a calcio perché me ne ero dimenticata quando ho chiesto a May il doppio turno, perciò mi aspetto che papà mi chiami da un momento all'altro per dirmi che l'ho molto deluso.»

Noah si sdraiò accanto a me. Mi voltai a guardarlo e la sabbia mi grattò la guancia. Era senza maglietta e il mio sguardo si soffermò sulle sue spalle ampie, gli addominali scolpiti. «E allora è andato Levi a prenderlo?»

«Be', lui con sua madre e sua sorella. Sono davvero in debito con lui.»

«Potevi chiamare me. Sarei andato io.»

«Be'...»

Aveva ragione.

«Non ci avevo pensato» gli dissi. «E Levi era lì, e si è offerto.»

Noah fece un verso a bassa voce. Non riuscivo a capire se fosse arrabbiato o meno, ma decisi di non insistere. Levi era diventato motivo di conflitto quando ci eravamo lasciati, al Ringraziamento, specialmente dopo che io ero andata al ballo di Sadie Hawkins con Levi e Noah ci aveva sorpresi a baciarci.

«Comunque, con chi stavi parlando?»

Notai che Noah si morse la guancia prima di voltarsi verso di me. «Amanda.»

Ah, Amanda. Un'altra causa di conflitto nella nostra relazione, l'autunno passato. Certo non era stata l'unica, ma... Be', non era stata di grande aiuto quando avevo scoperto che Noah mi aveva tenuto segreta una cosa di cui lei era a conoscenza. Avevo creduto che volesse stare con lei (un pensiero che avevo fatto dopo aver visto una foto online di Noah che le dava un bacio sulla guancia; e poi perché l'aveva invitata a casa per il Ringraziamento). In realtà, era venuto fuori che Noah era in difficoltà con le lezioni, e Amanda gli dava una mano... cosa che Noah era troppo imbarazzato per confessarmi.

Nonostante le mie peggiori intenzioni, Amanda mi piaceva. Era inglese ed era amichevole, con un atteggiamento perennemente spumeggiante a quanto potevo vedere, cosa che rendeva impossibile odiarla. Il fatto che avesse l'aspetto di una modella mi aveva ingelosita, all'inizio. A volte ancora adesso. L'avevo incontrata quando ero andata a trovare Noah in primavera, ed era stata perfettamente accogliente e amichevole.

Avevano la stessa relazione platonica e semplice che avevamo io e Lee. Comunque era strano per me abituarmi all'idea che Noah avesse qualcuno come lei nella sua vita.

«Ma dai?» chiesi, proprio come aveva fatto lui a proposito di Levi.

«A quanto pare sarà in città per un po'. Arriva dopodomani. I suoi genitori sono nei paraggi per un affare a cui sta lavorando sua madre. Le ho detto che poteva stare qui con noi per un paio di giorni, per te va bene?»

«Certo, Noah. Direi che abbiamo spazio, nella vecchia camera mia e di Lee.»

«Sicura?»

Scrollai le spalle e gli offrii un sorriso rassicurante. Per quanto fossi gelosa di Amanda, ero comunque sicura che non fosse una minaccia per la mia relazione con Noah. «Certo! Sapevi che sarebbe venuta o è una specie di sorpresa?»

Noah sorrise. «Una specie di sorpresa.»

«Ehi, se sarà ancora qui, devi invitarla al parco acquatico con noi! Verrà anche Levi. Lee e io abbiamo pensato di fare una cosa di gruppo, così sarà molto più divertente. Lee chiederà a Rachel, e anche Jon voleva venire visto che suo fratello ci ha aiutati a organizzare tutta la faccenda, perciò...»

«Oh, giusto. Certo. Come no. La... la avviso.»

Mi resi conto in quel momento che non avevamo mai chiesto formalmente a Noah di darci una mano e risi, battendogli una mano sul braccio. «Ovviamente vogliamo che ne faccia parte anche tu, sciocco. Dobbiamo pensare al tuo travestimento e tutto il resto.»

Noah aggrottò le sopracciglia e sollevò un angolo della bocca. «No, grazie, Elle. Sono sicuro che vi divertirete da morire, ma... Non fa per me.»

«Oh, andiamo! Per favore? L'unico motivo per cui abbiamo il permesso di farlo è che lo filmiamo per raccogliere fondi per beneficenza, una specie di campagna di pubbliche relazioni per il parco acquatico. Per favore? È per una buona causa.»

Noah rise. «Perché mi sento come quella volta che mi hai chiesto di aiutarti con lo stand dei baci?»

«Allora?»

«Non penso proprio, Shelly.»

Con il broncio, mi girai su un fianco e mi spostai per avvicinare il mio viso al suo. «Che cosa hai detto l'ultima volta?» Mi lambiccai il cervello, cercando di ricordare la festa durante la quale gli avevo chiesto di partecipare allo stand dei baci, su richiesta di tutte le ragazze. «Mi sembra che avessi detto una cosa tipo: "Me lo chiederesti in ginocchio?"»

Noah gemette e si portò le mani sul viso con una risata. «Non farmi quella faccia, Elle. Sai che non intendevo dire questo.»

«Per favore...?» cantilenai, tracciando un disegno con la punta del dito sul suo torace nudo.

«Non penso proprio che faccia per me» sospirò. «Verrò anche io per... fare il tifo per voi, ma non esiste che mi metta addosso uno stupido travestimento.»

Capii che non sarei riuscita a convincerlo quella sera, perciò rinunciai. Forse poteva provarci Lee, cavolo, persino Amanda poteva riuscire a convincerlo. A volte mi dimenticavo che se io e Lee ci lasciavamo prendere ogni volta la mano dalle nostre follie, Noah aveva sempre i piedi per terra. Mi accontentai di appoggiare la testa sulla sua spalla e accoccolarmi accanto a lui, che mi strinse con un braccio e mi diede un bacio sulla fronte.

«Allora, che programmi hai per domani?»

«*Mmm...*» aprii il mio calendario mentale. «Turno di colazione, poi devo portare Brad dal dentista, fare un paio di commissioni per mio padre e... tutta la sera qui.»

«Niente per la lista?»

«No.» Poi aggiunsi: «Lee va a vedere un film con Ashton».

«Ah, e tu...» Si interruppe, ma intuii le parole che non aveva pronunciato. *E tu sei d'accordo?*

Scrollai le spalle, affondando il viso nella sua spalla. «Sì, sono d'accordo. Perché non dovrei esserlo? Sono obbligata a esserlo» aggiunsi, bofonchiando. «Lee può avere altri amici, e io pure. Lui non si è arrabbiato quando io ho iniziato a passare del tempo con Levi.»

«Non sembri tanto d'accordo.»

«Chiudi il becco. Sto bene.»

«*Mm-mm*.»

«Se Lee te lo chiede, sto benissimo.»

«Che carina, sei gelosa.»

Prima di riuscire a trattenermi, dissi: «Pensavi che fossi carina anche quando ero gelosa di Amanda?»

Noah si irrigidì, poi strinse il braccio intorno a me e mi accarezzò la schiena, facendomi venire i brividi. Mi posò un bacio in punta alla testa. «No. Ma ammetto che ti trovo piuttosto sexy quando ti arrabbi con me.»

«Solo "piuttosto"?»

«Molto» si corresse, in un sussurro.

«È per questo che mi dai sempre torto?»

«Esatto.»

Mi rilassai, sorrisi e gli diedi un bacio sulla spalla, prima di girarmi per baciarlo come si deve.

Il modo in cui Noah mi baciava e mi stringeva, trasmetteva un'adorazione totale, una tenerezza avvolta dal desiderio di non lasciarmi andare mai. Sentivo quanto mi amasse e sapevo che, qualunque cosa fosse accaduta tra noi l'anno precedente, ora non avevo nulla di cui essere gelosa.

Speravo solo che anche lui capisse quanto lo amavo.

17

«Ehilà, forestieri! C'è nessuno?» cantilenò una voce che risuonava in tutta la casa. «Ma davvero non chiudete a chiave la porta d'ingresso?»

Impossibile non riconoscere l'accento inglese. Sentii qualcuno muoversi in cucina. La porta della camera da letto di Lee e Rachel si aprì. Io corsi fuori dalla camera che condividevo con Noah, con lo spazzolino da denti ancora in bocca.

Amanda era in piedi sulla soglia. I suoi capelli biondi erano tagliati corti e pettinati in morbide onde che le incorniciavano il viso. Non sembrava truccata, ma la sua pelle liscia brillava come rugiada. Indossava una t-shirt che le lasciava una spalla scoperta e short di jeans rosa. Sotto la maglietta s'intravedeva un costume da bagno rosa, legato dietro al collo.

Ridendo, Noah le corse incontro e l'abbracciò, sollevandola da terra. Lei ridacchiò e gli scompigliò i capelli una volta tornata a terra. «D'accordo, Maciste, non c'è bisogno di mettersi in mostra. Rachel! Elle! Ehi!»

Sbavai dentifricio sul pavimento e sulla maglia del pigiama, e Noah fece un verso quando lo notò. Mi infilai lo spazzolino di nuovo in bocca e feci cenno di aspettare un minuto con un mormorio incomprensibile, poi corsi in bagno per sistemarmi. Sciacquai via la macchia di dentifricio dalla maglietta prima di tornare di là.

Amanda mi rivolse un ampio sorriso e mi abbracciò. Profumava di vaniglia. Di biscotti.

Per l'amor del cielo, c'era qualcosa in lei che non fosse perfetto?

«Che bello vedervi!» disse. «Dov'è Lee?»

«Dorme ancora» disse Rachel con una smorfia affettuosa. «Lui e Ashton sono usciti con la squadra di football, ieri, dopo il film. Penso che oggi avrà mal di testa» aggiunse con un sussurro.

«Oh, certo» sussurrò Amanda per tutta risposta, annuendo con serietà e portando un dito alle labbra.

Noah incrociò il mio sguardo per il tempo necessario a farmi l'occhiolino, poi prese un bel respiro.

«Lee!» strillò, con la mano intorno alla bocca. «Lee Flynn, porta il culo al piano di sotto!»

Dopo qualche secondo dalla camera di Lee e Rachel provennero un debole borbottio e uno scalpiccio. Scoppiai a ridere, ma Rachel guardò Noah con severità e Amanda gli diede una gomitata, sbuffando.

Lee si trascinò fuori dalla sua stanza, indossando solo i boxer e sfregandosi il viso. «Ma che cavolo, Noah! Mi prendi in ...» I suoi occhi si posarono su Amanda e si spalancarono. Arrossì, cosa che mi fece ridere ancora più forte. «Merda, Noah, potevi dirlo che avevamo ospiti!»

«Non ti preoccupare, ragazzone, non è niente che non abbia già visto prima» disse Amanda con un gesto noncurante della mano. «È un piacere vederti in tutto il tuo splendore, Lee.»

Anche Lee rise. «Piacere mio, Amanda. Non sapevo che saresti venuta.»

Lo disse con uno sguardo trasversale a me e Noah, e non potei fare altro che scrollare le spalle e sentirmi in colpa. Io e Lee non ci eravamo neanche visti il giorno prima, da quanto eravamo impegnati; nemmeno Noah ovviamente aveva pensato di avvisarlo.

«Sorpresa!» Sollevò la sua borsa blu in pelle. «Oh, e vi ho portato dei regali.»

Estrasse due quadratini bianchi e ne porse uno a me e uno a Lee. Erano due calamite con la scritta I ♥ LONDON.

«So che tecnicamente voi non ci siete stati, ma ho pensato che potreste aggiungerle alla vostra collezione di calamite.»

Quando io e Lee eravamo andati a trovarli in primavera avevamo comprato una calamita in ogni stato che avevamo attraversato, come souvenir del nostro epico viaggio. Era un regalo davvero azzeccato, ed entrambi ringraziammo Amanda con un sorriso.

«Ho portato anche dei frollini scozzesi perché Noah mi ha detto che non li ha mai assaggiati, e non si può vivere senza aver assaggiato dei frollini scozzesi come si deve.» Estrasse dalla borsa una scatola decorata con un motivo tartan e la porse a Rachel.

«Hai altro in quella borsa?» chiese Lee.

«No, a meno che tu non voglia il mio rossetto o un fazzoletto usato.»

«Penso di no, grazie.»

«Ehi, meglio che tu vada a vestirti» disse Noah a Lee. «Oggi è in programma una visita alla casa, ricordi?»

«No, non c'è niente.»

Tutti e tre guardammo Lee.

«Eh, sì che c'è, Lee» disse Rachel lentamente. «Ricordi che tua mamma ci ha mandato un messaggio per avvisarci qualche giorno fa...»

«Hanno disdetto.»

«Cosa? Ma quando?»

«La... l'agente immobiliare ha telefonato poco fa per avvisarmi.»

Lee era un pessimo bugiardo.

Nessuno se l'era bevuta, ma Lee strinse i denti e ci fissò, come per sfidarci a smascherarlo. Non avevo idea di che cosa avesse in mente, ma di sicuro c'era sotto qualcosa. Per giunta, questa era almeno la quinta volta che qualcosa veniva "disdetto" nelle ultime settimane, cosa piuttosto sospetta, a pensarci bene...

In quel momento, però, ero contenta che non se ne facesse niente.

«Dai, vieni» disse Noah ad Amanda. «Ti faccio fare il giro completo.»

«Vuoi del caffè, Amanda? Del tè?» le offrì Rachel, da perfetta padrona di casa. «Qualcosa di fresco?»

«Oh, non mi dispiacerebbe una tazza di tè, grazie!»

Mi venne da ridere per il cliché, ma avevo timore che sembrasse offensivo detto da me, perciò rimasi zitta, sorrisi mentre Noah la accompagnava in giro per casa, e mi rintanai in cucina con Rachel.

«È ancora strano, per te?» sussurrò Rachel.

Non avevo la forza di fingere in quel momento. «Un pochino. Più che altro perché mi sento sciocca a essere stata gelosa, capisci? Mi fido di Noah, e so che sono solo amici. E lei è fantastica, vero? Perciò mi sento una stronza ad aver pensato male.»

Rachel buttò lì, pensierosa: «Però lei è stata in parte il motivo per cui vi siete lasciati, vero?»

«Be', sì, ma ci siamo lasciati più che altro perché lui mi aveva tenuto nascosto un segreto e rifiutava di parlarne. La distanza era... è stata dura. Per non parlare del fuso orario. So che sono solo tre ore, ma entrambi avevamo le nostre cose da fare e la nostra vita sociale, e tutto sembrava scombinato, perciò non riuscivamo a parlarci spesso, e se ci aggiungi la nuova misteriosa amica...»

Vidi l'espressione di Rachel rabbuiarsi e trasformarsi in preoccupazione, e capii qual era la vera domanda, e che cosa le avevo appena risposto.

«Ma non sarà così per te e Lee» aggiunsi in fretta, e sperai che capisse che dicevo sul serio. «Insomma, ha già programmato tutte le volte in cui potrete vedervi. Non... scusa, non voglio dire che sia una cosa stupida, non lo è, anzi, è veramente dolce. Intendo solo...»

Oddio, ecco perché passavo sempre il mio tempo con dei maschi. Ero pessima in situazioni del genere. Cercai di nuovo di mostrarmi il più possibile empatica. «Lee ti adora. Ha preparato un calendario per incastrare al meglio le occasioni in cui potrete stare insieme durante le vacanze, eccetera. E voi due siete più furbi di me e Noah. Troverete una soluzione.»

«Ma è proprio questo il punto» sussurrò disperata e con gli occhi pieni di lacrime. Oh, cavolo, che cosa avevo detto ora? «Tu e Noah... siete così... avete questa passione. È pazzesco quanto sia intensa. A volte non sopporto neanche di stare nella stessa stanza quando vi guardate. E io e Lee non siamo così. Perciò mi preoccupa il pensiero di quanto sia stato difficile per voi, e diciamocelo, se tu non avessi avuto Lee, non avresti mai rivisto Noah al Ringraziamento e non vi sareste mai chiariti, e ora non sareste di nuovo insieme. Ma io non ho niente di simile.»

Riflettei per un momento, cercando di scegliere con cura le parole. Perché in tutta sincerità, con tutta la paura che avevo avuto per la relazione a distanza con Noah, il pensiero di preoccuparmi per la relazione tra Lee e Rachel non mi era mai neanche passato per la mente.

«Hai ragione. Voi non siete come me e Noah. Voi siete solidi e sicuri. Probabilmente comunicate molto meglio di noi, e non litigate in continuazione come noi, perciò forse sarà molto più facile per voi due parlare di ciò che sentite veramente e dirvi che state facendo fatica o che sentite la mancanza l'uno dell'altra. So che forse pensi che mi sono accollata a te per via di Lee, come se io e lui fossimo un pacchetto unico, ma... mi piace pensare che io e te siamo amiche anche senza di lui, Rach. Mi piace pensare che tu sia mia amica.»

Rachel fece un sospiro tremulo, poi sbatté velocemente le palpebre lasciando cadere un paio di lacrime. Le ripulì velocemente e mi rivolse un sorriso annacquato, poi mi strinse in un abbraccio improvviso. «Grazie, Elle.»

«Certo, figurati. Nessun problema.» Le diedi un'imbarazzata pacca sulla spalla.

Rachel si ritrasse e si passò le mani sul viso, poi finì di preparare il tè per Amanda. «Per la cronaca, anche tu sei mia amica. Con o senza Lee. E puoi giurarci, ti verrò a trovare ad Harvard l'anno prossimo, e mi aspetto che tu venga a trovarmi alla Brown. Non sei così lontana da non poter passare un week-end insieme.»

La proposta mi colse completamente di sorpresa. Sin da quando avevo accettato l'offerta di Harvard, non avevo mai pensato che avrei avuto un'amica vicino. Avevo detto a Lee che sarebbe potuto venire a trovare sia me sia Rachel insieme, ma non avevo pensato che sarei potuta andare a trovare Rachel da sola, per passare del tempo con lei.

Le sorrisi. Forse non saremmo diventate amiche se Lee non l'avesse invitata a uscire, un anno prima, ma non ero mai stata così felice che lo avesse fatto.

18

Noah e Amanda erano andati in spiaggia, a giudicare dal biglietto lasciato sul bancone della cucina; Rachel e Lee non si vedevano da nessuna parte. Forse non avrei dovuto stupirmi: una delle ragazze al lavoro aveva chiesto di scambiare il turno con me. Un pomeriggio libero non era una brutta idea, così avevo accettato.

Guardai il biglietto dalla calligrafia contorta.

Non ero gelosa, perché sarebbe stato stupido, e non c'era nulla di cui essere gelosi.

Pensai di andare da loro. Il biglietto non diceva che volevano rimanere soli o qualcosa di simile, semmai lasciava intendere un invito a raggiungerli. Ma ripensai alle vacanze di primavera e al fatto che, anche se mi ero divertita con Noah e i suoi amici, avrei voluto passare del tempo da sola con lui. E pensai che se si fosse trattato di Lee o Levi, avrei voluto stare con loro senza essere disturbata.

Mi fidavo di Noah.

Presi una penna e lasciai un biglietto a mia volta.

HO FINITO PRESTO AL LAVORO. TORNO A CASA A TROVARE BRAD E PAPÀ. CI VEDIAMO PER CENA!

Tornando a casa mi fermai al 7-Eleven.

Il viso di Levi si accese quando arrivai alla cassa con un po' di spesa. «Ehi! Che ci fai tu qui?»

«Dovevo badare a Brad stasera, ma sono uscita presto dal lavoro. Ho pensato che potesse venire con noi alla casa sulla spiaggia. Non vede l'ora di fermarsi a dormire lì con noi.»

Levi rise, facendo il conto dei miei acquisti con lentezza. «Scommetto che si divertirà un sacco.»

«Devi venire anche tu. Non ci sei ancora stato.»

Abbassò lo sguardo per un istante. «Sono stato impegnato, lo sai. Però ci vediamo al parco acquatico domani pomeriggio?»

Sorrisi. «Però certo, sono così felice che tu venga con noi. Noah pensa che sia un po' una stupidata.»

«Be', forse è Noah a essere un po' stupido» rispose Levi con un sorriso.

Scoppiai a ridere. «Tipica risposta da Corvonero.»

«Ah, allora lo ammetti? Credevo fossi convinta che io appartenessi a Tassorosso.»

Merda, aveva ragione.

«Forse, diciamo, sessanta per cento Tassorosso e quaranta per cento Corvonero» ammisi. «Ma il grosso è Tassorosso.»

«Sono tredici dollari e sessantotto» mi disse, porgendomi la borsa. «E per quanto mi riguarda, non vedo l'ora che sia domani. Sarà epico! Sicura che non serve che porti niente?»

Scossi la testa. «No, abbiamo tutto sotto controllo. Ci vediamo, Levi!»

Tornai a casa e, appena entrata, sentii il videogioco di Brad in salotto. Mi sporsi dalla soglia e sorrisi. «Hai già battuto il mio record?»

Brad sobbalzò e riuscì appena in tempo a mettere in pausa prima che il mio arrivo a sorpresa gli rovinasse la partita.

«Elle! Credevo che saresti arrivata più tardi!»

«Cambio di programma. Che ne diresti di venire a passare la notte alla casa sulla spiaggia?»

Con un'esclamazione, Brad si lanciò sul divano e inginocchiandosi mi sorrise con occhi spalancati. «Dici sul serio?»

«Assolutamente.»

«Aspetta...» Strinse gli occhi e il suo sorriso si trasformò in una smorfia sospettosa. «C'è sotto qualcosa?»

«Oh, andiamo. Ma che dici?»

«*Mmm*...» Brad rifletté per un minuto, ma alla fine decise che se anche ci fosse stato sotto qualcosa, ne sarebbe valsa comunque la pena. «D'accordo! Fantastico! Vado a prendere la mia roba!»

Avevo comprato latte e burro d'arachidi, perché l'ultima volta che ero tornata a casa avevo visto che non ne avevamo più tanto. Ma quando aprii il frigo vidi che il latte c'era.

Mmm... Strano. Forse avevamo una bottiglia di riserva in frigo e non l'avevo notata.

Riposi la mia bottiglia e aprii la dispensa per inserire il barattolo di burro d'arachidi che avevo appena acquistato ma, cosa ancora più strana, c'era un barattolo nuovo, e non era la marca che compravamo di solito. Lo fissai per un secondo, cercando di capire che cavolo stesse succedendo. Compravamo sempre quello con il tappo blu: era quello che prendeva sempre la mamma, ma qualche anno prima eravamo passati alla versione con pochi grassi.

Perché papà aveva improvvisamente deciso di cambiare marca? E oltretutto, pensavo che si aspettasse che lo avrei comprato io...

Tornai in corridoio.

«Ehi, Brad?» urlai, su per le scale.

«Sì?» Si affacciò alla porta della stanza. «Non hai cambiato idea sul fatto che posso venire con te, vero?»

«No, tranquillo» lo rassicurai. «Da dove arriva il burro d'arachidi?»

«Cosa?»

Sollevai il barattolo per mostrarglielo.

«Oh! L'ha comprato Linda.»

Scomparve dentro la sua stanza e io rimasi a fissare il vuoto per un secondo, prima di seguirlo al piano di sopra. «Che cosa vuol dire: "L'ha comprato Linda"?»

Prima il vino, poi la notte trascorsa qui, e ora questo?

«Siamo andati a fare la spesa ieri dopo il campo estivo.»

«È venuta lei a prenderti al campo?»

«Eh, sì» rispose Brad. «Quanti costumi da bagno pensi che mi servano, Elle?»

«Solo un paio» dissi, assente.

Linda era andata a prenderlo al campo e poi l'aveva portato a fare la spesa... Ma che cavolo!

Perché io non l'avevo ancora incontrata? Brad ormai l'aveva vista un paio di volte.

«Sembra una cosa seria, vero? E se c'era bisogno di andare a prendere Brad al campo estivo, perché non l'ha detto a me? Avrei potuto farlo io» stavo pensando ad alta voce.

«Non lavoravi, ieri?»

«Non è quello il punto, Levi!»

Finalmente mi fermai per prendere fiato.

Mi ero chiusa fuori sulla veranda per chiamare Levi, mentre Brad metteva in valigia fin troppa roba per una sola notte.

«Perché non chiedi a tuo padre se puoi incontrarla?»

«Non voglio incontrarla» scattai, detestando il suono infantile delle parole che mi stavano uscendo di bocca. Non ero... d'accordo, okay, era proprio quello il punto, e allora? Mi ricomposi e dissi: «Solo non capisco perché viene lei a badare a Brad e a prenderlo al campo e a fare la spesa quando fino a un mese fa non esisteva neanche».

«Veramente...»

«Non ti permettere di sottolineare che invece esisteva. Sai benissimo che cosa intendo.»

Levi scoppiò a ridere. «Okay. Be', Brad cosa pensa di lei?»

«Oh, la trova fantastica. Linda qua, Linda là. Linda gli lascia decidere cosa mangiare per cena. Linda gli lascia scegliere la musica in auto. Linda gli mette il miele nella zuppa d'avena. Linda, Linda, Linda.» Sospirai e chiusi gli occhi. «Scusa, Levi. Non volevo chiamarti e rubarti tutta la pausa e poi alzare la voce con te.»

«Sono io che ti ho chiamato, ricordi?»

Era vero, cosa che mi fece sentire un pochino meglio. Anche se mi ricordava che avevo monopolizzato l'intera conversazione. «Ah, già. Di che cosa volevi parlare?»

«Non ha importanza» rispose.

Stavo per chiedergli se ne era sicuro, perché se mi aveva chiamato aveva per forza qualcosa da dirmi, ma dovevo tornare a occuparmi di Brad. Glielo dissi, e riattaccai.

Tornai dentro. Brad aveva portato di sotto lo zaino, strapieno.

«Videogiochi ne avete o ne devo portare?»

«Ne abbiamo, Brad. E penso che volessimo ordinare del cibo cinese per cena. A meno che Linda non ti abbia fatto mangiare cinese ieri sera.»

«No, abbiamo mangiato messicano.»

«Credevo detestassi il cibo messicano. Ti fa venire aria nella pancia.»

«Mi è piaciuto come lo ha cucinato Linda.»

Ero davvero felice che Linda non fosse nei paraggi in quel momento. Avevo la sensazione che sarei esplosa e le avrei detto dove infilarsi il suo cibo messicano e il suo burro d'arachidi della marca sbagliata.

Quella sera ero ancora di cattivo umore. Lee e Rachel erano in giro, ma né Noah né Amanda sembrarono disturbati dal nostro ospite a sorpresa. In quel momento, Noah e Brad stavano combattendo un'epica battaglia con le spade laser in piscina usando dei bastoni e facendo i relativi versi. Brad urlava che questa era la fine degli Jedi, mentre Noah rispondeva che avrebbe sconfitto una volta per tutte i malvagi Sith.

Erano dolci. E anche se a Noah non piaceva essere coinvolto nelle avventure infantili mie e di Lee, era bello vedere che invece si lasciava coinvolgere in quelle di Brad.

Gli avanzi della nostra cena cinese erano sparpagliati sul tavolo, e io e Amanda avevamo preso i joystick del videogioco che Brad aveva abbandonato per andare a giocare in piscina con Noah.

Ora, Amanda posò il suo con un sospiro. «Ricordami di non giocare più contro di te. Dovresti aprire un canale YouTube o una cosa simile e farti pagare per questo.»

Riuscii a fare una risata, distratta per un secondo. «Non ne sono sicura, ma grazie per l'incoraggiamento.»

Ci fu un urlo melodrammatico proveniente da fuori, e uno *splash*, seguito dalla risata allegra di Brad.

«Immagino che il malvagio Signore dei Sith abbia vinto questo round» dissi.

«Tuo fratello è adorabile» disse Amanda, emozionata. «Mi fa rimpiangere di essere figlia unica.»

«Ha i suoi momenti positivi. Ora che ha smesso di parlare di Linda.»

Amanda mi rivolse un sorriso compassionevole. «Se ti consola, un sacco di miei amici hanno i genitori divorziati, e tutti hanno detestato la prima persona con cui i rispettivi genitori sono usciti dopo il divorzio. Di certo, io ne sono terrorizzata!»

«Aspetta, cosa?» Lasciai perdere il raviolo cinese che stavo per afferrare e mi voltai a guardarla a bocca aperta. «I tuoi genitori stanno divorziando?»

Amanda scrollò le spalle e, anche se la falsa indifferenza le veniva bene, qualcosa la tradì. Come se si stesse impegnando troppo per apparire rilassata, come se questo fosse l'unico modo in cui riusciva a parlarne. «È probabile. Sinceramente, penso che per loro questo sia un ultimo tentativo di far funzionare il rapporto. All'inizio questo viaggio doveva essere solo per mia mamma, poi si è trasformato in un affare di famiglia. È da un po' che fanno terapia di coppia ma non credo che abbia funzionato molto. Pensano che non mi accorga di quanto litigano, ma...» Sospirò e alzò gli occhi al cielo, poi aggiunse con un sorriso: «Ehi, pensi che sia troppo grande per approfittare della storia dei doppi regali di compleanno e di Natale?»

Amanda si accorse dello sguardo scioccato sul mio viso, e il suo sorriso rigido svanì.

«Mi dispiace tanto» le dissi, senza sapere che altro poter dire. «Non ne avevo idea.»

«Noah non te l'ha detto?»

«No. Avrebbe dovuto?»

Amanda rifletté. «Insomma, non ho mai detto che fosse un segreto, ma forse non gli ho neanche mai detto di dirvelo. Ho solo dato per scontato che lo avrebbe fatto. È per questo che gli ho chiesto se potevo stare qui un paio di giorni. È stancante stare con i miei quando fanno così.»

Cercai di controllare la mia espressione, perché non ero sicura se avrebbe preferito compassione o pena o chissà che altro.

Anche se non riuscivo proprio a capire come potesse parlare così allegramente del probabile divorzio dei suoi genitori.

«Puoi restare qui finché vuoi» le dissi.

Amanda mi strinse la mano e fui sorpresa di vedere che le tremava il labbro e che i suoi occhi si erano riempiti di lacrime. Con voce intensa, disse: «Grazie, Elle. Sei davvero una buona amica».

In quel momento si aprì la porta. Amanda tirò su col naso all'improvviso, poi sbatté le palpebre e fece un sospiro per calmarsi. Sentimmo entrare in casa un trio di voci che chiacchieravano e ridevano. Ci voltammo entrambe e vedemmo Rachel e Lee con addosso abiti fluorescenti. Rachel aveva i capelli cotonati e sistemati in un'enorme acconciatura, mentre Lee portava in testa una fascia rosa. Entrambi indossavano gli scaldamuscoli.

Ashton era dietro di loro, anche lui in un bizzarro abbigliamento anni Ottanta.

Uno strisciante senso di terrore mi risalì lungo la schiena, e la loro risata svanì.

«Dove siete stati?» chiesi. «Ehi, Ashton. Non mi aspettavo di vederti qui.»

«Be', Shelly» annunciò Lee «dopo aver passato la giornata al centro commerciale con Rachel per comprare alcune cose per il college, siamo andati all'appuntamento per il punto numero ventitré della lista, come d'accordo, e se ti ricordi avevamo invitato anche Ashton visto che Noah aveva rifiutato l'invito. Ti siamo venuti a prendere al lavoro, come programmato, ma May ci ha detto che avevi scambiato il turno con qualcun altro e quando ti abbiamo chiamato è entrata subito la segreteria telefonica.»

Il punto numero ventitré della lista... I capelli cotonati, gli scaldamuscoli, gli abiti fluorescenti...

Con un'esclamazione mi portai entrambe le mani al viso. «Oh, mio Dio! Minigolf anni Ottanta! No!»

«Sì» gracchiò Lee. «Ed è stato spettacolare.»

«Non proprio» disse Rachel, come al solito cercando di mediare con un sorriso imbarazzato. «Non ti sei persa molto.»

«Te lo sei persa, eccome» disse Ashton, senza capire. Fece un saluto ad Amanda. «Ehilà! Mi chiamo Ashton.»

Mi morsi il labbro e sentii un nodo alla gola. Interruppi Amanda che stava rispondendo al saluto: «Oh, mio Dio, mi dispiace tanto, Lee. Forse ero al telefono con Levi quando mi hai chiamato. Mi dispiace da morire. Sei arrabbiato con me?»

Scosse la testa, ma avevo l'impressione che non mi avesse perdonata del tutto. «Se siamo pronti per andare al parco acquatico domani, è tutto a posto.»

«Certo! Sì, di sicuro. Al mattino presto accompagno Brad al campo estivo e poi sono tutta tua per il punto più epico della lista. Promesso.»

«Fantastico.» Lee mi sorrise, non proprio il sorriso a cui ero abituata, ma abbastanza da farmi capire che non ce l'aveva con me. Decisi di raccontargli di Linda il giorno dopo, perché quello non era il momento adatto. «Ehi, viene anche Ashton domani. Ci serve qualcuno per il go-kart numero otto, giusto?»

Lee diede una pacca sulla spalla di Ashton e scoppiarono a ridere insieme, una battuta fra di loro che io non avevo capito.

Proprio io che di solito scambiavo questo genere di battute con Lee.

«Giusto! Ma è... fantastico! Lieta di averti a bordo, Ashton.»

I tre presero da bere e si sistemarono fuori. Amanda si alzò a sua volta. «Vieni anche tu, Elle?»

Pensai di non avere molta scelta. A meno che non volessi che il mio fratellino e il mio migliore amico mi rimpiazzassero completamente.

19

Non era proprio una festa Flynn a tutti gli effetti, ma si era comunque sparsa la voce della nostra gara di go-kart. Fletcher aveva creato un evento su Facebook, e ora sembrava che l'intera scuola si fosse radunata al parco acquatico. Vidi alcuni membri della squadra di football sdraiati sulla finta spiaggia, e le cheerleader con in mano dei salvagenti salivano di corsa la scala di legno che portava a uno scivolo. Un paio di membri della banda musicale stavano scendendo lungo il fiumiciattolo. Dixon uscì dalle rapide mezzo annegato, dopo aver perso gli occhiali da sole.

Era una giornata bollente. Il sole splendeva e non c'era una nuvola in tutto il cielo blu. Giornata perfetta da trascorrere al parco acquatico.

Io e Lee avevamo appuntamento con Jon all'una, accanto a un chiosco che vendeva infradito e costumi da bagno accanto allo scivolo più grande del parco. C'era anche suo fratello maggiore, una versione meno muscolosa, più bassa e tozza di Jon. Indossava jeans e una camicia bianca e ci strinse la mano quando suo fratello ci presentò.

Avrei voluto avere addosso qualcosa di più di un bikini e un paio di short.

L'unico motivo per cui eravamo riusciti a organizzare tutto questo era perché glielo avevamo presentato come un evento di beneficenza. Ma in quel momento mi sentivo una truffatrice. Non dico che avrei voluto indossare un tailleur, ma almeno non avere le trecce ancora bagnate per l'ultimo tuffo fatto poco prima.

«Allora, siete voi due le menti dietro a questa faccenda, eh?» disse il fratello di Jon.

«Esatto» rispose Lee, con una finta sicurezza che potevo vedere solo io. «Siamo molto grati per il suo aiuto, signor Fletcher.»

Jon e suo fratello scoppiarono a ridere.

«Adesso non dirai: "Oh, ti prego, il signor Fletcher è mio padre"?» scherzai.

«Invece sì. Non sono poi così vecchio, potete chiamarmi Will.»

«Be', grazie, Will» si corresse Lee. «Ti siamo davvero molto grati.»

«Il piacere è tutto nostro. Abbiamo venduto biglietti per gli spettatori, e raccolto quasi millecinquecento dollari! Dovete esserne fieri.»

Io e Lee ci scambiammo un'occhiata. Millecinquecento dollari? Erano un sacco di soldi, specialmente considerando che lo facevamo solo per divertimento. Ma... spettatori? Sapevo che alcuni dei nostri amici e compagni di scuola sarebbero venuti a vederci, però non mi aspettavo... un pubblico.

Capii che Lee stava pensando la stessa cosa, ma la prese molto meglio di me.

Mentre io non riuscivo a pensare ad altro che i mille e

più modi in cui la cosa poteva sfuggirci di mano, lui era ancora più emozionato.

Will aggiunse rapidamente: «Avete firmato i moduli dell'assicurazione, vero? Il parco non è responsabile di danni o incidenti, *bla bla bla*...»

Annuimmo entrambi, poi dissi: «Te l'ho inviato stamattina via e-mail».

«Fantastico. Bene, allora direi che siete pronti! Niente bucce di banana, mi raccomando. Scusate, ma dobbiamo darvi qualche limite. Abbiamo alcune GoPro e altri strumenti video già pronti, perciò... ci vediamo tra un'ora?»

Annuimmo e lo salutammo, mentre Jon si attardò.

«Siete sicuri di essere parenti?» chiese Lee, osservando Will a occhi stretti.

«Lo so.» Jon piegò le braccia e si baciò il bicipite. «Io ho preso l'intelligenza.»

Scoppiammo a ridere tutti e tre.

«Ora vieni con noi?» gli chiesi. «Vogliamo controllare che sia tutto pronto prima di cambiarci.»

Jon scosse la testa. «Farò un ultimo giro su questo ragazzaccio.» Indicò con il dito il mostruoso scivolo alle sue spalle. «Ma arrivo in tempo, non vi preoccupate. Non me lo perderei per niente al mondo!»

Lo salutammo e seguimmo i cartelli di legno che indicavano la pista dei go-kart.

Ci attardammo a guardarli per qualche minuto. Rombavano a tutta velocità sul tracciato, alcuni perdevano aderenza al terreno e andavano a sbattere contro le barriere di pneumatici. Accanto all'ingresso c'era un cartello che diceva ACCESSO DAI 14 ANNI. Su un lato della pista c'era una gradinata piena di genitori, fratelli e sorelle piccoli dall'e-spressione amareggiata e gelosa, e qualche amico.

Un go-kart si schiantò contro il muro di pneumatici ac-canto a noi, fece un giro completo su se stesso, poi tornò a inseguire gli altri.

«*Wow*» sospirai.

«Vedrai» disse Lee «sarà incredibile.»

Era stato spaventosamente facile mettere in piedi tutta la faccenda. Sembrava una folle fantasia di due ragazzini, e l'avevamo organizzata con una telefonata, un paio di e-mail, un ordine online da un negozio che affittava co-stumi, e una gita da Target per fare shopping.

Gli acquisti ora venivano estratti dal mio zaino nei ca-merini accanto alla pista: riempimmo d'acqua palloncini blu e rossi; un paio di quelli neri li riempimmo di panna montata, anche se sinceramente ero sicura che ne fosse finita molta di più sul pavimento (e nella bocca di Lee) che dentro i palloncini; poi preparammo tre tubi di stelle filanti. In più, Will ci aveva prestato tre giganteschi cubi di gommapiuma, presi dalla zona gioco per bambini.

Io e Lee facemmo un passo indietro per osservare il nostro arsenale.

Un timer suonò sulla pista, e raccogliemmo la nostra roba per andare ad allestire i go-kart prima che arrivas-sero gli altri, sistemando combinazioni casuali di armi in ciascuno.

E poi andammo a prepararci.

Eravamo in otto: Rachel e Amanda mi raggiunsero negli spogliatoi femminili; Levi, Ashton, Jon e Warren erano con Lee.

Amanda si allacciò il casco e si infilò il costume. Si posò le mani sui fianchi e si voltò mettendosi in posa per noi.

«Come sto?»

Io e Rachel scoppiammo a ridere mentre Amanda continuava a darsi delle arie.

Solo lei poteva far sembrare elegante un costume da gorilla, pensai, cercando di trattenere una smorfia.

Nel frattempo, io e Rachel ci sistemammo con cura i baffi finti, davanti allo specchio.

«Sei pronta?»

«Pronta» confermai. Incontrammo i ragazzi davanti all'ingresso principale degli spogliatoi, e fu impossibile rimanere seri. Ma era per questo che avevamo deciso di incontrarci adesso: per sfogare la voglia di ridere prima di scendere in pista.

Avevo le farfalle nello stomaco e il cuore a mille. Mi sentivo quasi male.

Lee smise di scherzare con Ashton per farci una riverenza nel suo abito rosa scadente e frusciante; da sotto il casco (su cui era attaccato un adesivo a forma di corona) gli scivolavano ciocche di una parrucca bionda. «Siete pronti?»

«Non sarò mai più pronta di così!» esclamò Rachel.

Lee guardò verso di me.

Mi lanciai su di lui, gettandogli le braccia intorno alle spalle e abbracciandolo forte. Sbattemmo i caschi l'uno contro l'altro e mi gridò: «Ehi, ehi, attenta al vestito!»

«L'estate migliore di tutti i tempi» sussurrai, e poi mi allontanai.

Lee si voltò verso il resto del gruppo e batté le mani. «D'accordo, gente, ascoltate. Abbiamo una possibilità di farcela, e una sola. Voglio vedervi giocare sporco. Voglio vedere tattiche disoneste. Voglio vedere che cercate di mandare fuori strada gli avversari e...»

Ero finita in piedi accanto a Levi, che indossava una maglietta gialla e una salopette viola. Aveva un paio di baffetti ondulati appiccicati storti sul labbro superiore. Infilò i pollici sotto le bretelle della salopette e sorrise.

Si chinò verso di me, senza osare distogliere lo sguardo dal discorsetto d'incoraggiamento di Lee, e sussurrò: «Non riesco a credere che siate riusciti a organizzarlo».

«Non portare sfortuna» sussurrai in risposta. «La gara non è ancora iniziata.»

Lee ci rivolse uno sguardo di rimprovero, ma non interruppe il discorso. Levi mi diede una pacca sul braccio a mo' di risposta.

«Tre giri, proprio come nel gioco. Chi vince prende tutto.»

«Ho una domanda» intervenne Amanda, alzando la mano meglio che poté con il costume. «Che significa?»

«Significa che chi vince si prende il trofeo del torneo di spelling di quinta elementare che Elle ha gentilmente donato per l'occasione.»

«Ho BISOGNO di quel trofeo» annunciò Jon Fletcher, piegandosi in avanti e sfregandosi le mani come se si stesse preparando a una partita di football.

Lee concluse il discorso con un grido: «Andiamo e spacchiamo tutto!»

Facemmo tutti il tifo, e la porta dietro Lee si spalancò.

Noah entrò di soppiatto, dicendo: «Scusate, volevo solo... oh, mio Dio!» Sbuffò e scosse la testa. «Mi aspettavo una cosa del genere, ma in verità... non mi aspettavo assolutamente una cosa del genere. Ragazzi, siete tremendi.»

«Ma soprattutto io, vero?» disse Amanda, saltando in avanti. Si accovacciò, piegò le braccia verso l'interno e ruggì, battendo prima un piede e poi l'altro e facendo ridere Noah.

«Buona fortuna in pista, Evans» mi disse Levi.

«Ti prego» sbuffai. «Non mi serve la fortuna.»

«Ti piacerebbe.» Levi si mise le mani sui fianchi e dondolò la testa facendo una risata malvagia. «Sei spacciata. Ti distruggerò là fuori.»

«Non conciato in quel modo.» Ebbi pietà di lui e gli sistemai i baffi finti, premendoli con cura al posto giusto.

Levi arrossì. «Grazie.»

Sentii qualcuno schiarirsi la gola alle mie spalle e mi voltai, trovando Noah dietro di me. Gli sorrisi e feci una piroetta. «Carino, vero?»

«Volevo solo passare a dirti buona fortuna. C'è un sacco di ressa, là fuori.»

«Non lo sapevi?» scherzò Levi, afferrandomi le spalle e scuotendole leggermente. «A Elle non serve la fortuna.»

Non mi sfuggì lo sguardo che Noah lanciò a Levi, né il muscolo che gli guizzò nella guancia.

Oddio, non avevo intenzione di pensarci proprio in quel momento.

Lanciai un bacio a Noah, sapendo di non poterlo baciare davvero mentre indossavo il casco. «Ci vediamo agli stand!»

Mi feci strada verso la porta mentre gli altri si mettevano in fila per uscire. Presi il primo posto davanti a Rachel e Lee.

«D'accordo, squadra!» strillai al di sopra delle teste. «Andiamo!»

Volevo aprire le porte con un gesto grandioso, in modo che si spalancassero su entrambi i lati mentre uscivo. Ma non mi riuscì bene, le porte erano pesanti, perciò annaspai, mentre Lee scoppiava a ridere alle mie spalle, e alla fine riuscii ad aprirne una sola.

La cosa fu tutt'altro che aggraziata. I costumi di Amanda e di Jon si impigliarono nella porta, e l'enorme guscio di tartaruga di Jon si incastrò nella maniglia. Dovemmo intervenire in tre per liberarlo.

Ma poi riprendemmo il passo, e sbucammo da sotto le gradinate per essere accolti da un rombo di tifo, mentre la musica del videogame suonava dagli altoparlanti.

Il suono era assordante. Lasciai che mi avviluppasse, euforica, e dovetti impegnarmi a fondo per rimanere seria. Avvicinandomi al mio go-kart, lanciai un'occhiata allo schermo, dove la nostra piccola parata in slow motion veniva trasmessa in HD.

Era surreale.

Eccomi lì sullo schermo, vestita esattamente come Super Mario, con un adesivo bianco a forma di emme appiccicato sul casco rosso. Rachel era dietro di me, vestita di verde al posto del rosso, un perfetto Luigi. Lee fece un saltello e una piroetta, vestito da Principessa Peach, e Ashton saltò in aria, agitando il pugno ed esclamando «*Yu-huu!*» in un'imitazione di Yoshi talmente accurata da far paura.

Dopo di lui arrivò Amanda, battendosi i pugni sul petto da gorilla nel suo costume da Donkey Kong. Levi venne dietro di lei, una versione più magra e meno tozza di Wario, e Jon a chiudere la fila vestito da Bowser.

Mi voltai a guardare meglio mentre mi avvicinavo al mio go-kart.

Dove diavolo era Warren?

Tornai a guardare il nostro gruppo e poi il go-kart vuoto, e quando mi voltai verso lo schermo lo vidi con i miei occhi: Toad stava correndo fuori dalle gradinate, dondolando la testa gigante. Ma non era Warren a indossare il costume.

Noah?

Mi voltai a guardare Lee, che sembrava confuso tanto quanto me. Lui scrollò le spalle.

Forse dopotutto aveva cambiato idea, e si era reso conto di che cosa si stesse perdendo. Sperai che Warren non ci fosse rimasto troppo male.

(E anche che Noah non si ribaltasse con il suo go-kart e non si rompesse nulla. Non aveva firmato il modulo e l'ultima cosa di cui avevo bisogno era che il parco ci facesse causa...)

«Corridori!» Tyrone, il nostro ex presidente del consiglio studentesco e commentatore della gara, urlò nel microfono. «Ai vostri posti!»

Salimmo tutti nei rispettivi go-kart, qualcuno con più difficoltà. Sentii un crepitio nelle orecchie quando il microfono e gli auricolari nei nostri elmetti si collegarono online.

La voce di Lee risuonò nell'impianto e coprì il tifo degli spettatori. «Principessa a Idraulico Uno, Principessa a Idraulico Uno, *ccch*, pronti per la gara, ripeto, pronti per la gara!»

«Questo è Donkey Kong, Principessa. DK parla con PP, non serve fare il verso *ccch*.»

«Idraulico Due a Donkey Kong, sia messo agli atti che il mio fidanzato può fare tutti i versi che vuole.»

Il commento di Rachel fu seguito da una serie di *ccch* da parte di tutti noi, per imitare il suono delle interferenze radio, che si trasformò ben presto in una risata collettiva. Mi risistemai e strinsi le dita intorno al volante.

Una sirena suonò sulla pista. Sopra le nostre teste si accese una luce rossa.

«Idraulico Uno a Toad, come mai hai cambiato idea?»

«Che c'è, non posso sostenere la mia ragazza?»

«Questo è Bowser. Idraulico Uno, Toad, le romanticherie teniamole fuori dalla pista. Questa è una corsa, non *Orgoglio e pregiudizio*.»

Prima che io o Noah potessimo ribattere, o che qualcun altro potesse fare una battuta nella radio, la sirena suonò ancora una volta e si accese una luce arancione. Inspirai seccamente e trattenni il fiato, improvvisamente super concentrata.

La lista di cose da fare per un'estate epica di Lee ed Elle

19. Una corsa stile Mario Kart ma con i go-kart veri.

Una bella riga sopra: missione compiuta.

La sirena, ancora una volta.

Luce verde.

Affondai il piede sull'acceleratore. I nostri go-kart presero vita, i motori rombarono con furia. Sentivo vagamente le imprecazioni di Jon Fletcher negli auricolari, perché il suo go-kart era andato in folle al primo palo, ma stavo già strattonando il volante e superando la prima curva della pista.

Il go-kart di Lee mi affiancò. Lo vidi sollevare un palloncino rosso. «Ti stai godendo il primo posto, Shelly?»

«Principessa Peach, non serve urlare visto che abbiamo gli auricolari, *ccch*, passo» disse Ashton/Yoshi ridendo.

Quando Lee sollevò il suo palloncino, un altro palloncino blu volò in avanti e lo colpì sul retro del casco, sparpagliando slime verde dappertutto. Lee urlò, lasciò cadere il palloncino che aveva in mano che gli scoppiò in grembo, inzuppandolo d'acqua.

Rallentò e fu superato da Rachel/Luigi.

Strinsi gli occhi, cercando di concentrarmi sulla pista e annaspando alla ricerca di un barattolo di stelle filanti che sentivo sbatacchiare sul fondo del go-kart.

Sentii un grugnito alla radio. Imprecazioni, borbottii.

Svoltai l'angolo troppo velocemente e persi aderenza. Quando riuscii a raddrizzarmi mi trovai in quinta posizione. Jon Fletcher era ancora ultimo, rallentato dal suo gigante costume da Bowser. Ashton/Yoshi era rimasto indietro, e Amanda/Donkey Kong mi stava superando. Afferrai il barattolo di stelle filanti.

Ma in quel momento un palloncino nero colpì il casco di Amanda ed esplose, sparpagliando panna montata sul suo viso e sulla sua vettura e facendola urlare. «Chi è stato? Chi è stato? La vendetta di Donkey Kong sarà tremenda!»

«*Woo-hoo!*» urlò Ashton/Yoshi, agitando di nuovo il pugno in aria e superando sia me sia il povero Donkey Kong coperto di panna. Rachel/Luigi era rimasta indietro a lottare per la terza e la quarta posizione con Lee. Iniziammo il secondo giro.

E davanti a noi… Sobbalzai quando vidi il go-kart di Noah colpire quello di Levi.

Levi scartò di lato, e colpì di nuovo Noah.

Da qualche parte in sottofondo, Tyrone stava commentando l'intera faccenda, raccontando di come Wario e Toad si stessero affrontando in un feroce testa a testa alla conquista della prima posizione…

Feroce è la parola giusta, pensai.

Sollevai il piede dall'acceleratore per superare una curva. Lee colpì uno pneumatico e girò su se stesso. Riuscii ad afferrare un palloncino per lanciarlo ad Ashton nello stesso momento in cui Rachel gli gettò una scatola di polistirolo rossa, un po' schiacciata. Lo avrei mancato, se non fosse stato per lei: Ashton sterzò per evitare la scatola, e finì dritto nella traiettoria del mio palloncino. Lo superai di scatto, iniziando il mio terzo e ultimo giro. Lee era da qualche parte in fondo al gruppo. Jon non era molto lontano da me.

«Non è giusto!» strillò Ashton. «Gli idraulici si sono alleati! Se possiamo allearci, io voglio Donkey Kong e Wario nella mia squadra!»

«Niente alleanze!» urlò Jon. «Idraulico Due, hai altre scatole da tirare a Idraulico Uno?»

Scoppiai a ridere, stringendo le mani intorno al volante. «Stai alla larga, Bowser.»

Tra le risate e le urla, sentii negli auricolari: «Alla larga, Wario».

«Mangia la polvere, funghetto.»

Sentii un *bang* poco avanti a me. I go-kart di Levi e Noah avevano sbattuto di nuovo, e quello di Noah era finito quasi schiacciato contro la barriera di pneumatici. Quando rientrarono in pista, Rachel lanciò un urlo e sterzò con forza per non sbattere contro di loro. Io la superai al volo.

«Datti una calmata, Toad» scattò Levi.

«Ehi, ma a che gioco stai giocando?» gridò Amanda.

Sentii il ghigno nella voce di Noah quando disse: «A vincere».

Un palloncino mi volò accanto. Si schiantò contro uno pneumatico e spiaccicò slime addosso a Noah, che urlò. Io dovetti sterzare prima che Ashton mi potesse superare, e sentimmo il tifo alzarsi dalle gradinate e Tyrone urlare: «E abbiamo un vincitore! Wario vince la corsa! Seguito da Toad, Mario, Yoshi, Bowser, Principessa Peach, Luigi e Donkey Kong!»

Rallentammo tutti fino a fermarci. Amanda si era fermata contro la barriera di pneumatici, ancora girata all'indietro. Jon, Lee e Rachel non erano ancora arrivati al traguardo. Ashton si affiancò a me e mi rivolse un sorriso un po' folle, con gli occhi sbarrati, che mi ricordò terribilmente Lee per un secondo.

«È stato fantastico!»

Ma non ebbi tempo di dare il cinque ad Ashton in quel

momento: Levi stava uscendo dal suo go-kart, coperto di stelle filanti e con le braccia sollevate in un gesto di vittoria mentre Tyrone gli porgeva il mio vecchio trofeo della gara di spelling; nello stesso istante Noah uscì dal proprio go-kart e si strappò di testa il casco. Era arrabbiato.

E non ci voleva un genio per capire che ce l'aveva con Levi.

20

Con il trofeo tra le mani, Levi ci sorrise, soppesando gli avversari. Si tolse il casco scoprendo i capelli schiacciati e crespi. Lo infilò sotto il braccio e si diresse verso Noah.

Mi sentii a disagio, e strinsi i denti.

Questa era una pessima idea. Una pessima, pessima idea.

Noah aveva ancora il muso e le mani strette a pugno lungo i fianchi. Aveva i capelli umidi, appiccicati alla fronte, e le guance e la maglietta macchiate di slime.

Mi tolsi il casco e lo posai sul sedile del mio go-kart. Ashton aveva fatto lo stesso e si avvicinò a me, con le sopracciglia alzate. «Cavolo, Lee mi ha detto che aveva un brutto carattere, ma il tuo ragazzo proprio non sa perdere, eh?»

Levi si fermò davanti a Noah.

Tese la mano.

«Bella gara.»

Dai, Noah.

Non sapevo che cosa stesse succedendo, ma non mi piaceva per niente. L'ansia continuava ad attanagliarmi, e sperai che Noah stringesse la maledetta mano di Levi e se ne andasse. Non era così difficile. O forse lo era, perché Noah si limitò a guardarlo male, si girò e se ne andò.

Levi sbatté le palpebre e abbassò la mano. Rachel e Jon si affrettarono a congratularsi con lui, seguiti da Ashton.

Ero tentata di andare con loro. Volevo congratularmi con Levi, volevo afferrargli il braccio e alzarlo in aria e gioire per la vittoria e togliergli di dosso le stelle filanti. Volevo che Noah si calmasse, volevo essere fredda con lui e costringerlo a tornare strisciando e scusarsi con Levi.

Ma guardando Noah andare via non sentii altro che rabbia.

I miei piedi si stavano già trascinando dietro di lui.

«Si può sapere che cavolo è successo?» chiese Lee quando mi avvicinai.

Amanda si era attardata a sua volta, con le labbra strette, e seguiva Noah con lo sguardo. «Vuoi che gli parli io?» mi chiese.

Scossi la testa e strinsi i denti. «Torno tra un secondo.»

Noah era già a metà strada sotto le gradinate quando urlai il suo nome. Si fermò un istante, poi proseguì. Lo rincorsi e lo afferrai per la maglietta.

«E quello che cavolo era?» chiesi.

Noah guardò oltre le mie spalle per un istante, poi fece un sospiro secco e rilassò la mascella. «Mi hanno coperto di slime. Lo avevo quasi preso.»

Sapevo che non era quello il problema, ma per un secondo decisi di stare al suo gioco.

«E dai» dissi, cercando di sembrare allegra e non troppo arrabbiata con lui. «Non ti arrabbiare solo perché hai perso.»

Noah fece un breve sorriso finto, e spostò di nuovo lo

sguardo su di me. «Pensavo che il costume di Wario fosse per me. Lee aveva detto così.»

«E infatti era così» dissi lentamente, senza capire che cosa c'entrasse. «Poi tu non hai voluto partecipare, allora lo abbiamo dato a Levi. Quindi... scusa, hai rubato il costume da Toad di Warren perché hai deciso che non potevi perdere quest'esperienza? Non capisco perché te la sei presa con Levi. Lui...»

«Sto solo cercando di capire perché corri sempre da lui» esplose Noah, respirando a fatica. Aveva aggrottato le sopracciglia e nel suo sguardo c'era una fragilità a cui non ero abituata. Non sembrava arrabbiato, più... spaventato.

Spalancai la bocca e lo fissai per qualche secondo, cercando di capire se avesse davvero detto ciò che pensavo.

E... sì. Esattamente quello.

E allora potrebbe togliersi quell'espressione patetica dal viso, pensai, perché non avevo intenzione di bermela.

«Oddio» sbuffai, facendo un passo indietro. «Proprio una bella scusa, Noah. Non è colpa mia se hai pensato che fosse tutta una sciocchezza e non hai voluto partecipare. Te l'ho detto giorni fa che avevamo invitato Levi! Perché ti arrabbi così adesso? Pensavo che con Levi si fosse risolto tutto.»

«E io pensavo che avessi detto che non c'era niente tra voi» ribatté lui, con una smorfia ancora più marcata.

«Cosa? Di che cosa parli?» gridai, sollevando le mani. Mi lambiccai il cervello, cercando di pensare come cavolo gli fosse venuta quell'idea, poi mi resi conto: «Ehi, aspetta, è perché gli ho sistemato i baffi? Ho messo i baffi anche a Rachel, perciò mi accuserai di provarci anche con lei?»

«Non sei tu, Elle! È lui! Ho visto il modo in cui ti guardava. Se pensi che gli sia passata, sei proprio ingenua.»

«Oh, mio Dio. D'accordo. Non ho intenzione di ricominciare questo discorso, Noah. Pensavo avessimo superato tutta la faccenda! E invece tu ti metti a fare il fidanzato iperprotettivo solo perché ti sembra di aver visto che Levi... mi guardava? È uno dei miei migliori amici; certo che mi guarda.»

«È un migliore amico che hai baciato. Che ha una cotta per te.»

«Aveva!»

«Ha tutt'ora» ribatté Noah. «So bene che cosa ho visto, Elle.»

«Io...» feci un lungo sospiro, chiusi gli occhi e mi presi un istante per ricompormi. Forse era giusto che Noah fosse geloso: non lo sarei stata anche io, se lui avesse baciato Amanda?

(Non lo ero forse ancora, a volte, anche se sapevo che la loro relazione era puramente platonica?)

Ma non era di Amanda che stavamo parlando: era di Levi. Ci eravamo baciati una volta, ed era avvenuto mesi prima. Presi un altro respiro per controllare la mia rabbia.

«Non dovevi fare altro che stringergli la mano e fare il superiore, Noah. Era tanto difficile?»

Vidi sobbalzare la sua gola e lo sentii deglutire a fatica. Abbassò lo sguardo al pavimento.

Forse era ancora arrabbiato, ma sentivo le ondate di rimorso che emanava.

«Non ho intenzione di litigare per questo» gli dissi. «Non qui e non oggi, Noah. Ora... vado a congratularmi con Levi per la vittoria. Vado dai miei amici. Ci vediamo a casa.»

Non camminai troppo velocemente. Mi chiesi se mi avrebbe seguita.

Continuai a camminare e rallentai fino quasi a fermarmi quando arrivai al bordo della pista.

Sentii i suoi passi pesanti, ma andavano nella direzione opposta.

D'accordo. Se voleva comportarsi così, bene.

Dopo aver fatto i complimenti a Levi, averlo abbracciato e avergli scompigliato i capelli, e avergli detto di prendersi cura del mio vecchio trofeo, Lee mi prese da parte.

«Tutto bene?»

Non ne ero così sicura, ma gli sorrisi e gli afferrai le spalle. «Bene? Lee, abbiamo appena fatto la gara con i go-kart, perché mai non dovrebbe andare tutto bene? Ce l'abbiamo fatta, Lee! Ci siamo riusciti!»

Lee si lasciò andare e mi restituì il sorriso, poi mi strinse in un abbraccio e mi scosse. «Certo che ce l'abbiamo fatta! Ed è tutto merito tuo, Shelly. Il parco acquatico è stata una tua idea. Non so come avremmo potuto organizzare tutto, altrimenti.»

«Ehi, voi due. Mario e Peach.»

Ci voltammo e vedemmo che Will si stava avvicinando con un gran sorriso. Ci diede una pacca sulle spalle. «È stato incredibile, ragazzi! Davvero epico. Il video che abbiamo girato è spettacolare. Ha già avuto un paio di migliaia di visualizzazioni su Facebook Live!»

«*Wow!*»

«Ve lo mando via e-mail, come promesso.»

«Grazie, Will.»

Sospirò e si guardò intorno sul tracciato. Un paio di inservienti erano comparsi per ripulire la panna montata e lo slime, e raccogliere gli altri oggetti che avevamo lanciato. Un tizio stava riportando i go-kart all'interno. La folla stava lentamente scomparendo, per permettere alla pista di tornare al normale funzionamento.

«Sono contento che nessuno si sia fatto male» sospirò Will, e se ne andò con un sorriso.

Quando Lee si voltò di nuovo verso di me mi strinse le spalle con un braccio. «Ehi. Ho un'idea. Prometto che ti tirerà su di morale. Non ha niente a che fare con la lista, ma penso che ti piacerà da morire. Perché non ce ne andiamo da qui? Possiamo vedere Rachel e Amanda alla casa sulla spiaggia, più tardi. E…» sospirò, lanciando un'occhiata agli spogliatoi. «E Noah pure, se non è andato da qualche parte ad affogare i suoi dispiaceri nell'alcool e a cercare di dimenticare di essere un grandissimo cretino.»

Detestavo l'idea che Lee potesse avere ragione, che Noah potesse fare esattamente quello. Ma no, che cavolo. Che si crogiolasse pure. Che se la facesse passare. Magari si sarebbe accorto di quanto si stava comportando da stronzo.

Così annuii. «Ottima idea, Lee. Qualunque cosa sia, io ci sto.»

21

«Dove...?»

Lee mi zittì, e la mia confusione non fece che aumentare quando mi condusse lungo il molo. Il sole splendeva ancora, ma ora c'erano alcune nuvole e l'aria non era più così bollente e appiccicosa come poche ore prima al parco acquatico. La brezza proveniente dal mare dava un piacevole sollievo.

I profumi del molo mi riportarono direttamente alla mia infanzia. L'odore degli hot dog, dello zucchero filato e dell'acqua salata. Respirai a fondo. Una ruota panoramica girava lentamente sopra le nostre teste. Sentivo suonare i campanelli delle bici, bambini che si rincorrevano. Un paio di ragazzini sugli skateboard sfrecciarono tra i pedoni, facendo acrobazie.

«Noah sembrava proprio arrabbiato» disse Lee con leggerezza, come se stesse facendo conversazione sul meteo. Gli lanciai un'occhiata, ma lui continuò per la sua strada.

«È stata una sciocchezza» borbottai. «È lui che fa lo stupido.»

«Dammi tre tentativi per indovinare di che si tratta» disse Lee, sbuffando. Gli feci delle smorfie finché sospirò: «Be', ovviamente, era arrabbiato per via di Levi».

Era davvero ovvio, evidentemente: il modo in cui si

erano comportati in pista, il rifiuto da parte di Noah di stringergli la mano...

Ma poi Lee continuò, piano: «Non posso biasimarlo. Non arrabbiarti troppo, Shelly».

«Scusa?» dissi con voce strozzata, e smisi di camminare per fissarlo a bocca aperta.

Lee sospirò, sollevò un angolo della bocca e scrollò le spalle, impotente. «Dico solo che capisco il suo punto di vista, ecco. So che ha detto che non aveva problemi con Levi, e si è davvero impegnato tanto, Elle. So che è così. E non è che non si fidi di te. Ma solo... insomma, capisco il suo punto di vista.»

«Non sai nemmeno perché si è arrabbiato» sbuffai. Feci del mio meglio per non guardarlo troppo storto. Era il mio migliore amico, non doveva essere dalla mia parte?

«Anche io mi arrabbierei, probabilmente, se Rachel passasse tutto questo tempo con il suo ex.»

«D'accordo, primo» scattai, sollevando un dito «non è il mio ex. Secondo, se Noah si fidasse davvero di me, non si sarebbe arrabbiato così. E poi...»

«Hai reso l'idea» disse Lee, gentilmente, sollevando le mani in segno di resa. «Ma voglio dire... lo so che tu non provi nulla per Levi, ormai.»

«Non sono nemmeno sicura di aver mai provato qualcosa per lui» sottolineai.

«... Ma vedo anche io come si comporta con te. E dico solo che, se avesse ancora una cotta per te, non mi sorprenderebbe. Lo sai anche tu che ti comporteresti allo stesso modo se Noah e Amanda si fossero baciati, o se lei avesse una cotta per lui.»

«Ma è tutta un'altra cosa: lei dorme da noi, Levi ha solo partecipato alla corsa. Proprio come Rachel e Ashton e Jon Fletcher e come Warren avrebbe dovuto fare... non significa niente. Ha visto Levi al diploma! Abbiamo parlato su FaceTime mentre eravamo insieme. Si sono comportati perfettamente l'uno con l'altro. Non so perché Noah abbia improvvisamente perso la pazienza.»

Lee ci pensò. «Forse perché non è mai stato d'accordo con il fatto che voi due passaste del tempo insieme. Il diploma è un'altra storia.»

«Mi ha chiesto se avevo intenzione di tornare di corsa da Levi.»

Lee mi guardò, battendo le palpebre. Gli concessi un secondo per assorbire l'informazione. «D'accordo, be', ha esagerato. Ma sarà sicuramente dura per lui, Elle. Per settimane ha creduto che tu lo avessi mollato per Levi, prima che voi due sistemaste le cose. Non dico che abbia fatto bene a comportarsi così, prima, ma non essere troppo severa con lui.»

Strinsi le labbra, poi lasciai cadere le spalle e rilassai il viso. Per quanto desiderassi aggrapparmi alla frustrazione per il comportamento di Noah e per ciò che aveva detto, Lee aveva perorato bene la sua causa.

Penso che non sarebbe stato così convincente se non fosse stato altrettanto onesto. Era raro che prendesse le difese di Noah in quel modo. Dopo di me, Lee era il primo a smascherarlo quando ce n'era bisogno.

«D'altronde» aggiunse Lee, vedendo che la mia risolutezza si incrinava «non penso di poter reggere nella casa sulla spiaggia se voi due continuate a saltarvi alla gola e poi darvi al sesso selvaggio per far pace. Nessuno di noi ha bisogno di sentire queste cose, Shelly.»

«Va bene» dissi. «Ma solo per te. E mi deve chiedere scusa.»

«Non guardare me! Non posso promettere che lo farà.»

«*Mmm.*»

Lee estrasse il cellulare dalla tasca. *Tre tentativi per indovinare a chi sta scrivendo e che cosa,* pensai. Lee non era mai stato un entusiasta sostenitore della mia relazione con Noah quando l'aveva scoperta, ma voleva bene a entrambi e in momenti come questo ne ero davvero felice.

«D'accordo!» Batté le mani, infilò il braccio sotto il mio e riprendemmo a camminare. «Lasciamoci alle spalle le tue relazioni disastrose... possiamo fermarci ad apprezzare la splendida giornata di oggi? Hai visto quella folla? Scommetto che il video è incredibile.»

«Non riesco a credere che tu sia rimasto così indietro.»

«Stavo quasi per superarti all'ultimo giro, ma poi Amanda ha fatto una curva troppo veloce e mi è venuta addosso e Rachel mi ha tamponato. È stato un triplo incidente che mi è costato secondi preziosi.» Fece un sospiro triste e scosse la testa, ma quando tornò a guardarmi sorrideva. «E cavolo, se avessi saputo che avremmo raccolto così tanti soldi, mi sarei impegnato di più. Avremmo dovuto farlo una vita fa.»

«Per beneficenza, Lee?» Gli rivolsi un sorriso astuto.

Scoppiò a ridere. «Sempre, Shelly, sempre. E poi...» si interruppe e scoppiò in un'improvvisa, sonora risata che mi colse di sorpresa. Gli si riempirono gli occhi di lacrime. «Possiamo anche sottolineare quanto sembrava stupido Noah nel costume da Toad?»

Mi concessi un sorriso e una risatina al pensiero. Warren era più basso di Noah, aveva una corporatura diversa. I pantaloni bianchi arrivavano qualche centimetro sopra la caviglia di Noah, e il gilet blu con il bordo giallo gli era un po' stretto. Non ero neanche riuscita ad ammirare la vista del suo petto nudo, perché ero troppo arrabbiata quando finalmente ci eravamo trovati faccia a faccia. E il fungo gigante che aveva attaccato al casco...

Lee rideva così tanto che aveva iniziato ad ansimare, e mi appoggiai a lui, con una fitta al fianco, e tentai inutilmente di tornare seria.

«Come ha fatto a sembrare così arrabbiato conciato in quel modo?» chiesi, senza fiato. «Non dovrebbe essere possibile arrabbiarsi così quando si è travestiti da Toad.»

«E pensa quanto sarebbe stato meglio se avesse tenuto il casco quando era arrabbiato.»

Immaginando la scena scoppiai di nuovo a ridere.

Eravamo appena riusciti a smettere di ridere e riprendere fiato quando Lee mi fece fermare e mi coprì velocemente gli occhi.

«D'accordo, Elle. Sai dove ti trovi?»

«*Ehm*, sul molo?»

«Elle.»

Sbuffai, ma gli diedi retta, e mi concentrai non sulle mani che mi coprivano il viso ma sul suono di un *ping* elettronico da qualche parte davanti a me. Un rumore di rimbalzi come... un calcetto. Qualcosa che sembrava un go-kart, e una voce metallica che esclamò: «Vince il giocatore numero uno!» Gli schiocchi di plastica dell'hockey da tavolo.

Con un'esclamazione spostai dal mio viso le mani di Lee e fissai con adorazione la sala giochi davanti a me. Mi voltai verso Lee e vidi che gli brillavano gli occhi. Sembrava tremare. Così emozionato da riuscire a malapena a trattenersi. Le luci dei videogiochi lampeggiavano in tutta la sala, e ragazzini correvano avanti e indietro. Un paio di loro stavano cercando di vincere qualcosa al braccio elettronico. Pochi genitori in giro.

«Lee... questa è una sala giochi.»

«Elle» disse «questa è *la* sala giochi.»

Entrambi col fiato sospeso, superammo la soglia ed entrammo. Fu come tornare indietro nel tempo. Le nostre madri ci portavano qui quando eravamo piccoli. Io e Lee eravamo venuti insieme durante l'estate alle scuole medie, e una volta avevamo persino saltato lezione per venirci. (Ci avevano scoperti e messi in punizione per due settimane, ma all'epoca ci era sembrato che ne fosse valsa la pena.)

Non ricordavo l'ultima volta che ci eravamo venuti. Forse, a un certo punto, eravamo semplicemente cresciuti.

Ma ricordavo il nostro gioco preferito: Dance Dance Mania era al posto d'onore al centro della sala. L'acciaio argentato era macchiato di ruggine e sembrava un po' appannato, ma le frecce lampeggianti blu e rosa erano più brillanti che mai.

Senza parole, io e Lee ci avvicinammo.

Passai una mano sulla maniglia sul retro. Vidi che Lee mi sorrideva, orgoglioso della sua idea.

«Siamo venuti qui per il minigolf anni Ottanta» spiegò «e siamo passati proprio davanti alla sala giochi. Me ne ero completamente dimenticato, fino a quel momento.»

«Oh, mio Dio» fu tutto quello che riuscii a dire. Quel gioco era ancora qui. Quante ore avevamo dedicato a DDM quando eravamo piccoli? Io non ero mai stata particolarmente coordinata, ma in quel gioco ero un vero asso. Eravamo bravissimi!

Lee affondò le mani nelle tasche dei pantaloncini alla ricerca di qualche monetina, che mi consegnò quasi cullandole come diamanti. Sembravano persino scintillare sotto le luci lampeggianti.

«Pronta, Giocatore numero due?»

«Oh, puoi giurarci.»

Saltammo entrambi sulla pedana, prendendo i nostri vecchi posti. Lee inserì le monete da un quarto di dollaro e il demo sullo schermo si trasformò in una lista di canzoni. Lee si fermò su *All Summer Long* di Kid Rock.

«Eccola» gli dissi. «È quella.»

La selezionò e poi mi rivolse il più ampio e dispettoso sorriso immaginabile, selezionando LIVELLO DI DIFFICOLTÀ: ESPERTO.

«Non pensi che siamo un po' arrugginiti per il livello esperto, Lee?»

«*Bla bla bla*» cantilenò, agitando le mani sui fianchi. «Cos'è, hai paura? Fifona.»

Strinsi gli occhi e mi voltai di nuovo verso lo schermo. «Vedi di non inciampare, razza di imbranato. Ho una partita da vincere.»

Lo schermo mostrò l'inizio del gioco.

TRE.

Fifona? Gliel'avrei fatta vedere io. Lo avrei distrutto.

DUE.

Non c'era nessuna possibilità che riuscissi a vincere. E avrei scommesso che anche Lee avrebbe fatto pena. Eravamo in una sala giochi, circondati da ragazzini con la metà dei nostri anni, e stavamo per fare una figura da perfetti idioti cercando di giocare a DDM a LIVELLO ESPERTO.

UNO.

Feci un sospiro e strinsi le mani a pugno. Il miscuglio di attesa e pura gioia infantile che mi scorreva scoppiettando nelle vene era inebriante.

VIA!

Frecce colorate attraversarono lo schermo e le mie gambe scattarono in azione. Sentivo Lee agitarsi accanto a me, e i nostri piedi sbattevano freneticamente nel tentativo disperato di stare al passo con il gioco. Non osai guardare Lee. Ero completamente concentrata sullo schermo, e sapevo che lo sarebbe stato anche lui.

Era una versione della canzone diversa da quella a cui ero abituata. Più elettronica e terribilmente veloce.

E finì troppo in fretta.

Cercai di prendere fiato, sollevando e abbassando il petto. Avevo una fitta al fianco. Mi accasciai sulla barra di metallo e Lee si lasciò cadere sul pavimento accanto al gioco, ansimando, con una mano sullo stomaco.

Lo schermo mostrò il nostro risultato.

54%, dichiarò. NIENTE MALE!

«Niente male?» ansimai. Per l'amor del cielo, quando ero diventata così fuori forma da non riuscire a stare dietro a un gioco per bambini? Avevo passato mesi nella squadra di atletica. E Lee giocava a football. «Niente male?»

«Shelly» ansimò Lee, afferrandomi la caviglia con una mano. «Secondo me non siamo andati tanto bene.»

«Nell'elenco dei migliori c'eravamo solo noi una volta. Dai, alza il culo. Abbiamo altre due canzoni prima che finiscano le monetine. Niente male! Ah! Lo facciamo fuori.»

«Farà fuori me per primo» borbottò Lee, ma si tirò su e si diede una scrollata. «Non mi ricordavo che si faticasse così tanto, Shelly.»

«Forse questo spiega perché mangiavamo tre hot dog al giorno.»

Dodici dollari e nove canzoni ci ridussero a un bagno di sudore ma finalmente, *finalmente* di nuovo nella lista dei record.

Persino la schermata del gioco era fiera di noi.

92%! wow!

Un video celebrativo scorreva sullo schermo quando mi sedetti.

«Quella canzone» sbuffò Lee. Scosse la testa e si piegò sulle ginocchia per riprendere fiato. «Quella canzone mi rimarrà in testa per settimane.»

«Be', almeno può fare compagnia al tuo unico neurone.»

Lee gemette, e tentò di colpirmi senza risultato. «Non farmi ridere, non ho le energie per ridere in questo momento. Cavolo, come facevamo da bambini a giocare per giornate intere?»

«Datti una mossa, vecchietto.» Presi il cellulare da terra dove lo avevo posato, accanto al portafoglio e al berretto di Lee e ai miei occhiali da sole, per scattare una foto al nostro punteggio e al nostro nome nella schermata dei record.

C'era voluto un secondo round perché ritrovassimo il passo. La memoria muscolare di DDM doveva essere stata archiviata da qualche parte, perché io e Lee avevamo riacquisito il nostro ritmo. Avevamo anche fatto un paio di acrobazie, appena ripresa un po' di confidenza con il gioco. Niente in confronto ai vecchi tempi, ovviamente, ma comunque niente male.

Novantadue per cento esperti.

Lo avrei accettato volentieri.

«Vi conosco, ragazzini» disse una voce. Ci voltammo e vedemmo poco distante un signore anziano con un cappello rosso e una polo dello stesso colore, con il nome della sala giochi in lettere arzigogolate sul taschino. «Ci conosciamo, vero?»

Entrambi lo guardammo per un minuto, poi Lee esclamò: «Aspetta, Harvey? Oh, amico! Quasi non ti abbiamo riconosciuto! Siamo Elle e Lee. Una volta eravamo sempre qui».

Ci osservò da vicino. «Tu non sei quello che si era incastrato il braccio nella macchinetta acchiappa-premi?»

Lee arrossì, ma sorrise. Mi rialzai in piedi mentre lui confermava con orgoglio: «Esatto! Proprio io!»

«Siete tornati per un ultimo giro su questa, eh?» Harvey diede una pacca affettuosa a Dance Dance Mania.

«Oh, non saprei. Forse non sarà l'ultimo giro.» Lee rise,

dando voce esattamente al mio pensiero. «Penso che torneremo per tutta l'estate, per riconquistare tutti i record.»

Il viso rugoso di Harvey si aprì in un sorriso di scuse. «Be', buona fortuna allora. Questa vecchietta andrà al pascolo tra un paio di settimane. La data della pensione è fissata per il sei luglio.»

Le parole mi tolsero l'aria dai polmoni come nessuna delle mosse del gioco era riuscita a fare.

«Cosa?» esclamai. «Ma... ma perché? Questo gioco è qui da anni! Balliamo su questo affare praticamente da quando abbiamo imparato a camminare!» A eccezione degli ultimi anni... «Non può farla fuori!»

Harvey rispose con un sospiro pesante e carico di comprensione. «Non posso farci molto. Questo aggeggio sta cadendo a pezzi. Ripararlo mi costa di più di quello che incassa.» Toccò il lato dello schermo, dove c'era una macchia nera sfocata che non avevo notato sino ad allora. Poi vidi il nastro adesivo che avvolgeva i pannelli metallici sui lati. Le luci di una delle frecce sul lato di Lee erano bruciate del tutto, e due delle mie tremavano. Anche Lee sembrava iniziare a notare tutti questi dettagli; fece dondolare la barra metallica dietro di noi: era un po' lenta, e scricchiolò. Avrei scommesso che con un minimo sforzo l'avrei potuta staccare.

Dance Dance Mania era stata l'attrazione principale della sala giochi per noi, per tantissime estati. Gli ultimi quaranta minuti con Lee erano stati gioia pura, e avevano cancellato dalla mia mente lo stress del futuro, del college, del litigio con Noah e del suo comportamento con Levi.

L'espressione di Lee si era incupita, ma nascondeva molto più della semplice delusione.

«Mi dispiace, ragazzi» ci disse Harvey scrollando le spalle.

Feci del mio meglio per rivolgergli un sorriso educato e per sembrare allegra. «Ma certo. Vorrà dire che dovremo tornare e riconquistare i nostri record prima che ve ne sbarazziate!»

Harvey si allontanò e Lee borbottò tra sé, dando un calcio al gioco. Lo schermo si spense e si riaccese, poi fece ripartire la demo. Lee si allontanò del tutto, e si chinò sulla maniglia.

Era uno sguardo che conoscevo fin troppo bene. Lo avevo visto mille volte quell'estate. I suoi occhi divennero lucidi e strinse la mascella. Il labbro gli tremò appena.

«Non posso crederci» disse a denti stretti. «Prima la casa sulla spiaggia. Poi tu e Harvard. E ora questo? Non c'è più niente di sacro?»

Il melodramma era uno dei punti forti di Lee, ma non pensavo che stesse facendo il melodrammatico, in quel momento. Neanche un po'.

Gli posai una mano sulla schiena e mi appoggiai accanto a lui. «Non me lo dire.»

Non importava che avessimo dimenticato la sala giochi e Dance Dance Mania. Quello che importava era che eravamo tornati per rivivere i tempi d'oro della nostra infanzia e avevamo scoperto che stavano cadendo a pezzi, e che sarebbero stati buttati via.

Cosa che sembrava una metafora fin troppo accurata di tutto quello che stava succedendo. Faceva male. E non era solo per via del gioco. Ci sarebbero stati altri DDM, altre sale giochi.

Era per noi.

Era per il futuro.

Era per questa estate delle ultime volte.

Lee tirò su col naso e desiderai poter fare qualcosa. Una grossa parte della malinconia che ci avviluppava dall'inizio dell'estate era, per quanto da lontano, colpa mia, della mia scelta di non andare a Berkeley. Avrei voluto poter fare in modo che Lee non soffrisse così.

Avrei voluto... Mi colpì come un fulmine. Trattenni un'esclamazione e dissi a Lee: «Resta qui, torno tra un secondo». Poi corsi a cercare Harvey, che stava scambiando i gettoni di un bambino con un guantone da baseball.

Appena un minuto più tardi, tornai da Lee, che non si era mosso dalla sua posizione disperata accanto a Dance Dance Mania. Mi osservò con curiosità quando presi il suo portafoglio da terra e sfogliai scontrini e biglietti da un dollaro e... tirai fuori un preservativo. «Sul serio? Che classe.»

«Mettilo via!» sibilò lui. «È pieno di bambini, qui.»

Lo infilai di nuovo nel portafoglio, e Lee mormorò: «Non c'è niente di male a essere preparati, Shelly. Scommetto che anche Noah ne tiene uno nel suo portafoglio.»

«Non ho intenzione di confermare né di smentire.»

Potevo assolutamente confermare.

Estrassi il foglio di carta che stavo cercando. Era da settimane che ci portavamo dietro la lista, aprendola e chiudendola cento volte. Non era in ottime condizioni quando l'avevamo trovata; alla fine dell'estate, temevo che sarebbe caduta a pezzi.

«Che cosa stai facendo?» chiese, raddrizzandosi. Mi sedetti sotto la maniglia. Lee prese posto accanto a me e sbattè la testa, mormorando: «Ahia».

La lista di cose da fare per un'estate epica di Lee ed Elle

~~27. Fare un giro in mongolfiera – GENITORI NON AMMESSI!~~

~~28. Trasformare Noah in una coppa gelato umana.~~

29. Andare insieme al college a Berkeley!

30. Un ultimo ballo sulla nostra macchina DDM alla sala giochi.

«Un nuovo punto» gli dissi. «Un ultimo ballo su questa vecchietta, il cinque luglio.»

«*Mmm*» mormorò Lee con approvazione. E poi: «Sicura che avrai il tempo?»

Lanciai uno sguardo al numero ventitré, la partita a minigolf che mi ero persa la sera prima. Lee l'aveva cancellata con una riga a matita. Completata a metà. Completata più o meno. Non abbastanza completa.

«Assolutamente» gli dissi, e tesi la mano per passargli un dito sotto il mento. «E ora togliti quel muso, d'accordo? So che sono stata super impegnata nelle ultime settimane, tra lavorare, badare a Brad, passare del tempo con Noah e fare tutte le cose sulla lista... ma anche questo è importante per me. E ti prometto che ci sarò per un ultimo ballo, qualunque cosa accada. Non me lo perderei per niente al mondo.»

Lee mi fece un sorriso dolce e appoggiò la testa alla mia spalla. «Sei proprio una sdolcinata a volte, Elle, ma ti voglio bene.»

«Ti voglio bene anch'io, amico mio.»

22

Quando tornammo alla casa sulla spiaggia era buio. Avevamo già programmato i giorni seguenti. La corsa dei go-kart era la cosa più grossa sulla lista (e la più difficile da organizzare), ma di certo non era l'ultima. Eravamo anche riusciti a organizzare il nostro week-end a Berkeley.

C'erano le luci accese in tavernetta e sentimmo provenire delle risate da quella direzione.

«Chi è?» cantò Amanda dal corridoio.

«Scemo e più scemo» rispose Rachel, seguita da una risata allegra.

«Mi offendi!» esclamammo io e Lee all'unisono, cosa che la fece ridere ancora di più.

Arrivati in tavernetta, scoprimmo che stavano guardando una serie di vecchi video casalinghi. Tra di loro c'era una scatola di cioccolatini quasi vuota.

«Dove avete trovato quel vino?» chiesi. La gelosia mi incrinò la voce al vederle insieme che si godevano una serata tra ragazze. Sarei stata la benvenuta se fossi stata a casa.

«Sono andata a trovare i miei genitori» disse Amanda. «Ho preso degli altri vestiti e ho rubato del vino. Non ne sentiranno la mancanza. Proprio come non sentiranno la mancanza della loro unica figlia perché sono troppo impegnati a litigare. *Ah-ah!*»

Scambiai un'occhiata con Lee, incerta su come reagire.

Amanda riempì i bicchieri. «Ai genitori egocentrici e alle loro scorte di vino!»

Rachel rise di nuovo e diede una pacca sul ginocchio di Amanda come se avesse detto qualcosa di esilarante. «Dove siete stati?» ci chiese.

«Riguardava sempre la lista?» volle sapere Amanda.

Io e Lee ci scambiammo uno sguardo e annuimmo. Non pensavo che nessuno dei due avesse intenzione di spiegare che il nostro videogioco preferito stava per essere mandato in pensione, e quanto fosse importante per noi. Anche se, a essere onesti, forse ci avrebbero preso sul serio più da brille che da sobrie.

«Vi abbiamo tenuto da parte qualcosa da mangiare» disse Amanda. «Pasta al formaggio.»

«Abbiamo preso un hamburger tornando a casa» disse Lee, e mi guardò. «Io un po' di pasta me la scaldo, ne vuoi?»

Sorrisi. «No, sto bene così. Allora, Noah è venuto con voi per... per cena?»

Entrambe le ragazze scossero la testa. Amanda disse: «Non l'ho visto. Ho provato a chiamarlo, ma ha rifiutato la chiamata, quel tonto».

Rachel sbuffò. «Toad il tonto.»

Entrambe si scompisciarono di nuovo dal ridere.

«Oh, però qui non sembra tonto.» Amanda indicò il video. Era un Quattro Luglio, a giudicare dai fuochi d'artificio e dalle bandiere. Sullo schermo, Noah teneva sulle spalle Brad, che aveva forse due o tre anni. Amanda si voltò al di sopra dello schienale del divano per guardarmi. «Era Levi?»

Trattenni il fiato, poi scoppiai a ridere. «Oh, mio Dio, sul serio?»

«È probabile che si trattasse di Levi» concordò Rachel, sorseggiando seria il vino.

«Anche tu? Ma è pazzesco. Noah non ha nessun motivo per essere geloso di Levi.»

Entrambe fecero una smorfia e poi cercarono di tornare serie, ma ormai era troppo tardi. Rachel, per essere d'aiuto, sottolineò: «Però l'hai baciato».

«Aveva una certa espressione, in effetti» aggiunse Amanda, con aria comprensiva.

«Cosa? Quale espressione? Di che cosa stai parlando?»

«Ma sì, sai, quella…» Amanda fece una smorfia, dondolando la testa e guardando di qua e di là, con le labbra strette e le palpebre che sbattevano. Aveva un non so che di sognante e carico di desiderio.

Sbuffai. «Okay, non so di che cosa parli, ma di certo non ho mai visto quell'espressione sulla faccia di Levi.»

«A me sembra piuttosto accurata, come imitazione» borbottò Rachel nel bicchiere.

«D'accordo!» Sorrisi a entrambe anche se sapevo che i miei occhi stavano dicendo: "Andate entrambe a quel paese, non ho tempo per questo".

«Be', voi due siete ubriache ed è chiaro che non sapete di cosa state parlando, mentre io devo rintracciare un fidanzato scomparso e cercare di farlo tornare in sé.»

«No, resta! Guarda i video con noi! *Ehm…*» Rachel

guardò la bottiglia, che era quasi vuota. «Direi che puoi bere quel che rimane del vino.»

«Ma niente cioccolatini» decise Amanda.

«Sono a posto, grazie. Davvero, è meglio che vada a cercare Noah.»

«Buona fortuna» mi dissero entrambe. Mi fermai in camera per prendere una giacca, poi superai Lee che stava uscendo dalla cucina e aveva già in mano un piatto pieno di pasta al formaggio.

«Vado a cercare Noah.»

«Sei sicura che non vuoi fermarti con noi? Probabilmente tornerà presto a casa strisciando.»

Scossi la testa, giocherellando con la giacca che avevo in mano. «Preferisco... chiarire la faccenda, capisci?»

«Hai idea di dove sia?»

Scossi la testa. «Pensavo di andare a vedere in spiaggia, poi...»

Mentre lo dicevo, voltammo entrambi la testa al suono della motocicletta che rombava fuori dalla porta. Il suono si interruppe dopo un istante.

«Mistero risolto» borbottò Lee. Si infilò altra pasta in bocca, posò la forchetta sul piatto per darmi una pacca sulla spalla, e poi si diresse in tavernetta. Io mi feci forza e andai in direzione opposta, aprii la porta e trovai Noah a metà del portico, che giocherellava con le chiavi e guardava il pavimento con espressione imbronciata, muovendo silenziosamente le labbra, come se si stesse facendo un discorso d'incoraggiamento.

Sollevò lo sguardo e sembrò sorpreso di vedermi. «Oh.»

«Ti aspettavi qualcun altro?»

«Io... pensavo che fossi ancora arrabbiata con me.»

Scrollai le spalle. Forse lo ero, almeno un po'. Abbastanza da non volerlo perdonare troppo in fretta.

Noah fece un pesante sospiro. I capelli gli caddero sugli occhi, quegli occhi così blu che brillavano anche al buio. Indossava la maglietta di prima e il solito giubbotto di pelle. «Possiamo fare due passi?»

Annuii, infilando la giacca e chiudendomi la porta alle spalle. Noah mi porse la mano e per un istante pensai di non prenderla e di camminare davanti a lui, per fare l'offesa, ma...

Infilai la mano nella sua: la forma perfetta. Le nostre dita si intrecciarono al posto giusto. Sentii il leggero odore di agrumi che avrei per sempre collegato a Noah. Era confortante, anche se tecnicamente stavamo ancora litigando.

Questa parte di spiaggia così lontana era quasi privata, riservata ai residenti. Entrambi ci togliemmo scarpe e calze e le abbandonammo dietro di noi per avvicinarci alla riva e lasciare che il mare ci bagnasse le caviglie.

«Com'è silenziosa. Non l'avevo mai vista così.»

Sentii che Noah accanto a me scrollava le spalle. «Come dice mia mamma, i terreni hanno un grande valore. La gente avrà venduto, immagino.»

Continuammo a camminare in silenzio. C'erano mille cose che avrei potuto – e voluto – dire, ma sapevo che Noah aveva qualcosa in mente. Era talmente silenzioso da rendermi nervosa e notai la tensione nelle sue spalle. Il suo respiro era un po' troppo controllato, lento e costante: conta fino a tre per inspirare, conta fino a tre per espirare...

D'altronde, questo stupido litigio era colpa sua. Non avevo intenzione di dargli la soddisfazione di perdonarlo prima ancora che si scusasse.

Alla fine, Noah mi fece fermare e si mise davanti a me per guardarmi negli occhi. «Mi dispiace. So che sembrava che mi stessi comportando da stronzo prima, e... forse l'ho fatto» aggiunse sbuffando. «Ma davvero, non volevo rovinarti la giornata sui go-kart. Mi dispiace.»

«Non sono arrabbiata perché hai rovinato la giornata» gli dissi.

«Sì, lo... lo so.» Increspò la bocca senza allegria. «Mi dispiace anche per questo, però. Non è stata solo colpa mia, sai. Anche lui è diventato aggressivo sulla pista. Cosa che, insomma...» aggiunse, vedendo che alzavo le sopracciglia «non è una scusa. Dico solo che non è tutta colpa mia. Ma avevi ragione, avrei dovuto essere superiore e stringergli la mano, e basta.»

«E pensi che forse avresti dovuto evitare quella battutaccia sul fatto che corro sempre da Levi?»

Noah mi prese l'altra mano e abbassò lo sguardo sulle nostre mani unite, poi annuì. «Già.»

«So che l'autunno scorso credevi che ti avessi mollato per mettermi con lui, ma non è così. Levi non è il mio ragazzo di riserva. È mio amico. E non c'è altro.»

«Per te.»

«Oh, Gesù, Noah...» Iniziai ad arretrare, ma lui mi tenne stretta, lasciando una delle mie mani per accarezzarmi il viso. Lo spinsi via. «Okay, d'accordo, ascolta.

Tanto per finire la discussione, okay, ammettiamo che tu abbia ragione, e che Levi abbia ancora una cotta per me. Be', io non provo la stessa cosa per lui. E Levi lo sa benissimo. Sa che sono innamorata di te. E non è il tipo di ragazzo che potrebbe provarci con me mentre io e te stiamo ancora insieme. Non dico che lui ti debba piacere, ma... non ho intenzione di smettere di essere sua amica.»

«Non è questo che ti sto chiedendo.»

«Dici che ti fidi di me, Noah. Abbiamo litigato un sacco per la fiducia reciproca l'anno scorso, e non posso farlo di nuovo. Perciò, in questo momento ho bisogno che ti fidi anche di Levi.»

Fece una smorfia. «Ma lo conosco appena, Elle.»

«E allora cerca solo di essere educato con lui» tentai. In effetti, al posto suo, anche io forse avrei fatto fatica a fidarmi di un perfetto estraneo. Era facile per me dire che poteva fidarsi di Levi, ma tutt'altra cosa era riuscire a convincere Noah.

«Ci proverò» promise. «E... mi dispiace.»

«Già, sarà meglio. Testone.» Gli diedi una spinta gentile sul petto e lui mi afferrò la mano, usandola per attirarmi tra le braccia. Le sue labbra mi sfiorarono la tempia, la guancia, il profilo della mascella e scesero fin sul collo, dove mi baciò, stringendomi forte. Ricambiai l'abbraccio, sollevando le dita per giocherellare con i suoi capelli sulla nuca. Noah sospirò su di me.

Lo amavo così tanto che a volte mi faceva star male. Era stata così dura per me essere lontana da lui l'anno passato. Trascorrere l'estate insieme non era stato sempre un picnic, ma non era così difficile come stare separati. Sapevo quanto sarebbe stato meraviglioso essere con lui ad Harvard dopo l'estate. Ma c'erano momenti, come quello, in cui, avere una relazione era dura.

Ne valeva la pena, però, per essere avvolta dalle sue braccia.

«Ti amo» mormorai contro la sua spalla. «Ma a volte è davvero faticoso, Noah.»

«Non me la vuoi far passare liscia, vero?»

«Ovviamente no. E comunque, dove sei finito per tutta la giornata?»

«Hai presente il posto dove ti ho portata per il tuo compleanno l'anno scorso? La collina da cui abbiamo guardato i fuochi d'artificio? Avevo bisogno di spazio.»

Ah. In effetti era sensato, avrei dovuto pensarci prima.

«Sono contenta che tu sia tornato a casa» gli dissi.

Mi baciò di nuovo sul collo e lo strinsi ancora più forte. Le onde si infrangevano silenziose intorno ai nostri piedi e il resto del mondo era muto, a parte il nostro respiro. Forse non eravamo perfetti, ma per il momento non avevo bisogno di altro.

23

Il giorno dopo feci sia il turno della colazione sia quello del pranzo. Avrei fatto anche quello della cena, ma dovevo andare a prendere Brad al campo estivo. Fu una giornata sfiancante: mi cadde un'intera coppa di gelato, e una cliente mi urlò contro per averle portato una bibita light al posto di una normale, anche se ero certa che avesse ordinato la versione light. E in quel momento, a soli venticinque minuti dalla fine del mio turno, un gruppo di chiassosi ragazzi del college entrò nel locale. La maggior parte di loro aveva i capelli bagnati e sporchi di sabbia. Intravidi all'esterno un pick-up con alcune tavole da surf nel cassone.

«Vuoi che li serva io?» chiese Melvin, vedendomi alzare gli occhi al cielo. Dovevo concederglielo, era molto coraggioso a offrirsi volontario. Con i suoi occhiali rotondi e la testa piena di riccioli, il viso dolce e l'apparecchio, se lo sarebbero mangiato in un boccone. E nonostante lo sguardo nervoso che aveva appena lanciato al gruppetto, gonfiò il petto pronto a sacrificarsi per me.

Scossi la testa. «Non ti preoccupare, ci penso io.»

Mi avvicinai al loro tavolo a grandi passi, con una caraffa d'acqua fresca tra le mani e un sorriso incollato sul volto.

«Salve, mi chiamo Elle e sarò la vostra cameriera questo pomeriggio. Posso offrirvi dell'acqua per cominciare?»

Non mi degnarono di uno sguardo, troppo presi da un acceso dibattito su chi avesse avuto la giornata migliore tra le onde. Un tizio mi fece un grugnito e un cenno distratto, senza neanche alzare gli occhi. «Come no, tesoro.»

Wow, che fascino.

Versai l'acqua e mi schiarii la voce. «Allora, la zuppa del giorno è con porri e patate. Il piatto del giorno è panino con aragosta e avocado, che vi consiglio, e un hamburger di ceci e halloumi con...»

«E che cosa c'è di dessert?» mi interruppe uno di loro, voltandosi verso di me con un sorrisetto strafottente.

«*Ehm*... certo. Il dolce del giorno è un affogato al caramello con le ciliegie, oppure il sorbetto alla banana.»

«E tu?» chiese il primo. «Tu non sei sul menù, tesoro?»

Gli rivolsi un sorriso inespressivo. «Sfortunatamente abbiamo esaurito le cameriere single, e a quanto pare tu hai esaurito le battute per rimorchiare.»

Un paio dei ragazzi risero del loro amico, ma lui insisté. «Oh, andiamo, perché non mi dai il tuo numero, dolcezza?»

«Perché non chiamo il mio capo e vi faccio buttare fuori?» proposi, sbattendo le ciglia.

«Smettila, dai» disse il tizio nell'angolo dando uno spintone al braccio dell'amico. «Sto morendo di fame.»

«Vi do un minuto per controllare il menù poi torno a prendere le ordinazioni.»

«Io so già cosa prendere» disse uno di loro quando mi voltai, e sentii una mano pizzicarmi il sedere.

Mi voltai di scatto e gli rovesciai la caraffa d'acqua addosso.

«*Oooh*, mi dispiace tanto, tesoro» dissi con voce stucchevole. Il tizio che mi aveva pizzicata era fradicio, e i suoi amici stavano tentando inutilmente di trattenere le risate alle sue esclamazioni sputacchiate e ai suoi tentativi di pulirsi la faccia.

«Stronza» esclamò.

«Ah, mi hai beccata!» dissi con tono allegro. «E ora levatevi dai piedi prima che chiami lo chef per farvi smammare. Dovreste vederlo maneggiare un batticarne.»

Borbottando, il gruppo si allontanò. Il tizio che aveva chiesto se io fossi sul menù mi mormorò una scusa poco sentita, e un altro diede uno spintone a quello che mi aveva pizzicata, dicendogli: «Sei proprio un cretino. Il panino all'aragosta sembrava delizioso».

Rivolsi loro un sorriso luminoso, e li seguii alla porta per salutarli. «Non tornate presto!»

Mi voltai e vidi May che raccoglieva un'ordinazione dalla cucina. Sollevò una delle sue sopracciglia curate nella mia direzione, facendomi sobbalzare.

«Scusa. Ora pulisco tutto.»

«Hai gestito molto bene la situazione con quegli idioti» mi disse, invece. «Dai, vai pure. Non hai un fratellino da andare a prendere? Melvin! Tovaglioli di carta al cinque, per favore!»

Mi infilai nel retro per prendere il mio zaino. Non persi tempo a togliermi l'uniforme, pensando che avrei potuto farlo a casa. E per fortuna May mi aveva permesso di uscire un paio di minuti prima, e non avevo sprecato tempo a cambiarmi, perché rimasi imbottigliata nel traffico. Era rimasta una sola corsia e avanzai lentamente, borbottando tra me, guardando il tempo passare sull'orologio del cruscotto.

Quando finalmente arrivai al parco dove si teneva il campo estivo di baseball di Brad, erano rimasti solo alcuni ritardatari. Il parcheggio era quasi vuoto. Due mamme fumavano appoggiate alle auto mentre i figli giocavano ad acchiapparella. Saltai fuori dall'auto, guardando i ragazzini rimasti, ma di Brad non c'era traccia.

Corsi verso il basso edificio a lato del campo, con il cuore stretto in una morsa di paura. C'era un refettorio, dove gli addetti facevano pulizie e un paio di allenatori sedevano a discutere di alcuni fogli senza neanche degnarmi di uno sguardo, ma niente Brad.

Merda! Merda, merda, merda.

Okay, Elle. Niente panico. Va tutto bene.

Tornai alla macchina con gambe tremanti e annaspai alla ricerca del cellulare per chiamare papà. Squillò due volte poi entrò la segreteria e riattaccai.

Pochi secondi dopo mi arrivò un messaggio.

SONO IN RIUNIONE, CHE SUCCEDE?

Merda. Se non era venuto a prenderlo papà...

No, non potevo ancora cedere al panico. Ignorai il messaggio di papà e accesi l'auto. Misi in folle per ben due volte prima di riuscire a portare la macchina fuori dal parcheggio. Forse Brad si era fatto dare un passaggio a casa da un amico. Forse uno dei genitori che erano andati a prendere i bambini lo aveva visto aspettare e lo aveva accompagnato a casa.

La mia paura non fece che aumentare quanto più mi avvicinavo a casa, però, perché Brad non scompariva mai così. E, certo, forse era abbastanza grande da badare a se stesso ora, ma era comunque solo un bambino. Era il mio fratellino. Era mia responsabilità. Dovevo prendermi cura di lui. E se fosse sparito...

Parcheggiai disordinatamente, mi lanciai fuori dall'auto e corsi alla porta d'ingresso. La aprii, non essendo chiusa a chiave, e mi si congelò il sangue prima che...

«Oh, grazie al cielo!» ansimai, vedendo Brad appollaiato su una sedia al bancone della cucina a mangiare nachos e abbracciandolo stretto. Sapeva di erba e di sudore e affondai il viso tra i suoi capelli. «Grazie a Dio! Non riuscivo a trovarti da nessuna parte. Una delle mamme ti ha dato un passaggio a casa? Lo sai che devi aspettare me o avvisare se capita qualcosa del genere. Hai idea di quanto mi hai spaventata?»

«Ma che stai dicendo?» disse lui, allontanandomi sbuffando e guardandomi confuso. «Che ci fai tu qui?»

«Come che ci faccio qui? Dovevo venirti a prendere!»

«Oh!»

Mi voltai e vidi una perfetta estranea sulla soglia. La donna indossava una camicetta nera senza maniche e un tubino blu, e brillantini blu alle orecchie. I capelli neri le scendevano fino alle spalle in riccioli perfetti, senza neanche una ciocca fuori posto. Sembrava appena uscita da un ufficio.

Non ci voleva un genio per capire chi fosse.

«Elle!» esclamò, e il suo viso si aprì in un gran sorriso. «Non ti aspettavamo!»

Sbuffai. Ma diceva sul serio?

«Non mi aspettavate?» ripetei. «Oh, scusa tanto se sono tornata a casa mia. E tu chi diavolo sei?»

Sapevo esattamente chi fosse, ma la scenetta del "non ti aspettavamo" era talmente esagerata che non cercai neanche di nascondere la mia indignazione.

La donna fece una risatina. «Ma certo, che sciocca. È che ho sentito tanto parlare di te che mi sembra di conoscerti già! Sono Linda. Io e tuo papà…»

«Sì, lo so.»

Preferivo che non concludesse quella frase.

«Quello che non so» continuai «è che cosa ci fai *tu* qui?»

«È venuta a prendermi al campo» disse Brad, come se fosse ovvio, cosa che, ora che lo sottolineava, in effetti era. Ma il perché non era ovvio per nulla.

Gli lanciai un'occhiataccia. «No. Dovevo venire a prenderti io.»

«Sei stata così impegnata ultimamente» disse Linda con gentilezza, e, oddio, se non la smetteva di sfaccendare in cucina, mi sarei messa a urlare. «Tuo papà parla sempre di quante cose stai gestendo, perciò mi sono offerta di andare io a prendere Brad qualche volta. Non te l'ha detto?»

Pensai alla sfilza di messaggi che papà mi aveva inviato il giorno prima e che ero stata troppo occupata per leggere. Non risposi.

«A proposito, ti preparo qualcosa da mangiare?»

«Cosa?»

«Nachos» spiegò, indicando il piatto di Brad. «Ne vuoi un po'?»

«No, Linda, non voglio i nachos.»

Lei scrollò le spalle e continuò a pulire, riempiendo il lavandino di acqua.

«Posso lavare io i piatti» dissi.

«Non c'è problema. D'altronde, sono stata io a sporcarli! Mi spiace per la confusione su chi sarebbe andato a prendere Brad oggi. Noi non volevamo proprio farti preoccupare.»

Noi. No, non c'era alcun noi. L'unico "noi" eravamo io, Brad e papà. Non c'era spazio per questa... la sua... qualunque cosa fosse.

«Me la sono cavata benissimo finora senza il tuo aiuto, Linda.»

«Be', io... lo so, Elle.» Si voltò e smise di sciacquare i piatti per rivolgermi un sorriso imbarazzato. *Bene*, pensai con amarezza. Era giusto che fosse a disagio. Questa era casa mia, non sua. Era lei l'intrusa qui, non io. «Tuo papà parla sempre di tutte le cose che hai da fare e di quanto te la stai cavando bene, ma dato che potevo dare una mano... abbiamo pensato che ti avrebbe lasciato il tempo di stare un po' con i tuoi amici. Completare la lista di cui ho sentito tanto parlare! Brad mi ha fatto vedere i video della corsa, che meraviglia! Tu e Lee dovete avere un'immaginazione davvero scatenata per inventarvi una cosa simile. E tutti quei soldi raccolti per beneficenza!»

Ma tu che ne sai della lista? Non parlare di me e del mio migliore amico come se ci conoscessi. Non ho bisogno del tuo aiuto. Non mi stai certo facendo un favore.

Ma mi morsi la lingua e ingoiai tutte le mie risposte acide.

Bradi mi guardò con occhi trasognati. «Avrei voluto

vederlo dal vivo, Elle. Levi e Noah ci hanno veramente dato dentro! E quando Lee si è beccato lo slime!» Scoppiò a ridere.

Mi ammorbidii un po'. «Avrei voluto anch'io che tu fossi lì, piccolo.»

(Io e papà avevamo deciso velocemente che Brad non poteva essere presente: io sarei stata troppo impegnata per stargli dietro tutto il giorno in un parco acquatico, e lui avrebbe cercato di intromettersi in tutti i modi; i go-kart erano accessibili solo dai quattordici anni in su e questo ci aveva fornito una scusa facile per convincerlo prima ancora che chiedesse.)

«Posso tornare alla casa sulla spiaggia questo fine settimana, Elle?»

«Vediamo. Chiedo ai ragazzi. Ma ti prometto che potrai tornare presto. E poi, è quasi il Quattro Luglio! Dovrai esserci per forza quel giorno! Faremo una grande festa visto che è l'ultimo anno che abbiamo la casa sulla spiaggia. Papà ha detto che puoi persino invitare qualche amico. Che ne dici? Sarà una figata, vero? Andare a una festa con i grandi, con i ragazzi del college?»

Brad alzò gli occhi al cielo. «Guarda che non sei ancora al college, Elle.»

Ma sembrava elettrizzato all'idea.

Lanciai un'occhiata a Linda chiedendomi se papà avesse invitato anche lei. Evidentemente non potevo farci nulla. Dovevo solo sperare di non incontrarla quella sera.

Si accorse che la fissavo e, invece di menzionare il Quattro Luglio, disse solo: «Mi dispiace molto che alla fine ci siamo incontrate così, Elle, ma sono davvero contenta di averti finalmente conosciuta. Forse se hai una sera libera noi quattro potremmo andare a cena da qualche parte? Conoscerci meglio?»

«Come hai detto tu» risposi «sono molto impegnata.»

Mentre parcheggiavo davanti alla casa sulla spiaggia dopo aver guidato per un'ora nel tentativo di schiarirmi le idee, mi squillò il telefono.

NON DIMENTICARTI! diceva il messaggio di Lee. STASERA NUMERO NOVE! CI VEDIAMO AL CENTRO COMMERCIALE.

Il punto numero nove sulla lista: partecipare a un flash mob.

Lee ne aveva scoperto uno programmato per quella sera. Iscrivendosi si riceveva via e-mail un video con la coreografia, che era stata abbastanza semplice da imparare. E con tutta la fatica che avevamo fatto per organizzare la corsa con i go-kart e programmare le altre attività nella mia agenda così piena, era stato molto più facile partecipare a un flash mob esistente invece di crearne uno dal niente.

Sospirai. Non mi ero tolta l'uniforme e avevo ancora i vestiti per il flash mob nel mio zaino, ed ero stata così presa dalla presunta sparizione di Brad e dal dramma di Linda che mi ero completamente scordata di quell'appuntamento. Afferrai lo zaino e mi diressi all'interno della casa. Un cambio veloce e poi sarei tornata in città verso il centro commerciale.

Le luci erano state abbassate e qualcosa di arancione guizzava in cucina.

Seguendo lo sfarfallio, trovai una fila di candeline che

arrivava fino al tavolo fuori. C'era anche un piatto di insalata. E poi Noah si alzò davanti al forno, estraendo una teglia di stufato.

«Ehi! Sei qui.» Mi sorrise, mostrando la fossetta, con gli occhi accesi.

«Che cosa...» Mi guardai intorno, osservando il cibo e le candele. «Che cos'è tutto questo?»

«Volevo farmi perdonare per ieri. E sei stata così impegnata che ho pensato che ti avrebbe fatto bene una serata tranquilla.»

«Hai fatto tutto da solo?»

«Certamente» dichiarò, gonfiando il petto, poi sorrise e ammise: «No. Amanda mi ha aiutato a preparare lo stufato».

«Dov'è adesso?»

Per quanto i miei sentimenti verso Amanda fossero confusi, mi sarei sentita malissimo se avesse dovuto chiudersi nella vecchia stanza mia e di Lee per tutta la sera per permettere a me e Noah di fare una cenetta romantica.

«È tornata all'albergo per andare a cena con i suoi genitori. Hanno detto che avevano qualcosa di cui parlarle. Penso che dormirà da loro stanotte.» Posò la teglia e si tolse i guanti da forno, poi si avvicinò a me, mi posò le mani sui fianchi e si chinò a baciarmi.

«Noah, questo...» Malgrado tutto, gli occhi mi si riempirono di lacrime e dovetti deglutire a forza per tenere salda la voce. «È fantastico. È dolcissimo, ma...»

Mi ritrassi, incurvando le spalle e piegando la testa. Non riuscivo a tenere ferme le dita davanti a me.

Sentii gli occhi di Noah muoversi su di me, esaminando la mia espressione colpevole, la smorfia sul mio viso, il sospiro che trattenevo a malapena. Anche se stavo fissando il pavimento con determinazione nel tentativo di bloccare il delizioso aroma dello stufato e la luce romantica delle candele, con la coda dell'occhio vidi svanire il suo sorriso emozionato.

«Elle? Che succede?»

Che stava succedendo?

Era una domanda così carica di significato. Tra un doppio turno estenuante, uno stronzo che mi aveva palpeggiata, il panico per non aver trovato Brad al campo e tutta la faccenda con Linda... ora Noah aveva preparato una cena romantica per la nostra serata insieme e io dovevo rispondergli che...

«Mi dispiace» gli dissi, facendo un passo indietro e lasciando finalmente sfuggire il mio sospiro abbattuto. «Noah, mi dispiace, perché tutto questo è davvero favoloso e sinceramente sarebbe esattamente ciò di cui avrei bisogno stasera, ma... non posso. Ho un altro impegno.»

Vidi che aveva capito, e fece un verso di frustrazione. «Ti prego, non dirmi che è un altro punto della lista.»

«Mi dispiace!» esclamai. Mi sentivo davvero male, specialmente per tutto il lavoro che Noah doveva aver fatto. «L'ho promesso a Lee e ho già saltato una cosa questa settimana. Sto cercando di non farla diventare un'abitudine.»

Stavo già arretrando verso la porta.

«Te ne stai davvero andando?» chiese, guardandomi incredulo.

«Non ho scelta! Ho fatto una promessa a Lee. Non è

una cosa che possiamo spostare. Starò con te per tutto l'anno prossimo. Dovrò farmi perdonare di questo, quest'estate. Mi dispiace, Noah, ma devo andare.»

Mi seguì fino in camera da letto. Estrassi dalla borsa gli abiti per il flash mob e iniziai a cambiarmi. Lui sbuffò di nuovo.

«E allora solo perché hai scelto Harvard e non Berkeley io non posso passare del tempo con te quest'estate?»

«Non è quello che ho detto. Non esagerare.»

«Continui a dire che quest'estate è dedicata a te e Lee, alla vostra lista. Non pensavo di chiedere una cosa fuori dal mondo quando speravo di passare una serata a casa con la mia ragazza.»

Aveva preso la mia maglietta, e gliela tolsi di mano. «Infatti non è così! Ma non stasera, Noah. Tutto qui.»

«E allora quando? Domani?»

Il giorno dopo io, Lee e i ragazzi avevamo in programma di andare al cinema.

Noah si accorse che tentennavo.

«E dopodomani?»

«Finisco di lavorare tardi.»

«Che ne dici del diciotto agosto? Tra due anni? Per te può andare, Elle?»

Mi ero messa la maglietta al contrario. Sbuffando, estrassi le braccia e la girai dal lato giusto. «Noah, andiamo. Non fare così. Mi dispiace di aver rovinato la tua cena a sorpresa e di avere già impegni che non posso cancellare, d'accordo? Ma adesso devo proprio andare.»

«Va bene» scattò. «Divertiti, con Lee.»

Detestavo averlo fatto star male. Detestavo non potermi fermare, perché in tutta onestà non desideravo altro, ma non potevo neanche deludere Lee. Non di nuovo. Detestavo dovermene andare nel mezzo di un litigio, ma detestavo anche il fatto che stessimo litigando di nuovo.

Perciò gli dissi: «Ti amo».

Noah rispose con un borbottio indifferente, ma mentre uscivo disse: «Sì. Anche io».

Era il meglio che potessi ottenere in quel momento, perciò lo accettai.

Magari avrei potuto dormire nel mio vecchio letto quella sera e far pace l'indomani.

Diretta verso la porta, incrociai Rachel. Anche lei non sembrava felicissima. Doveva esserci qualcosa nell'aria.

«Lista?» mi chiese, con il tono di chi sa già la risposta.

«Esatto. Ci vediamo dopo!»

Rachel sbuffò e borbottò: «Vabbe'. Divertitevi».

Forse non ero l'unica a mettere in secondo piano una relazione e al primo la lista.

Chiudendomi la porta alle spalle sentii Rachel chiedere a Noah: «E questo che cos'è?» E Noah mormorare: «Non è niente». Poi spense le candele.

«Come sei rigida stasera, Shelly» mi disse Lee. «Dai! Flash mob! È divertente!»

«Scusa. Ti giuro che mi sto divertendo. E quando inizia sorrido pure.»

Ci eravamo seduti accanto a una fontana nella zona dei ristoranti al centro commerciale. Il flash mob sarebbe iniziato entro otto minuti. Finora avevamo giocato a indovinare chi facesse parte del flash mob e chi stesse solo facendo shopping, ma a quanto pare non ero abbastanza coinvolta.

Lee si avvicinò a me. «Che succede?»

Ero a un passo dal raccontargli tutto. Era stata una giornata talmente merdosa che stavo per scoppiare in lacrime, e sapevo che l'avrei fatto, se avessi cominciato a parlare.

A parte quando avevo iniziato a frequentare Noah, non avevo segreti con Lee e non gli raccontavo bugie. (La domanda per Harvard non contava, continuavo a ripetermi, perché non avrei mai creduto che mi avrebbero accettata.)

Sarebbe stato così facile raccontargli tutto.

Ma non potevo farlo. Sapevo esattamente che cosa avrebbe sentito Lee: che non volevo essere lì con lui, che non avevo voglia di completare la lista, che volevo di nuovo scegliere Noah al posto suo, che la nostra amicizia era un peso e un intralcio per la mia relazione.

Sapevo esattamente che impressione avrei dato, perciò tenni la bocca chiusa.

Mi accontentai di dire: «Niente, è solo stata una giornataccia, sai?»

Lee fece una risata leggera. «Non dirlo a me. Mi ero completamente dimenticato di dire a Rachel di stasera, e lei pensava che saremmo andati a cena con i suoi... colpa mia, decisamente. Ma l'ha presa bene. Capisce che quest'estate per noi è importante.»

Almeno uno di loro lo capisce.

Decisi di non dirgli quanto Rachel fosse sembrata contrariata quando era arrivata alla casa sulla spiaggia quella sera.

Lee si mise a parlare di nuovo della corsa con i go-kart (quante visualizzazioni aveva il video, quanto era stato fantastico), del prossimo punto sulla lista, della possibilità di tornare alla sala giochi nel giro di qualche giorno. Lo lasciai parlare e feci del mio meglio per togliermi di testa il litigio con Noah.

Non si trattava di scegliere un fratello Flynn al posto dell'altro. Non era mai stato così.

Ma alla fine, Lee era come una parte di me. Senza di lui, mi sarei sentita come senza una gamba. Senza un pezzo di anima. Sapevo già come si stava senza Noah, ed era stata abbastanza dura. Avevo il terrore di lasciare Lee.

Perciò, anche se non si trattava di scegliere Lee oppure Noah... forse invece era così, almeno un pochino. E quell'estate toccava a Lee.

24

Se credevo che le cose fossero state difficili fino a due giorni prima, mi ero solo illusa. Io e Noah ci eravamo parlati a malapena; lui era stato fuori tutto il giorno per portare Amanda in giro per la città, una decisione presa all'improvviso come se tutt'a un tratto sentisse il bisogno di farle vedere tutte le attrazioni turistiche della zona, e io avevo finto di dormire quando era tornato a casa la sera.

Forse era un comportamento infantile, ma non riuscivo proprio ad affrontare la situazione. Non avevo le forze per intraprendere un'altra discussione che si sarebbe trasformata nell'ennesimo acceso dibattito, se non in un vero e proprio litigio.

Dopo essermi svegliata presto per completare un altro punto della lista con Lee (numero dodici: discesa in cordata doppia) tornai al lavoro per i turni del pranzo e della cena.

Anche mio padre aveva cercato di contattarmi negli ultimi giorni. Gli avevo mandato un messaggio per dirgli che ero impegnata, che avevo da fare, e che se gli serviva qualcuno per dare una mano con Brad, forse poteva chiedere a Linda. Linda la perfetta. Linda la stupida. Linda che si sentiva a casa nella mia cucina.

Stranamente, l'unica persona con cui mi andava di parlare di Linda era Amanda. Non mi aveva giudicata quando le avevo parlato di Linda la prima volta e per qualche motivo ora mi sembrava meno spaventoso parlarne con lei invece che con Lee o Noah. (Non che io e Noah ci parlassimo granché in ogni caso…)

Perciò, non volendo ferire i sentimenti di Lee raccontandogli che la tensione tra me e Noah era colpa sua e della lista, e non volendo raccontare tutta la faccenda di Linda, continuavo a scrollare le spalle e dire: «Niente di che. Sono solo un po' stanca per tutto quello che sta succedendo. Il lavoro è pazzesco, sai?»

L'ultima parte non era neanche una bugia.

Il lavoro era pazzesco, specialmente quel giorno. C'era stata una gara di surf sulla spiaggia e il ristorante era affollatissimo. Non ci fu nemmeno una pausa tra il pranzo e la cena, a differenza del solito.

Gli idioti di qualche giorno prima erano tornati, ma May disse loro velocemente, con gentilezza e con grande chiarezza, di andarsene a mangiare altrove. Si misero a obiettare finché uno di loro non mi vide e io gli rivolsi un saluto entusiasta, mostrando il vassoio di cocktail analcolici coloratissimi che avevo in mano. A quel punto, lasciarono perdere e se ne andarono.

Fu il momento migliore della giornata.

Feci cadere un'ordinazione intera prima ancora di uscire dalla cucina. Sbagliai a consegnare almeno altre tre ordinazioni. Dimenticai di portare il conto al tavolo ventiquattro e li feci aspettare così a lungo che il padre venne da me con la carta di credito in mano chiedendo di parlare con il mio capo. I ragazzini al tavolo ventitré combinarono un caos totale: bibite rovesciate, ketchup dappertutto, mezzo hamburger schiacciato sulla sedia e patatine a mollo nel frappè.

A un certo punto strappai i pantaloni. Non sapevo quando, ma mi accorsi che la gamba destra era strappata fino a metà e la stoffa sventolava anche se avevo infilato i lembi nella calza. Quando feci una pausa per andare in bagno mi accorsi di avere il viso macchiato di inchiostro della biro. Non provai nemmeno a cancellarlo.

Avevo appena finito di prendere le ordinazioni da una famiglia di dodici persone e rivolgere loro quello che speravo fosse un sorriso quando, allontanandomi, caddi in avanti, trascinando un piatto giù dal tavolo, e quasi strozzando una povera ragazza nel tentativo di aggrapparmi da qualche parte.

Faticai a rialzarmi e vidi che i lacci delle mie scarpe erano stati legati insieme. Un moccioso che non poteva avere più di quattro o cinque anni, seduto al tavolo che avevo appena servito, rideva a crepapelle.

Sua madre, mortificata, mi fece mille scuse e lo sgridò.

«Va tutto bene» le dissi, chinandomi per sistemare i lacci. Cavolo, aveva fatto un bel nodo... quando riuscii a scioglierlo, mi diressi pesantemente al bar e appesi la comanda per lo chef.

Una mano si posò, leggera, sulla mia spalla. «Tutto bene, Elle?»

Guardai May, che aveva un'espressione così preoccupata che mi fece quasi venire da piangere. Non mi fidavo della mia voce, perciò mi limitai ad annuire.

May non sembrò convinta. «Perché non ti prendi una pausa? Kaylie è appena arrivata. Può controllare lei i tuoi tavoli per un po'.»

«Ma...»

«Ehi. Non si discute con il capo. Fai una pausa. È un ordine, d'accordo?»

Tirai su col naso, le rivolsi il sorriso più patetico del mondo e andai fuori. Avevo solo bisogno di una boccata d'aria, tutto qui. Un paio di minuti d'aria fresca e sarei stata bene. Ero solo stanca. Ero solo troppo indaffarata.

Ero solo...

A pezzi.

«Elle?»

Sobbalzai al suono del mio nome pronunciato da una voce familiare, e poi ancora quando la portiera di un'auto si spalancò colpendomi al fianco. «*Uff!*»

«Merda, scusa. Non mi ero accorto che fossi così vicina.» Levi uscì dall'auto e fece un sorriso. «Dobbiamo smetterla di incontrarci in questo modo.»

La prima volta che ci eravamo visti mi aveva colpita con la portiera dell'auto. Cercai davvero di sorridere alla sua battuta, ma non riuscii a fare altro che una smorfia. L'espressione di Levi si incupì.

«Ehi, che succede? Non hai una bella faccia... Voglio dire, tu sei sempre bella, no... cioè, lascia perdere! Va tutto bene, Elle?»

Non potevo parlare con Lee senza ferire i suoi sentimenti. Al momento con Noah non parlavo per niente. Non potevo parlare di Linda con mio padre senza fare la figura della bambina capricciosa, e non potevo parlare con Rachel o Amanda perché molto probabilmente sarebbero andate a raccontare tutto a Lee o a Noah, e allora sarebbe stato un guaio perché sarebbero comunque venuti a sapere ciò che non avevo detto loro. E allo stesso tempo, avrebbero capito che c'erano cose di cui non mi andava di parlare con loro.

Ma Levi...

Levi mi guardava con tale tristezza, la fronte corrugata e la bocca all'ingiù, con sguardo così caloroso e amichevole... Sembrava che volesse solo aiutarmi.

«Elle?» mi chiese di nuovo.

E scoppiai in lacrime.

Raccontai a Levi ogni cosa. Persino della lite con Noah il giorno della corsa, e di come Noah fosse convinto che Levi avesse ancora una cotta per me e tutte le altre cose che avevamo detto. Gli raccontai di Linda: del fatto che, se io non fossi stata sempre impegnata a lavorare, forse lei non avrebbe avuto modo di impicciarsi così tanto, ma se io non avessi avuto il lavoro non avrei potuto completare la lista. E a proposito della lista, gli raccontai di quando mi ero dimenticata del minigolf anni Ottanta e di aver dovuto dare buca a Noah la sera prima...

«Pensa che solo perché ha cucinato e acceso un paio di candele allora è andato tutto a posto?» chiese Levi.

Scossi la testa. «No, non è così. Mi aveva già chiesto scusa. Stava solo cercando di fare una cosa carina e voleva passare del tempo con me. E poi sono io che l'ho mollato per andare al flash mob, che in effetti volevo fare, ma... mi sento sempre incastrata tra loro due, e l'ultima volta che è successo, ho quasi perso Lee e Noah è andato fuori di testa perché pensava di aver rovinato tutto o qualcosa del genere.»

«Senza offesa, Elle, ma il tuo fidanzato sembra una bella gatta da pelare, a volte.»

Risposi con un borbottio. Sì, ma era la *mia* gatta da pelare.

«Be', io non sono certo perfetta.» Sbuffai. «Se non fosse fatto così, non sarebbe Noah, e io non lo amerei così tanto.»

«*Mmm.*»

Eravamo seduti su un mucchio di sassi tra il parcheggio e la spiaggia. Portai le ginocchia al petto e le abbracciai. Levi si stese accanto a me, con le mani dietro i fianchi.

«È solo che...» provai a dire. «Tra tutto questo, e Linda, e il lavoro così intenso... a volte mi sembra di non riuscire a respirare. Capisci? Non fraintendermi, adoro completare i punti della lista. È stata una mia idea! E mi sto divertendo un mondo. E sono felice di aiutare a badare a Brad, e volevo lavorare qui, e mi piace. A parte certi giorni...» Feci un lungo sospiro, indicando me stessa e lo stato in cui ero. «... Come oggi, e a parte quando mi pizzicano il sedere. Ma sta diventando davvero pesante.»

«Non sei obbligata a fare tutto» disse gentilmente Levi.

«Invece sì. Mi servono soldi per il college e per tenere il passo con la lista, cosa che Lee non capisce perché il denaro non è mai stato un problema per lui. Se gli servono cento dollari, deve solo chiederli ai suoi genitori. E so che, se lo facessi anche io, me li darebbero senza problemi, ma non è quello il punto.»

«Lo so.»

«E poi, con Linda lo sai, sono felice per mio padre. Non è che voglio che lui sia triste, niente del genere. E se Linda lo rende felice, allora fantastico. Ma non ho bisogno che si intrufoli nella mia vita e mi rubi il posto, visto che ho tutto sotto controllo. E all'inizio dell'estate Noah diceva che se fossi andata al college a Boston avremmo potuto vivere insieme. Be', adesso lo stiamo facendo, e guarda come sta andando! Non ci parliamo nemmeno! Questo la dice lunga sul nostro rapporto.»

Sospirai e gli occhi mi si riempirono di nuovo di lacrime proprio quando pensavo di averle già piante tutte. Mi sfregai il viso sulle ginocchia.

«Sta andando tutto a rotoli» dissi, con parole attutite dalle mie gambe. «E tutto sta cambiando. E lo detesto.»

Levi mi circondò le spalle con un braccio, attirandomi a sé, e io lo lasciai fare. Singhiozzai, appoggiata alle ginocchia, e lasciai che mi abbracciasse e mi accarezzasse dolcemente il braccio.

«Che ci fai tu qui, comunque?» gli chiesi quando finalmente riuscii a riprendere il controllo sulle mie lacrime. Trovai un tovagliolo nella tasca del grembiule e lo usai per pulirmi il naso prima di alzare lo sguardo su Levi.

Lui arrossì un po' e scrollò le spalle, con il braccio ancora stretto a me. «Sono passato a trovarti.»

«Perché?»

«Tu vieni sempre a trovarmi al lavoro» sottolineò, con una breve risata. Poi, più serio, disse: «Non ci siamo parlati da quel giorno al parco acquatico. Volevo vederti, sapere se stavi bene. Era ovvio che Noah ce l'avesse con me – almeno ora so il perché – e forse non avrei dovuto abboccare e andargli dietro in quel modo sulla pista. Volevo anche scusarmi per questo.»

«Grazie» risposi. Non pensavo che avesse granché di cui scusarsi, ma lo apprezzai comunque. D'altronde, non era del tutto innocente. «Sei davvero venuto solo per vedere come stavo? Non per i panini all'aragosta?»

«Lo sai che sono venuto per i panini all'aragosta» disse, serio. Gliene avevo portato uno poco dopo aver iniziato a lavorare da Dunes, fermandomi al 7-Eleven mentre andavo a prendere Brad, e Levi mi aveva mandato mille messaggi per dirmi che lo aveva adorato e che ne voleva un altro. Ne aveva mangiato uno quella volta che era venuto a pranzo con sua mamma e sua sorella, anche se non era tra i piatti del giorno.

«Ho la sensazione che Noah non sarebbe molto contento se mi vedesse sbucare alla casa sulla spiaggia» aggiunse alla fine.

«Noah si può arrangiare» sbuffai.

«Ahi, che parole forti per un'innamorata, Elle.»

«Scusa.» Con un sospiro mi sfregai il viso. «Lo amo, davvero. Intendevo solo che può arrangiarsi perché io e te siamo amici e non ti può impedire di venire alla casa sulla spiaggia. Amanda sta da noi da giorni e se a me va bene quello allora...»

«Già» mormorò Levi, poi disse, come tutti gli altri: «Ma lui non ha baciato Amanda».

Gli lanciai un'occhiata. Aveva di nuovo le guance rosa acceso, e ritrasse velocemente il braccio dalle mie spalle, distogliendo lo sguardo.

Sentivo l'imbarazzo che emanava e lo detestavo. Non avrei mai dovuto baciarlo al Ringraziamento, era stato ingiusto da parte mia.

Ma l'ho già detto: non sono perfetta.

Sperando di alleggerire un po' l'atmosfera, gli diedi un buffetto sul fianco. «Ehi, senti. Grazie per essere venuto a trovarmi e per avermi sopportata mentre mi sfogavo di tutte le mie stupidaggini con te. Sai che puoi raccontarmi tutte le tue stupidaggini ogni volta che vuoi.»

«Sì, lo so.» Mi sorrise. C'era qualcosa di trattenuto in quel sorriso, e pensai che la ragione fosse l'imbarazzo residuo di quando aveva menzionato il nostro bacio. Eravamo uniti, ma non lo conoscevo bene come Lee: non era sempre così facile da interpretare.

«E a proposito della casa sulla spiaggia» continuai «verrai il Quattro Luglio, vero?»

Levi sospirò. «Io...»

«Oh, ti prego? Ti prego, ti prego, ti prego? Viene la banda al completo! Ci saranno tutti e non sarebbe lo stesso senza di te. Ti prego, Levi?»

Fece un sospiro forzato, alzò gli occhi al cielo, e poi mi rivolse un sorriso. «Ma certo che ci sarò. Qualsiasi cosa per te, Elle.»

25

Quella sera, dopo aver aiutato a pulire e chiudere il ristorante, tornai a sedermi per un po' sulle rocce dove poche
ore prima avevo trascorso quella lunga pausa dal lavoro
sfogandomi con Levi.

Presi il cellulare, che avevo ignorato fino ad allora.

Un paio di messaggi di Lee, ma nessuno di questi era
troppo importante o urgente.

Un paio da mio padre. Che ne pensavo di una cena con
Linda la settimana successiva? Mi dispiaceva che venisse con noi il Quattro Luglio? Pensava davvero che mi
sarebbe piaciuta se ci fossimo conosciute un po' meglio,
ma sapeva che avevo molte cose per la testa in questo
momento e capiva che la situazione potesse sembrarmi
strana...

Due da Levi. Un meme con una battuta sui pasticceri,
seguito da: SONO CONTENTO CHE SIAMO RIUSCITI A CHIAC-
CHIERARE PRIMA! SPERO CHE IL RESTO DELLA TUA GIORNA-
TA SIA ANDATA MEGLIO BACI.

Niente da Noah, ma mi sorprese trovarne uno di
Amanda. Scritto a caratteri cubitali.

TU E QUEL CRETINO DEL TUO FIDANZATO
POTETE PER FAVORE FARE PACE? NON
SOPPORTO PIÙ QUELLO SCIOCCO MUSONE.

DOMANI TORNO ALLA CASA SULLA SPIAGGIA E PORTO ALTRO VINO: CHE DICI, SBATTIAMO FUORI I MASCHI E CI FACCIAMO UNA SERATA TRA RAGAZZE COME SI DEVE?

Poi subito un altro: SCUSA PER LE DIMENSIONI DEL MESSAGGIO DI PRIMA, QUELLA STUPIDA FACCIA E TUTTE QUELLE LAMENTELE MI FANNO ANDARE FUORI DI TESTA. INSOMMA, PERCHÉ TROVA COSÌ DIFFICILE PARLARE CON TE??? E COMUNQUE ANCHE TU DOVRESTI PARLARGLI. TI VOGLIO BENE! BACI.

Mi venne un po' da ridere. C'era una certa ironia nel fatto che Amanda era stata uno dei motivi per cui avevo rotto con Noah l'anno precedente, mentre adesso era lei a cercare di rimettere insieme la nostra relazione e a proteggerci. Era veramente un tesoro.

E... avevo davvero bisogno di parlare con Noah e chiarire la questione.

Stavo accendendo l'auto quando un faro solitario sbucò dall'angolo della strada e il rumore familiare della moto di Noah si avvicinò. Sbattei le palpebre, sorpresa, poi spensi il motore e saltai fuori dalla macchina mentre Noah parcheggiava la moto e saltava giù, buttando il casco di lato.

«Noah!»

Ebbi a malapena il tempo di dire il suo nome prima che coprisse a grandi passi la distanza tra noi, mi prendesse tra le braccia e mi tirasse a sé per un bacio travolgente che mi avvolse il corpo nelle fiamme. Tutta la tensione e l'irritazione che mi portavo addosso da un paio di giorni scomparvero nel fuoco, sparpagliate come ceneri nel vento, e scordai tutto ciò che mi aveva infastidita quando la sua bocca incontrò la mia.

Quando finalmente ci fermammo per prendere fiato, distesi le dita che avevo stretto intorno alla sua giacca.

«Ciao» sussurrai.

Lui ridacchiò. Il suono riverberò nel suo torace e contro le mie mani. «Ciao.»

«Questa è la parte in cui tu ti scusi e poi mi scuso io e cerchiamo di non farlo più?»

Noah sorrise con la bocca ancora sulla mia pelle. «Proprio così. Dovevo portare delle rose? Della musica?»

«Mi stai dicendo che non hai portato uno stereo, John Cusack?»

«Chi è John Cusack?»

Scoppiai a ridere e posai di nuovo le labbra sulle sue.

Alla fine si ritrasse, tenendomi il viso in una mano mentre con l'altra mi accarezzava le ciocche di capelli che erano sfuggite alla coda di cavallo.

«So che la vostra lista è importante» disse Noah. «So che quest'estate è importante per te e Lee. So che è una cosa grossa, il fatto che tu non vada a Berkeley. Te lo garantisco, lo so. È solo che... mi manchi?»

«È una domanda o un'affermazione?» non riuscii a trattenermi dal chiedere. Era troppo facile prenderlo in giro a volte, e prendere in giro Noah era un'abitudine troppo familiare, a cui era impossibile rinunciare persino durante una conversazione seria come questa.

Con un gemito, Noah chiuse gli occhi e si chinò ad appoggiare la fronte alla mia. «Lo capisco, davvero, ma è dura vedere che trovi sempre il tempo per Lee quando sono io a voler stare con te. Lo so che sembra stupido, perché ti vedo tutti i giorni e dormiamo nello stesso letto, e non è che non stiamo mai insieme, ma sembra passata una vita da quando siamo stati insieme da soli, capisci? Senza una folla di altre persone intorno a noi, senza che tu dovessi correre via per badare a tuo fratello o fare qualcosa con Lee o lavorare. E non sto dicendo che non dovresti fare tutte queste cose, ma... mi manchi.»

«Anche tu mi manchi» risposi. Capivo esattamente ciò che stava dicendo.

«Ed è dura per me stare a guardare mentre ti fai in quattro per rendere tutti contenti.»

«Ma io non...»

Okay, forse un po' sì. Un pochino. Un pochino piccolo. Sorrisi, premendo di nuovo la mano sul suo petto.

«Non vedo l'ora che arrivi l'anno prossimo.» Noah sospirò. «So che saremo impegnati entrambi con le lezioni eccetera, e avrai nuovi amici con cui passare il tempo, e forse anche un lavoro, ma... non sarà tutto così frenetico.»

«Già. Niente flash mob, né corse con i go-kart.»

«E come ti dicevo, potremmo... potremmo forse pensare di vivere insieme. So che non è stata proprio una cosa facilissima, ma... non penso che siamo andati poi così male, giusto?»

«Anche se ho invaso il tuo lato del letto?»

Noah rise. «Esatto.»

«Già, non siamo andato poi così male.»

«Mi sei mancata» sospirò di nuovo, baciandomi il naso e facendomi ridacchiare. «Detesto litigare con te in quel modo.»

«Anche io.»

«Ma sono pronto a battermi per te» mi disse.

Le sue parole mi commossero, e l'intensità del suo sguardo insieme alla sincerità dietro quella frase mi fecero battere forte il cuore, ma nonostante tutto scoppiai a ridere e affondai il viso nel suo petto. «E tu credi che sia io la romantica sdolcinata.»

«Pensavo che ti piacesse quando faccio il romanticone.»

«A me piaci tu» gli dissi, chiaro e semplice. «Allora... che ne dici di tornare a casa, così ti faccio capire esattamente quanto mi piaci?»

«Ecco» rispose, baciandomi ancora «questa è un'opportunità che non posso perdermi.»

Il giorno successivo non avrei iniziato a lavorare fino al turno di cena. Noah aveva promesso ad Amanda che avrebbero fatto colazione insieme, ma si trattenne a letto con me un po' più a lungo del necessario per farmi le coccole. Mi ero riaddormentata dopo che era uscito, ora che lo stress dei giorni passati mi aveva improvvisamente sopraffatta. A giudicare dalla luce accecante del sole che filtrava nella stanza anche attraverso le persiane chiuse, doveva essere ormai quasi ora di pranzo, quando finalmente mi svegliai di nuovo e mi trascinai fuori dal letto.

Non mi preoccupai nemmeno di lavarmi il viso o i denti prima di entrare nel salotto. Lee era sdraiato sul divano con un videogioco.

«Guarda chi è tornato tra i vivi» mi disse. «Bella acconciatura.»

Mi toccai i capelli e sentii quanto erano arruffati e di-

sordinati. *Wow*, doveva essere stato un gran bello spetta-
colo per Noah appena sveglio…

Ignorando il commento di Lee, mi preparai un caffè
e mi guardai intorno perplessa. Mi sembrava di essere
stata a malapena presente negli ultimi giorni: non mi ero
accorta di quando la casa sulla spiaggia fosse diventata
un tale immondezzaio. Scatole di pizza impilate accanto
alla finestra. Tazze e bicchieri vuoti sparpagliati ovunque. Vestiti che immaginavo fossero sporchi buttati per
terra.

Ne fui sorpresa. Rachel era abbastanza severa sulla pulizia. Anche lei non era stata a casa ultimamente? O aveva deciso di gettare la spugna?

Oppure, cosa più probabile, Lee era riuscito a combinare quel casino da solo, in una mattina?

«Che ne dici di mettere un po' a posto?» gli chiesi.

«D'accordo, mamma. Adesso sono impegnato, però.»

«Dico sul serio, Lee. I tuoi non hanno detto che ci sarebbe stata una visita di potenziali acquirenti oggi pomeriggio? E quel tizio deve venire a prendere le misure per
il nuovo pavimento…»

«Può misurare anche se c'è casino.»

«Lee!»

«Va bene» borbottò, mettendo in pausa il gioco e posando il joystick. Guardò per un secondo la stanza attorno a sé prima di mettersi a raccogliere l'immondizia. «E
gli acquirenti hanno disdetto stamattina. Per la cronaca.»

«Cosa? Ma è tipo l'ottava volta che qualcuno disdice.»

«Si vede che continuano a cambiare idea.»

«Lee… sei tu… hai fatto…?»

«Attenta, Shelly. Lo sai che se finisci quella domanda otterrai una risposta sincera.»

Sospirai, alzai le mani e tornai al mio caffè. «Sai che ti dico? Hai ragione. Preferisco poter raccontare che non ne sapevo niente, grazie.»

«Ottima scelta.» Mi fece un sorriso. «Allora, a che ora vuoi partire domani?»

«Cosa?»

«Domani» ripeté, fermandosi per guardarmi bene. L'entusiasmo che aveva in viso si congelò all'istante, irrigidendogli i lineamenti. Il tono speranzoso nella sua voce si incrinò appena quando ridacchiò e disse: «Ma sì, domani. La nostra gita a Berkeley?»

Oh, cazzo.

«Elle?»

Ero la peggior stronza del mondo. Non potevo credere di essermi completamente dimenticata della nostra gita del week-end. Era una vita che l'avevamo programmata, ormai, e io invece ero lì a pensare di avere un sabato libero dai programmi per la lista. Non mi ero nemmeno posta il problema. Avevo semplicemente dato per scontato che Lee avesse programmi con Rachel, o altro.

Errore.

Aveva dei programmi con me. Grandi programmi. Programmi enormi.

I programmi più solenni in assoluto di tutta l'estate.

«Stai scherzando?» esclamò, interpretandomi fin troppo semplicemente.

«Mi dispiace! Non so come ho fatto a dimenticarlo! Davvero, Lee. E ho preso un impegno con Noah... ha prenotato in un ristorante chic che gli ha consigliato tua mamma, e volevamo andare in quel negozio di cioccolata dove mi aveva portata l'anno scorso per il mio compleanno...»

«Ma certo che hai un impegno con Noah» disse Lee, seccamente. Buttò via l'immondizia e tirò fuori un cesto per la biancheria sporca da sotto una montagna di cuscini, poi si mise a raccogliere i vestiti, uno per volta.

Deglutii, vedendo il viso di Lee contorto in quel modo. Era arrabbiato, certo, ma c'era qualcosa di peggio ancora: era proprio deluso. Se si fosse messo a piangere non avrei saputo che fare.

Avevo pensato che scordarmi del minigolf anni Ottanta fosse una pessima mossa da parte mia, ma questo... questo era veramente il peggio del peggio.

«Noah» esclamò «che l'anno prossimo vedrai in continuazione. Noah, con il quale puoi stare ogni giorno tranne domani. È solo che... che cazzo, Elle. Mi hai fatto una testa così perché ho inviato domanda alla Brown per stare con Rachel e poi tu hai fatto esattamente la stessa cosa con Harvard, anzi peggio, perché me l'hai tenuto nascosto finché non ti hanno risposto.»

«Lee...»

«Speravo sinceramente che avessimo chiuso con i sotterfugi quando ho scoperto che uscivi con Noah alle mie spalle. E invece no, l'hai fatto ancora. E lo stai facendo di nuovo adesso.»

Eccola qui, pensai. La rabbia che sobbolliva da quando gli avevo detto di Harvard, la rabbia che aveva cercato in tutti i modi di schiacciare e ignorare per trascorrere un'epica estate di divertimento.

«Mi dispiace» ripetei. «Lee, mi dispiace, ma... io... non è così. Non sto facendo nulla di nascosto, ho solo fatto un errore questo week-end... e con il minigolf. Ho sbagliato, d'accordo? Ma abbiamo parlato del college, tu hai detto...»

«So benissimo che cosa ho detto!» esplose Lee, buttando a terra il cesto del bucato, che si rovesciò su un fianco. «Sono strafiero di te, Elle, ma ho anche il diritto di essere arrabbiato, okay? Scusa tanto se sono dispiaciuto che abbiamo mandato a quel paese i nostri programmi per il college perché tu possa andare a fare la bella vita a Boston con il tuo ragazzo!»

Sospirò e si strinse la radice del naso. Mi tremavano le mani, ma non potevo fare altro che aspettare e lasciare che dicesse la sua.

«Lo so che stai cercando di farti perdonare con la lista, Shelly, e lo apprezzo, ma... mi ferisce il fatto che sembri un estremo tentativo di salvare la nostra amicizia...»

«Ehi, fermo un attimo. Da quando la nostra amicizia ha bisogno di essere salvata?»

«Da quando sei partita con questa folle impresa di passare la migliore ultima estate di sempre prima di andare al college!»

«Perché credevo che ti avrebbe reso felice e mi avresti perdonato per non essermi iscritta a Berkeley!»

«Lo sai che cosa mi farebbe decidere di perdonarti per non esserti iscritta a Berkeley? Se tu ci venissi con me questo week-end.»

«Ho già preso un impegno con Noah. Davvero non riesco a credere di essermi dimenticata che domani dovevamo andare a Berkeley, ma è stato un errore in buona fede. Io e Noah abbiamo davvero bisogno di passare del tempo insieme questo fine settimana, lo sai? C'è stata tanta tensione tra noi con tutto quello che è successo. Lo capisci, vero? Che ne dici di domenica? Potremmo andare domenica.»

Avrei dovuto lavorare, ma potevo scambiare il turno con qualcuno. E avevo un sacco di cose da fare, ma potevano aspettare. Avevamo parlato di tornare alla sala giochi, e avrei dovuto badare a Brad così papà poteva uscire con Linda, ma... avrei trovato il modo. Noah poteva badare a Brad per un po' mentre noi tornavamo da Berkeley; Brad sarebbe stato felicissimo, ne ero sicura.

Ma Lee mi disse: «Ho da fare domenica».

«Oh. Oh, d'accordo.»

«Non puoi spostare l'appuntamento con Noah?»

«Io...»

Lee interpretò correttamente il mio silenzio: avevo scelto di non farlo.

«Non possiamo andare a Berkeley un altro fine settimana, Lee? Che fretta c'è? Abbiamo tutta l'estate.»

«Il programma» disse a denti stretti «è di andare a Berkeley domani. E questo è quello che farò. Tu fai quello che ti pare, Elle.»

«Lee...»

Continuò a riordinare, senza dire niente e senza nemmeno guardarmi. Sapevo che era inutile insistere o continuare a scusarmi.

Da quando la mia vita si era trasformata in un numero da circo con i piatti cinesi? E perché ogni volta che riuscivo a sistemare le cose con Lee, perdevo il controllo con Noah? Da quando era diventato così difficile gestire i miei ruoli di migliore amica di Lee e fidanzata di Noah?

E da quando era diventata una cosa da gestire?

Potevo dire a Noah che non sarei andata con lui l'indomani. Potevo dirgli che sarei andata a Berkeley insieme a Lee. Avrei potuto, ma anche io avevo bisogno di quel fine settimana con Noah. Non era un favore che facevo a lui.

Potevo proporre a Rachel e Noah di venire con noi e fare una gita di gruppo, ma non sarebbe stata la stessa cosa. Questo era il compromesso per il fatto che avevo mandato all'aria i nostri programmi di andare a Berkeley insieme, e non avevo ottenuto altro che...

Mandare all'aria i nostri programmi di andare a Berkeley insieme, di nuovo.

Ben fatto, Elle.

«Possiamo trovare un altro giorno per andare» dissi, perché non sopportavo il silenzio. «Lee?»

«Certo. Forse.»

Il che significava: no.

«Lee, mi dispiace.»

«Sì, lo so.»

Il silenzio si allungò di nuovo tra noi e stavolta non lo interruppi. Continuai la mia colazione mentre Lee ripuliva la casa. Lo guardai muoversi da una parte all'altra, ma era come se qualcuno avesse messo un vetro opaco tra noi. Come se ci fosse uno schermo che non riusciva a completare il caricamento di un video.

Riuscivo quasi a vedere la voragine che si stava spalancando tra di noi.

Ma se avessi risolto questa situazione, avrei solo creato altri problemi tra me e Noah.

Detestavo la sensazione di dover scegliere.

Passarono un paio di orribili, sfiancanti minuti mentre Lee caricò la lavatrice. Tornò in cucina e gli dissi, piano: «Non volevo che tu pensassi che la nostra amicizia ha bisogno di essere salvata, o che questa faccenda della lista sembrasse forzata. Volevo solo fare qualcosa per renderti felice. Creare... creare dei bei ricordi, e aiutarci... a dire addio, forse. Alla casa sulla spiaggia. Alla gioventù. Ma non a te, Lee.»

Sospirò e mi rivolse un sorriso svogliato. «Va bene. Lo so che hai un sacco di cose in ballo. E non sono arrabbiato per il minigolf, è stato un errore in buona fede, va bene così. E non sono arrabbiato per Harvard. È Harvard, cazzo. Certo che ci devi andare. Sono davvero fiero di te. È più che altro per Noah. Sai, pensavo davvero che stavolta... avresti scelto me.»

Mi spezzò il cuore.

Davvero.

«Non mi piace litigare con te, Shelly, e non ne ho intenzione. Ti voglio bene. Te ne vorrò sempre. Fai quello che devi. Ma io andrò a Berkeley domani, con o senza di te.»

Non dissi nulla. Non avevo nulla da dire per migliorare la situazione. Non quando entrambi sapevamo benissimo che avevo già preso la mia decisione.

Quella sera, mentre mi rivoltavo nel letto senza riuscire a dormire, Noah mi strinse tra le braccia e mi attirò contro di sé, abbracciandomi da dietro.

«Che cos'hai stasera?» mormorò, appoggiando la testa sulla mia spalla.

«Scusa. Non volevo svegliarti.»

«Elle, ma... stai piangendo?»

«No.» Tirai su col naso e affondai il viso nel cuscino, con la scusa di catturare una lacrima che mi era sfuggita.

«Sei una pessima bugiarda, Elle. Parlami, dai. Che sta succedendo?»

«È Lee... Lee va a Berkeley domani. Come avevamo detto.»

«Numero ventidue» disse Noah. «Mi ricordo. Avevate in programma di andare nel...» sentii che si irrigidiva al ricordo. «Nel week-end. Merda. Merda, Elle, perché non mi hai detto niente ieri?»

«Mi ero dimenticata. Fino a stamattina.»

«Cancello la prenotazione» disse. «Non c'è problema.»

Lo sapevo. Sapevo che non si sarebbe arrabbiato, non per questo e non dopo che ci eravamo chiariti il giorno prima. Ma scossi la testa. «Non ha importanza, ormai. L'ho già deluso per il solo fatto di averlo dimenticato. Non sarebbe lo stesso. Penserà che vado solo per non farlo arrabbiare.»

«Elle» sospirò Noah. «Non tutto deve per forza essere perfetto. Possiamo riorganizzare. Dovresti davvero andare a Berkeley.»

Non tutto deve per forza essere perfetto.

«Ma questo deve per forza essere perfetto, Noah.» Tirai di nuovo su col naso, frustrata per il fatto di essermi messa a piangere, e mi girai per guardarlo. «Era proprio il punto di quest'estate e di tutta la lista. È come il viaggio in macchina che io e Lee abbiamo fatto in primavera. Certo, non eravamo obbligati a fermarci a New York prima di arrivare a Boston, ma se non l'avessimo fatto, avremmo rovinato il programma e l'intero viaggio. Questa è la stessa cosa. Dovevamo fare tutto come da programma. E se vado adesso...»

«Se vai» ragionò Noah, sfregando il naso contro il mio «potrai completare il punto numero ventidue della lista. Farai la tua gita a Berkeley con Lee come avevate programmato, e vi divertirete un mondo. Non è questa la cosa più in assoluto importante? Non ti preoccupare per me, okay? So che questo è importantissimo per voi. Io e te possiamo stare insieme un'altra volta. Ehi, abbiamo tutto il prossimo anno, come hai detto giustamente tu, non è vero?»

Con un gemito, mi infilai nello spazio tra il suo viso e il cuscino. «Smettila di avere ragione. Sarà meglio che tu non abbia quella solita espressione compiaciuta.»

«*Mmm...* Non ho proprio idea di che cosa tu voglia dire, Shelly.»

«Be', hai la voce compiaciuta.»

«Ma quando mai sono stato compiaciuto?»

Gli diedi un debole pugno sul petto, senza estrarre il viso dal cuscino. Noah mi diede un bacio sul lato del viso che era rimasto alla sua portata.

«A che ora parte?»

«Ha detto che sarebbe partito alle sette.» Avvertii che si sporgeva su di me, poi sentii il rumore debole delle sue dita sul mio telefono.

«Ecco fatto. Sveglia alle sei e mezza. Ora, pensi che

potresti smettere di agitarti e dormire? Qui c'è gente che non lavora.»

Dissi a Noah che lo amavo e mi addormentai tranquilla tra le sue braccia.

Il mattino successivo alle sei e trenta scattai fuori dal letto al primo squillo della sveglia, invece di rimandare come facevo sempre per restare sotto le coperte ancora due minuti. Saltai quasi giù dalle scale per dire a Lee che sarei andata con lui, ma...

Il letto che condivideva con Rachel era vuoto. Era stato rifatto e le coperte erano ordinate e tirate.

Corsi in cucina, ma non c'era segno di nessuno dei due.

Mi lanciai fuori dalla porta d'ingresso.

La sua auto era sparita.

26

Lee, alla fine, era andato a Berkeley con Rachel. Si erano incontrati con Ashton e la sua ragazza, e avevano passato una splendida giornata, a giudicare dalle storie di Instagram di Lee. Avevano fatto tutto ciò di cui io e lui avevamo parlato.

La cosa peggiore era che non ero nemmeno gelosa. Non ce l'avevo con Lee per quella giornata a Berkeley. E io... non pensavo di essermi persa niente. Sapevo che non avrei dovuto sentirmi così. Non avevo forse pensato praticamente per tutta la vita che mi sarei iscritta a quel college?

E allora perché improvvisamente avevo la sensazione che Lee fosse l'unico motivo per cui volevo andarci?

Noah ce la mise tutta per tirarmi su di morale. Ero così arrabbiata con me stessa, per il fatto di stare così male per aver deluso Lee e saltato la gita a Berkeley, che fui distratta per tutto il giorno. Noah non sembrò arrabbiarsi, però, cosa che apprezzai davvero tanto. Passammo quasi tutto il giorno in spiaggia insieme, e Noah aveva prenotato un tavolo per due in un ristorante elegante, perciò ci vestimmo bene e andammo a mangiare cinque portate troppo piccole per toglierci davvero la fame, pagandole comunque una cifra esorbitante.

Mangiare in un ristorante del genere con Noah mi fece sentire così adulta... Riuscivo a immaginare di poter ripetere esperienze simili ad Harvard, immaginavo di vivere in un appartamento con lui, di cucinare insieme. Immaginavo di passeggiare mano nella mano con lui come durante le vacanze di primavera, di andare a prendere il caffè e studiare insieme.

Non ero più così distratta alla fine della cena. E lo ero ancora meno quando tornammo alla casa sulla spiaggia, vuota. Avere una giornata solo per noi ci aveva inebriati entrambi. Non arrivammo neanche in camera da letto prima di strapparci di dosso i vestiti.

«Forse dovremmo andare in camera nostra» dissi a Noah dopo, sdraiata su di lui, le gambe intrecciate alle sue, mentre con le dita gli disegnavo dei cerchi sul torace. «Prima che qualcuno torni a casa.»

«Non torna nessuno» mi disse. «Lee ieri mi ha detto che aveva intenzione di fermarsi a casa di Rachel stanotte. Hanno programmi per domani. Il che significa...» aggiunse, mordendomi il lobo dell'orecchio «che tu non vai da nessuna parte.»

Ci addormentammo sul vecchio divano sfondato, coperti da un plaid sbiadito.

Mi svegliai, con il collo incriccato e il gomito di Noah nello stomaco, al rumore della porta d'ingresso che si chiudeva. Un sospiro echeggiò nella stanza e qualcuno si diede da fare in cucina.

«Lo so, lo so, avevo detto che avrei passato qualche giorno con i miei, ma mi stanno facendo impazzire. Non li sopporto. È un continuo: "Il servizio di porcellana del matrimonio lo voglio io" e poi "Bene, tanto a me non è mai piaciuta quella schifezza, io voglio le miglia"; e "Non le avresti neanche quelle miglia se non fosse per me" e poi "Amanda, di' a tua madre che le miglia le tengo io" e "Amanda, di' a tuo padre che può avere le miglia se smette di andare a letto con quella sciacquetta dell'enoteca" e "Amanda, di' a tua madre che non ci vado a letto e non è una sciacquetta". Vi giuro, li ammazzo tutti e due, così poi le miglia e il servizio di porcellana e tutte le altre stronzate su cui litigano me li becco io. E poi vediamo se sono contenti o no.»

Mi bloccai contro Noah, che stava iniziando a svegliarsi con tutto quel rumore, mentre Amanda sbatté una tazza e una scatola di tè di June sul bancone della cucina.

«Ehi» dissi, non sapendo che altro dire.

«Oh, non ti preoccupare, tesoro.» Mi salutò con un cenno. «La mia coinquilina ha fatto sesso con un sacco di persone. Non tutte insieme, ovviamente. Ma dimentica sempre di mettere il calzino sulla porta, e io entro. E poi ho già visto quell'idiota attraversare di corsa e nudo un campo da football perché aveva perso una scommessa. Questo è niente in confronto.»

«Ah!» dissi stupita.

«Che succede?» borbottò Noah, agitando il braccio. «Ho il braccio addormentato.» Provò a muovere l'altro, togliendomi finalmente il gomito dallo stomaco per passarsi la mano sul viso e guardare in cucina. «Oh, grazie a Dio. Temevo che fosse mia madre.»

«No, sono solo io.» Amanda sorrise e agitò le dita prima di riprendere l'espressione imbronciata e ricominciare a sbatacchiare cose. «Normalmente non mi intrufolerei in questo modo, ma, ehi, se mi date le chiavi e i miei mi fanno andare fuori di testa con questa storia del divorzio, allora mi intrufolo. Volete del caffè? Ve lo preparo?»

«Pensavo che questa fosse una specie di vacanza di famiglia per aggiustare le cose» dissi, ricordando la nostra ultima conversazione sui suoi genitori.

«Avrebbe dovuto esserlo, ma nessuno dei due sembra in grado di ricordarselo. Che coppia di idioti.»

«Ehi, Amanda, pensi che potresti passarci quella coperta?»

Continuò a blaterare, su sua madre che ce l'aveva con suo padre per una presunta amante, ma anche lei aveva un amante, ed erano uno peggio dell'altra, ma ebbe pietà di noi e mi passò la coperta che avevo indicato, poi si voltò per darci un minimo di privacy mentre io e Noah ci avvolgevamo nelle coperte e raccoglievamo i vestiti in giro per la stanza.

Ebbi l'impressione che Amanda non stesse cercando compassione, ma solo qualcuno con cui sfogarsi. Mi piaceva, ma non così tanto da starle vicino mentre indossavo solo una coperta. Pensai che Noah potesse cavarsela meglio.

«Vado a fare una doccia» dissi. «Tanto tra un paio d'ore devo andare al lavoro.»

«Vuoi dei pancake, Elle? Preparo dei pancake. Oh! Una piastra per waffle. Preparo dei waffle.»

«Fai come vuoi» le dissi. «Io mangio tutto.»

«Io mangio entrambi» le disse Noah.

Amanda gli diede un buffetto sulle nocche con il cucchiaio di legno che aveva appena trovato. «Tu mangi quello che preparo io, tesoro. In ogni caso, poi si sono messi a discutere su chi dei due potrà continuare a frequentare il circolo enologico. Il maledetto circolo! Nessuno pensa a me, la loro figlia, ma al vino! E mamma vuole prenderselo solo perché così papà dovrà andare da un'altra parte per incontrare la sua sciacquetta. Che comunque non è una sciacquetta, era la mia capo scout, ed è davvero adorabile. E poi...»

Non sentii più lo sfogo di Amanda una volta chiusa la porta del bagno. Mi dispiaceva per lei, davvero. Decisi che il mio sfogo su Linda, di cui non vedevo l'ora di parlarle, poteva aspettare. Avevo raccontato tutto a Noah il giorno prima, e la sua comprensione mi aveva aiutata a sopportare le cose per un po'.

Tornai in cucina e sentii che erano passati dall'imminente divorzio dei genitori di Amanda alla casa sulla spiaggia.

«So che non ha senso sistemare tutto se tanto la demoliscono» disse Noah «ma non tutti i potenziali acquirenti sono impresari. Alcuni vogliono semplicemente comprare una casa al mare, così com'è. O almeno dicono così, ma continuano a disdire...»

«Come fai a sapere che ci sono degli impresari interessati?» gli chiesi, raccogliendo i capelli umidi in uno chignon. «Te l'ha detto tua mamma?»

«Me l'ha detto Lee.»

«E lui come fa a saperlo?»

Noah mi rivolse uno sguardo inespressivo e disse: «Elle, lo sai che non gli faccio domande di cui non voglio sapere la risposta».

«Giustificazione plausibile. Sono d'accordo con te.»

«Ha cambiato il numero» ci disse Amanda, che chiaramente non stava ascoltando perché troppo intenta a preparare un piatto di waffle ricoperti di frutta a pezzetti. «Sul cartello qui fuori. C'è il suo numero ora.»

«Quale parte di "giustificazione plausibile" non è chiara?» esclamò Noah, con tono giocoso. Sospirò e si passò una nocca tra gli occhi. «Avrei dovuto immaginare che ne avrebbe combinata una delle sue.»

«Mi stai dicendo che non ve ne siete accorti? È il tuo migliore amico! Ed è tuo fratello! Come avete fatto a non accorgervene?»

Io e Noah facemmo una smorfia. «Ehm, perché sono sette anni che non cambia numero di telefono?» dissi. «Non sarei mai in grado di dirti il numero di telefono di Lee. Mi ricordo a malapena il mio, a volte.»

Amanda scosse la testa, delusa da entrambi. «Ah, sì, e voi credevate che l'imbianchino avesse disdetto la settimana scorsa così dal niente, e che il tizio che doveva venire a controllare il tetto si fosse "scordato" la scala, e che tutti i potenziali acquirenti che volevano venire a vedere la casa avessero misteriosamente cambiato idea e basta? E niente di tutto questo vi è sembrato sospetto? Siete proprio due cretini.»

«Giustificazione plausibile» ripetei.

Ma sentirlo spiegare chiaramente in quel modo... non potevo dire di essere sorpresa. Lee era contrario alla vendita della casa sin dall'inizio. Questa era esattamente la strategia che avrebbe adottato per impedire che la vendita andasse a buon fine.

(Per di più, di recente non ero stata nei paraggi abbastanza a lungo da farci caso.)

«Pensi che dovremmo parlargli?» mi chiese Noah.

«Io non ci penso neanche» disse Amanda. Mi mise di fronte il piatto della colazione. «Mi spiace, ma non è un problema mio.»

«Questo sì che mi farà tornare nelle sue grazie» sbuffai, intristita, sopra il mio piatto di waffle. «Ieri mi sono persa la gita a Berkeley, ora vuoi che gli dica di non mettere i bastoni tra le ruote ai tuoi genitori per la vendita della casa? Neanche per sogno. Mi spiace, ma non è un problema mio» ripetei. «Te la devi vedere tu con lui.»

«Oh, fantastico. Adesso decidi che non fai parte della famiglia. Non eri tu che dicevi: "La casa sulla spiaggia appartiene a me tanto quanto a voi"?»

Gli feci un cenno sbrigativo con la forchetta. «Te la devi vedere tu con lui, Noah.»

Noah borbottò ma alla fine disse: «D'accordo. Uffa. Speriamo solo che mia mamma non lo scopra...»

27

Il mattino del Quattro Luglio, una strana tensione avvolgeva la casa sulla spiaggia. Non vedevo Lee da quando era andato a Berkeley senza di me: era tornato la domenica quando io ero al lavoro, e in qualche modo eravamo riusciti a non incrociarci fino alla sera tardi.

Amanda era tornata a stare da noi.

«Mia madre lavora» ci disse. «E mio padre è andato a giocare a golf con un tizio. Il giorno dell'Indipendenza non è una festa per noi, perciò non abbiamo programmi. Ne avevamo, quando questa era ancora una vacanza per tentare di ricomporre la famiglia, ma ormai...» Fece una pernacchia per sottolineare il messaggio.

«Sei la benvenuta a festeggiare con noi» la invitai, come se non fosse già convinta di fare esattamente così.

«Se non state attenti, passerò con voi ogni festa» scherzò lei. «Se i miei genitori continuano a litigare, vi supplicherò di tenermi un posto per la cena di Natale.»

Il mattino del Quattro Luglio Amanda stava preparando i pancake quando io e Noah ci alzammo.

«Guardate! Con le fragole, i mirtilli e la panna. Rosso, bianco e blu! Colazione a tema!»

«Ci tiene più lei di noi a questa festa» sussurrai con enfasi a Noah con la mano davanti alla bocca, rivolgendo ad Amanda uno sguardo esageratamente preoccupato. «Pensi che dovremmo, non so, buttare in mare tutto il suo tè per ricordarle che cosa si festeggia oggi?»

«Propongo di buttare lei in mare» rispose Noah allo stesso modo, nascondendosi la mano con la bocca.

«Ehi, non dimenticate chi vi sta preparando la colazione.» Finì di sistemare un fiocco di panna montata su uno dei piatti, poi ci fece cenno di sederci, posandoci davanti i nostri pancake pieni e colorati e tagliando altra frutta.

«Grazie» disse Noah. «Non dovevi.»

«Oh, ti prego.» Amanda agitò il coltello con piglio sbrigativo. «Lo sai che mi alzo presto, mister. E cucinare è il minimo che possa fare per voi, visto che mi lasciate dormire qui. Non avete idea di quanto sia importante per me.»

«Neanche la minima idea» dissi, seria. «Non è che ti abbiamo sentita blaterare per tipo tre ore intere, ieri.»

Noah mi lanciò un'occhiataccia, ma si rilassò sentendo Amanda ridere.

«Che c'è di così divertente? Ehi, ma che buon profumino.» Lee si fiondò in cucina, per vedere cosa stesse succedendo.

«*Mmm*» disse, raddrizzandosi e girando intorno ad Amanda. «Sei di nuovo qui? Pensavo che ci fossimo finalmente liberati di te.»

«Lee» sbuffò Noah.

«Si vede che non vi siete impegnati abbastanza» rispose Amanda, agitando la spatola e tornando a staccare i pancake dal bordo della padella.

«Pancake?»

«Buon Quattro Luglio!»

Lee si voltò a guardarci, poi sollevò un sopracciglio e incrociò il mio sguardo, sussurrando in modo perfettamente udibile: «Ma lo sa che cosa si festeggia oggi, vero?»

Fui sollevata nel vedere che si comportava del tutto normalmente.

«Non sono sicura, perciò più tardi faremo una rievocazione tutta per lei. Io faccio Jefferson» dissi. «Tu, Lee, puoi fare John Adams.»

«Oh, no. Non posso fare Franklin? Tiro fuori il vecchio aquilone, eccetera. Ti dò anche la merendina che ho trovato sotto il sedile della macchina ieri.»

«*Mmm.* Tu sì che sai negoziare, Lee Flynn.»

«Lo sai, Noah» annunciò Amanda «quando mi hai detto che erano un paio di matti, ho pensato: "Ma no, è solo Noah che esagera, non dice sul serio". Invece, dicevi proprio sul serio.» Finì di sistemare un altro pancake su un piatto, poi lo decorò con cura con i mirtilli, le fragole a pezzetti e un fiocco di panna montata prima di porgere il piatto a Lee. «*Voilà.*»

«Ehi! Rosso, bianco e blu! Grande!»

«Sono felice che qualcuno lo apprezzi.»

«Noi lo apprezziamo eccome» le dissi, con la bocca piena, indicando me e Noah con la forchetta.

«Rachel è sveglia?»

«Si sta facendo la doccia» disse Lee ad Amanda, che si mise a preparare altri pancake.

Con Lee seduto accanto a me per fare colazione, sentii schioccare la tensione che mi aspettavo di veder comparire tra noi. Le crepe che si erano create qualche giorno prima quando mi ero dimenticata della gita a Berkeley erano ricomparse. Lee mi sfiorò il gomito mentre mangiavamo, ma sembrava lontano mille miglia.

Fu solo più tardi, quando stavamo lavando i piatti, che mi disse: «Noah me l'ha detto, sai. Che avevi deciso di cambiare programma».

«Pensavo che non saresti partito prima delle sette» mormorai. «E invece eri già andato via quando mi sono svegliata.»

«Ci siamo svegliati presto, ed eravamo pronti... non sapevo di doverti aspettare.» Mi diede una spintarella, e incrociò di nuovo i miei occhi, guardandomi davvero per la seconda volta in tutta la mattina. «Mi dispiace, Shelly. Sul serio.»

Scossi la testa, concentrandomi sul piatto che stavo asciugando. Se avessi guardato Lee troppo a lungo, temevo che sarei scoppiata a piangere. «Hai ragione, non lo sapevi. Come potevi saperlo? Avrei dovuto, non so, mandarti un messaggio, o qualcosa del genere.»

«Forse possiamo tornare un altro week-end. Solo noi due. Non mi fraintendere, è stata una gran bella giornata con Rachel, e Ashton ci ha fatto fare un tour completo, e anche la sua ragazza è fantastica, ma... non era lo stesso senza di te. Dovremmo andare. Io posso... ricreare il tour di Ashton, e tutto quanto.»

Mi fece sciogliere il cuore.

«Mi sembra perfetto. Grazie, Lee» sussurrai, posando la testa sulla sua spalla.

Forse, almeno per quel giorno, sarei riuscita a tenere in equilibrio i fratelli Flynn.

June e Matthew arrivarono a metà mattina. June, Rachel, Noah e Amanda uscirono subito per fare ancora un po' di spesa per la giornata, mentre Lee, Matthew e io ci mettemmo al lavoro per sistemare la casa e preparare le cose per la festa.

I genitori di Lee avevano portato un grande tavolo pieghevole bianco. Lo mettemmo all'esterno, spostando il resto dei mobili per fare spazio. Preparai piatti di carta, posate di plastica e tovaglioli, mentre Lee decorava il portico con nastri e bandierine. Matthew si mise a preparare un'insalata di patate per noi, una ricetta di sua madre e una tradizione del Quattro Luglio.

Quando gli altri tornarono, Amanda indossava un grosso cappello da cowboy coperto di glitter blu con un nastro rosso legato intorno e un rametto di stelle bianche in cima, e aveva una grossa bandiera di plastica legata al collo come un mantello, che probabilmente in origine era una tovaglia.

«Questa è la prima volta che festeggio il Quattro Luglio» spiegò. «Voglio farlo per bene. È probabile che non sarò qui l'estate prossima.»

«Oh, tesoro, puoi passare le feste con noi tutte le volte che vuoi» le disse June con calore. «Elle, a che ora arrivano tuo papà e tuo fratello? È tuo padre che ha le costine e i fuochi d'artificio. E Linda porta le torte.»

«Io... credevo che le torte le facessi tu.»

Anche se, ora che lo diceva, non ne avevo vista neanche una... e forse avevamo già abbastanza da fare senza aggiungere anche le torte...

«Be', sì, era quella la mia intenzione, ma poi Linda si è offerta e allora... è stata gentile! Non credi?» June mi sorrise. «Sembra davvero fantastica, Elle.»

«Aspetta... tu la conosci?»

«Siamo andati a cena tutti insieme la settimana scorsa. Non te l'ha detto tuo padre?»

«Si sarà dimenticato.»

Strinsi i denti e tornai a preparare l'insalata. Benissimo, certo, Linda portava la torta. Evviva. Buon per lei. Non sarebbe stata buona come quella di June, ma... bene.

Per quanto volessi cercare di evitarla, sapevo che prima o poi l'avrei incrociata. E almeno non poteva essere terribile come la volta precedente, giusto? E neanche lontanamente imbarazzante come la volta in cui avevo conosciuto Amanda.

Però... non potevo essere l'unica a pensare che si stessero muovendo un po' troppo in fretta, giusto? Un mese prima non sapevo neanche che Linda esistesse, e ora portava le torte e passava le feste con noi.

No, Elle, dai, non oggi.

Feci del mio meglio per farmela passare. Quella doveva essere una giornata speciale. Non solo perché ci eravamo radunati tutti per festeggiare e mangiare troppo, non solo perché sarebbero venuti tutti i nostri amici, ma perché era l'ultimo Quattro Luglio alla casa sulla spiaggia. Era speciale. Importante.

Perciò avrei ingoiato i sentimenti che provavo per Linda (nessuno dei quali, mi doleva ammettere, era particolarmente amichevole) e mi sarei goduta la giornata. Cavolo, mi sarei persino goduta le sue torte.

D'altronde, ero appena riuscita a riprendere il controllo della situazione con Lee e Noah. Non pensavo di riuscire a gestire altri tumulti emotivi, per il momento.

Ci fermammo per cambiarci. Amanda era coperta di rosso, bianco e blu con i suoi accessori eccentrici, Rachel si tenne sul semplice con un paio di short e una t-shirt carina. Il mio outfit era una via di mezzo tra le due: avevo short rosso acceso, una camicetta ampia sopra il bikini color azzurro chiaro, e completai il look con un paio di orecchini pendenti d'argento a forma di stella. Noah, come Rachel, non si era agghindato in modo particolare, mentre Lee indossò un costume da bagno con la bandiera americana e una maglietta a stelle grigie. Adoravamo vestirci a tema!

Dixon, Olly e Warren ci raggiunsero verso metà pomeriggio. Un paio di amici di Rachel si unirono dopo pochi minuti, insieme a Lisa, la ragazza di Cam. Olivia e Faith arrivarono insieme a Jon Fletcher e un paio di amici della squadra di football, seguiti da Ashton e la sua ragazza. Feci le veci della padrona di casa, chiacchierando con i nuovi arrivati.

June condusse tutti all'esterno, e decidemmo ben presto di andare in spiaggia a giocare a palla, ma solo dopo aver saccheggiato gli snack nascosti in cucina mentre June e Matthew non stavano guardando.

«E poi...» Warren tirò fuori una bottiglia di vodka con un sorriso e un gesto affettato. «Ho portato questa per dopo.»

«O per adesso» suggerì Olivia, saltellando verso di lui per togliergli la bottiglia di mano. Svitò il tappo, bevve un sorso e tossicchiò, quasi sputando tutto sulla sabbia e facendoci ridere a crepapelle. Metà del gruppo si mise a fare a gara a chi riusciva a bere un sorso di vodka liscia senza reagire.

Jon Fletcher se la cavò bene, ma Amanda vinse di gran lunga, bevendo tre grossi sorsi senza battere ciglio, sorprendendo tutti e guadagnandosi un applauso.

Con l'avanzare del pomeriggio arrivò altra gente, che ci raggiunse in spiaggia. Alcuni portarono da bere, altri da mangiare. Qualcuno aveva portato una cassa bluetooth e l'aveva sistemata su un asciugamano. Prendemmo il sole, nuotammo, giocammo a palla... intanto, Jon Fletcher aveva fatto l'errore di sdraiarsi per schiacciare un pisolino ed era stato sepolto nella sabbia fino al mento.

La prima notte alla casa sulla spiaggia, la festa di inaugurazione che Noah e Lee avevano organizzato aveva reso la casa affollata e caotica. La festa di quel giorno era iniziata in modo più intimo, ma era cambiata in fretta. In qualche modo si era sparsa la voce, e non c'erano più solo i nostri amici più stretti. Era un vero e proprio evento.

Quando lo feci notare a Lee, si limitò a scrollare le spalle e dire: «Ehi, questa volta dobbiamo farla proprio per bene, Shelly».

«Mi sa che hai ragione.»

Tornai alla casa per controllare la situazione. Noi cinque avevamo fatto a turno a tornare su e verificare se il barbecue stesse iniziando a scaldarsi a dovere e se il cibo fosse pronto, e ora toccava a me.

Mio padre stava giusto iniziando ad accendere il fuoco e Matthew gli stava porgendo piatti carichi di carne.

Erano assorti in una discussione su qualcosa. Dalla piscina provenne un grido, seguito da uno *splash*: Brad e due suoi amici stavano giocando. Uno di loro aveva una pistola ad acqua e mi schizzò, quando mi avvicinai.

«Oh, no! Sono... stata... colpita!» esclamai, inciampando e afferrandomi la gamba bagnata. «Dite a mio fratello... che gli lascio... tutti i miei... *Argh!*»

Crollai a terra.

«Ho sentito: "Gli lascio tutti i miei soldi"» annunciò Brad. «Vero, papà?»

«*Mmm*, io ho sentito: "Gli lascio tutti i miei lavori di casa".»

Mi rimisi in piedi e mi chinai per scompigliare i capelli di Brad e spingerlo sott'acqua senza preavviso, poi andai a salutare mio padre e lo abbracciai.

«Buon Quattro Luglio, piccola.»

«Anche a te, papà.»

«Vi state divertendo, là sotto?»

«A sentirvi, direi di sì» aggiunse Matthew sorridendo.

«Stiamo facendo troppo rumore?»

«No, va bene. Non abbiamo più molti vicini di cui preoccuparci, ormai, eh?»

«Direi di no. Già, è... è fantastico. Sto solo iniziando a pensare che potremmo non avere abbastanza cibo per tutti... Giuro, non pensavo che sarebbe stata una cosa così in grande.»

«Non ti preoccupare» disse papà. «Tanti vostri amici hanno portato da mangiare. Avremo hot dog, insalata di patate e torta per settimane. Ehi, piccola, *ehm*... Linda è in cucina con June. Sarebbe carino se andassi a salutarla.»

Stavo per dirgli che non ero più una bambina a cui doveva dire di andare a salutare, ma sembrava così dannatamente nervoso che non ebbi il coraggio di rispondere con sarcasmo. Non ero abituata a vedere mio padre così agitato. Ma in quel momento aggrottò le sopracciglia dietro gli occhiali da sole, la fronte segnata da rughe profonde, e chiuse di scatto le pinze da barbecue.

Così cinguettai: «Ma certo! Come no. *Ehm*, qualcuno ha portato da bere... non molto, eh. Ma magari tieni Brad lontano dalla spiaggia per un po'».

Papà sospirò. «Chissà perché, non mi sorprende.»

«Finché nessuno vomita in piscina, va tutto bene» mi disse Matthew. «Se qualcuno vomita in piscina, o da qualunque altra parte, pulite voi.»

«Ricevuto.» Rivolsi a entrambi un saluto militare e li lasciai alla loro grigliata.

All'interno, June e Linda chiacchieravano e ridevano di qualcosa in cucina mentre sistemavano ciotole e vassoi, molti dei quali non riconobbi, e potevo solo immaginare il perché.

«Oh, Elle! Ringrazia ancora i tuoi amici da parte nostra. Hanno portato così tanto cibo. Anche se...» June sollevò una terrina di insalata di patate e la annusò con gli occhi stretti. «Se Matthew chiede, la loro insalata di patate non può competere con la sua.»

Feci il gesto di chiudermi la bocca con la cerniera.

Linda indossava un abito grigio di lino con una cintura intrecciata marrone intorno alla vita e sandali bassi marroni, coordinati. Mi fece un sorriso quasi circospetto e disse, speranzosa: «Ciao, Elle, che bello rivederti».

Mi ricordai quanto mio padre fosse stato nervoso quando mi aveva raccontato di Linda, e quanto lo fosse sembrato di nuovo poco fa. A quanto pare, Linda aveva sentito tanto parlare di me; immaginai che non fosse stata del tutto sincera sul nostro primo incontro e su quanto fosse stato disastroso, dato che papà non me ne aveva parlato più di tanto. Forse ero in debito con lei per questo. A Brad piaceva. A June e Matthew sembrava piacere. A papà ovviamente piaceva molto.

Okay, seconda ripresa. Proviamoci di nuovo.

Feci un gran sospiro e decisi all'istante di darle una seconda possibilità.

Insomma... sembrava una brava persona.

«Altrettanto» le dissi, rivolgendole il sorriso più ampio e sincero che riuscii a fare. «E June ha detto che hai portato delle torte! Molto gentile da parte tua.»

Non mi sfuggì il sollievo sul suo viso per il fatto che non l'avevo presa di mira.

«Oh, ma figurati. È stato un piacere.»

«Hai... *ehm*...» Lanciai uno sguardo a June, che mi fece un piccolo cenno di incoraggiamento. «Non hai voluto... passare la giornata con la tua famiglia?»

«I miei genitori avevano altri programmi per stasera» mi disse con una risata e non diede altre spiegazioni, così decisi che anche se ero più che disposta a darle una seconda possibilità, non mi interessava poi così tanto da fare altre domande. «Li ho visti stamattina. E io e il mio ex non siamo esattamente pronti a passare le feste insieme.»

«Oh. *Ehm*, giusto. Be'...»

June mi rivolse un altro sguardo, e non ci voleva un genio a capire che cosa volesse dire.

«Be'» tentai di nuovo «siamo contenti di averti qui.»

Qualcuno bussò alla porta e una voce familiare urlò: «Ehi, c'è nessuno in casa? Scusate il ritardo!»

Grata della distrazione, mi scusai e corsi a salutare Cam.

«Scusa» sospirò. «Ho avuto problemi con la macchina.» Mi sorrise e mi strinse in un rapido abbraccio prima di farsi da parte e mostrare Levi, carico di Tupperware.

«Intende dire» disse Levi «che si è perso.»

Cam alzò gli occhi al cielo. «Ma dai, amico.»

Levi rise poi sollevò un Tupperware. «Porto dolciumi. Brownie, biscotti alla cannella e tortine.»

«Noi» corresse Cam. «Noi portiamo dolciumi. Ho contribuito.»

«Hai messo le tortine nel contenitore.»

«Conta comunque come contributo, a casa mia» decisi, e tutta seria dissi a Cam: «Grazie per le tortine, Cameron. Ne siamo molto grati. Allora, gli altri sono in spiaggia. Non manca molto per mangiare. Dite a tutti che vengo a chiamarvi quando è pronto».

«D'accordo.» Cam se ne andò. «Ehi, signora Flynn» la salutò mentre usciva.

Chiusi la porta dietro a Levi poi lo condussi in cucina, conscia del fatto che non era mai stato qui prima, a differenza di Cam. Annunciai il suo arrivo e i dolciumi che portava, e rubai una tortina prima che June potesse dirmi di non farlo.

«Pensavo che fossi venuta a controllare il cibo.»

Mi voltai e vidi Noah sulla soglia, all'esterno. Ma lui non stava guardando me.

«Infatti. Ho mandato Cam ad avvertirvi. Vengo a chiamare tutti quando è pronto. Ehi, vuoi una tortina?»

Noah stava fissando Levi alle mie spalle, e neanche una tortina coperta di cristalli di zucchero poteva distrarlo ormai. Mi accorsi che stavo trattenendo il fiato.

«Levi» disse.

«Ehi, amico.»

Noah annuì. Levi, accanto a me, annuì a sua volta.

Noah si schiarì la gola e se ne andò, fermandosi a dare una mano al barbecue, dove mio padre e il suo stavano discutendo su cosa fare delle costine. (Sul serio, però, si trattava di grigliare della carne. Poteva davvero essere una forma d'arte così complessa?)

Levi fece un lungo sospiro. Sentii che si chinava a sussurrarmi nell'orecchio. «Ehi, pensi che ce l'abbia ancora con me?»

«Penso che tu l'abbia scampata» gli dissi. Mi infilai in bocca la tortina che avevo appena offerto a Noah e presi la mano di Levi, dicendogli: «Vieni. Ti faccio fare il tour completo».

28

C'era stato un tempo in cui io e Lee eravamo praticamente sempre attaccati. Ora, però, io stavo mangiucchiando il mio secondo hot dog, scherzando con i ragazzi che parlavano dei programmi per l'anno prossimo al college, e Lee parlava con Ashton da un'ora ormai, ininterrottamente.

Loro sì che erano attaccati.

Dixon si rivolse a me: «Vero, Elle?»

Non avevo idea di che cosa avesse appena detto.

«Vero» risposi.

Che cosa stava dicendo Ashton per illuminare il viso di Lee come se fosse, be'... come se fosse il Quattro Luglio? Di che cosa potevano mai parlare? Che cos'era così divertente da far piegare in due Ashton, da farlo quasi strozzare con l'hamburger?

Addentai rabbiosamente il mio hot dog, cercando di non guardarli male.

Non era positivo che Lee avesse già un buon amico per quando sarebbe stato a Berkeley?

Non era una buona cosa che mi avesse rimpiazzata così facilmente?

Mi diedi una scrollata. Sapevo che mi stavo comportando in modo ridicolo e immaturo, e sapevo che Lee non mi stava davvero rimpiazzando, ma... era strano vedere che si comportava con qualcun altro come faceva con me.

Continuai a guardarli, mormorando: «Oh, certo» e «Ottima idea» ogni volta che i ragazzi cercavano di coinvolgermi nella loro conversazione. Lee e Ashton gesticolavano agitati, poi Lee estrasse il telefono ed entrambi si chinarono a guardarlo per un po'.

«Ehi.»

Sobbalzai al sentire una mano sul braccio e sorrisi quando vidi che era Noah.

«Finirai per fargli un buco in testa se continui a fissarlo così, poveretto.» Noah fece un cenno in direzione di Ashton e Lee con un sorriso gentile e vagamente divertito. «Sei carina quando sei gelosa. Se non sono io l'oggetto della gelosia, ovviamente.»

«*Mm-mm*» mormorai, sbattendo le palpebre un paio di volte e forzandomi a distogliere lo sguardo. «È così evidente?»

«Terribilmente evidente» disse improvvisamente Cam alle mie spalle. «Warren ti ha detto che avevi della senape tra i capelli e tu hai risposto: "Ottima idea".»

Chinai la testa, cercando di non far vedere che stavo cercando la senape che a quanto pare avevo davvero tra i capelli. Noah aveva ancora la mano sul mio braccio, e mi tirò da parte.

«Ho promesso a Lee che lo avrei aiutato a sistemare la rete da pallavolo, ma volevo controllare come stavi. Tutto bene?»

«Tutto perfetto.»

«E non sei per niente gelosa che Lee abbia un nuovo amico?»

Sospirai e alzai gli occhi al cielo. «Sto bene. È solo… strano. Ci vorrà un po' per abituarmi, tutto qui. Ashton sembra fantastico. Davvero» insistei. Non sapevo se stavo cercando di convincere Noah o me stessa. «Sono contenta che vadano così d'accordo.»

«Be', speriamo che non siano una squadra troppo affiatata, eh?»

«Cosa?»

«Stanno decidendo le squadre di pallavolo» disse Noah, incrociando le braccia e indicandoli con un cenno del capo. «Sono in squadra insieme, perciò speriamo che non siano troppo forti.»

«Loro…» Ingoiai il nodo che mi si era improvvisamente formato in gola. «Ashton e Lee hanno scelto le squadre?»

«Già. E poi» abbassò il braccio e intrecciò le dita alle mie con un sorrisetto «guarda caso ho scoperto che tu sei in squadra con me. Perciò non preoccuparti, vinciamo noi. Gli facciamo vedere chi comanda.»

Avevo ancora la bocca secca e un groppo in gola. Avremmo dovuto essere io e Lee a decidere le squadre. E avremmo dovuto essere in squadra insieme. Io ero pessima a pallavolo (e in generale in tutti gli sport) ma io e Lee eravamo sempre in squadra insieme. Ovviamente, avevamo programmato di tenere per noi la squadra più forte, solo per far perdere Noah. Ne avevamo parlato nel dettaglio.

E allora perché il piano era cambiato?

Noah non sembrò accorgersi di quanto fossi scossa per la questione della pallavolo e si allontanò per sistemare la rete, e a quel punto mi accorsi che anche Lee e Ashton se ne erano andati.

Rimasi dov'ero per qualche minuto, guardandomi intorno. Il sole era ancora alto e splendeva nel limpido cielo blu, interrotto solo da qualche nuvola soffice come cotone. Dalle casse che Noah aveva collegato usciva musica, smorzata dalle chiacchiere sommesse ma entusiaste che provenivano dalla casa e dal patio. C'erano volti sorridenti e risate ovunque, gente che sguazzava in piscina o sedeva sul bordo con i piedi a bagno per mangiare o sorseggiare una bibita.

Sembrava che tutti si stessero divertendo un mondo.

Incrociai lo sguardo di Amanda, che parlava con June e Rachel, e le feci un rapido sorriso. Non che non mi stessi divertendo. È solo che la storia della pallavolo mi aveva un po' scossa, tutto qui.

Non ci volle molto prima che Lee tornasse alla casa sulla spiaggia, portandosi le mani intorno alla bocca per urlare: «Signore e signori, ragazzi e ragazze, siamo fieri di annunciare l'annuale partita di pallavolo della famiglia Flynn, la prima e ultima. Giocatori: ai vostri posti!»

Quasi tutti si diressero verso la spiaggia. Levi si affiancò a me con un sorriso.

«L'annuale partita di pallavolo, eh?»

«La prima e ultima» dissi. Di solito facevamo un paio di partite, e i ragazzi finivano sempre per tirare qualche palla, che fosse football, baseball, pallavolo o chissà che altro. Di solito, io non partecipavo. Ma non quest'anno.

Non quando Lee voleva che diventasse un vero e proprio evento.

(Soprattutto considerando che "organizzare una partita di pallavolo coi fiocchi" era sulla lista.)

«Dunque, io e Noah abbiamo fatto una chiacchierata interessante, prima» disse Levi.

Feci una risata secca. «Ah, sì? Da quando tu e Noah chiacchierate?»

Non riuscii a sentire la risposta, però, perché Rachel lo trascinò via e tutti si misero ai propri posti per la partita.

Dixon e Olly erano in squadra con me, così come Lisa e Amanda. Dall'altra parte della rete, con Lee e Ashton, c'erano Rachel, Tyrone, Levi e Jon Fletcher.

«Spero che siate pronti» disse Lee, palleggiando leggermente e affondando le dita nella sabbia. «Siete fritti, ragazzi.»

«Ma fammi il piacere» sbuffò Noah. «Siete spacciati.»

Diedi un'occhiata alla nostra squadra. Lisa e Dixon erano entusiasti, ma non... be', non li avrei messi nella categoria "talentuosi" quando si parlava di sport, anche se erano meglio di me. Non ero sicura di Amanda. E anche se Olly non era male, non pensavo che avessimo grosse possibilità di vincere contro l'altra squadra.

Cercai di incrociare lo sguardo di Lee prima dell'inizio della partita, ma era troppo preso a borbottare una strategia di gioco con Levi e Ashton e a guardare male Noah al di là della rete. Sembrava che non si fosse nemmeno accorto di me.

Parte del motivo per cui avevamo incluso la partita nella lista era che volevamo sconfiggere Noah. (Altrimenti come avremmo potuto definirla "coi fiocchi"?) Ma forse la nostra lista si stava trasformando nella lista di Lee, specialmente dopo la gita a Berkeley, e dopo che mi ero persa il minigolf anni Ottanta...

Per quanto riguardava mettere Noah nella squadra perdente, fu evidente dopo appena un minuto, quando Levi schiacciò la palla nella sabbia tra i piedi di Dixon e Noah, sollevando uno spruzzo di polvere e risvegliando il tifo del pubblico. Levi fece un verso di vittoria e alzò le mani in aria facendo il giro del campo per dare il cinque a tutti i compagni di squadra.

Sentii Noah borbottare sottovoce. Scosse la testa e si scompigliò i capelli con una mano, poi si sistemò in attesa del servizio successivo.

Questa volta il gioco proseguì un po' più a lungo prima che qualcuno segnasse un punto: Lisa riuscì a fare un paio di palleggi decenti, e la palla fu salvata da Amanda e Noah e spedita di nuovo al di là della rete. Io e Dixon annaspammo, passandoci la palla avanti e indietro con gran divertimento dei presenti, prima che lui riuscisse a passarla ad Amanda, che si dimostrò la migliore di tutti noi; Olly riuscì quasi a segnare un punto, ma la palla fu salvata all'ultimo secondo da Levi, che si tuffò in avanti per rialzarla in aria, dove Jon Fletcher la colpì e la rispedì verso di noi.

Quando la palla venne verso di me, saltai in aria, alzando il braccio per colpirla, ma le mie dita la sfiorarono a malapena. Amanda era dietro di me, per fortuna, e con un verso la colpì e la mandò oltre la rete con una traiettoria alta ed elegante.

Sembrava che stessimo per guadagnare un punto, ma Lee saltò sulla schiena di Ashton per colpire la palla verso l'angolo in cui si trovava Lisa che, nonostante i suoi sforzi, la mancò del tutto. Lee gridò di gioia e saltò giù per dare il cinque ad Ashton con entrambe le mani.

Avrei dovuto esserci io al suo posto.

Non che fossi stata di grande aiuto, ma...

Noah riuscì a segnare un punto. Durante l'azione successiva, feci sbattere la palla nel mezzo della rete. Tyrone fu sul punto di segnare con un tiro elaborato, ma la palla colpì Dixon in testa e rimbalzò dall'altra parte in modo così inaspettato che nessuno se ne accorse finché non fu troppo tardi.

Stavo iniziando a divertirmi, con mia grande sorpresa, anche se Lee e Ashton sembravano ormai amici per la pelle. Mi stavo ancora riprendendo dalla fitta al fianco causata dalle risate per la palla che aveva colpito Dixon, quando il gioco riprese, nonostante io continuassi a ridacchiare. Amanda incrociò brevemente il mio sguardo e mimò lo sguardo sorpreso di Dixon, facendomi ricominciare.

Ero a malapena riuscita a smettere di ridere quando sentii Lee urlare: «Sì, Levi! Bel tiro!»

Avevano fatto punto di nuovo. Levi fece un altro giro del campo, saltando per aria e agitando i pugni.

Noah sbuffò e raccolse la palla. Borbottò qualcosa, e colsi solo la parola "arrogante".

Lo presi per il braccio.

«Fa sempre così?» disse Noah.

«Sì, si sta solo divertendo.»

«Già, e si divertiva anche sulla pista dei go-kart?» Noah scosse la testa. «Questo non è un gioco, Elle.»

«Ma che stai…»

«Ehi, piccioncini!» esclamò Ashton.

«Già, lanciateci la palla così possiamo fare il servizio!» urlò Jon.

Feci un passo indietro, domandandomi che cosa cavolo intendesse Noah dicendo che non era un gioco. E domandandomi perché stesse guardando male Levi, e…

E…

E perché mai Levi gli stava restituendo l'occhiataccia?

Fissai prima l'uno e poi l'altro, del tutto confusa. Che cosa mi ero persa? Che cosa era successo?

Era di nuovo come il giorno della corsa.

Levi aveva parlato di una chiacchierata con Noah… Noah gli aveva forse detto qualcosa?

Qualcosa… qualcosa…

Stavo ancora cercando di capire a che cosa fosse dovuta la strana tensione tra loro quando mi accorsi che Tyrone aveva servito la palla e Noah aveva segnato, vincendo il primo set.

La partita continuò, dominata da Noah e Levi, entrambi scattanti e impazienti di fare un altro tiro, un altro punto. Amanda a un certo punto saltò sulle spalle di Noah per intercettare un palleggio particolarmente agguerrito tra lui e Levi, e reindirizzò la palla verso Rachel. Ero abbastanza sicura di non essere stata l'unica a tirare un sospiro di sollievo, e di certo non ero l'unica a essere confusa su quanto stesse accadendo tra Noah e Levi, a giudicare dalle occhiate che stavano ricevendo.

La squadra di Lee vinse il secondo set, ma verso la fine del terzo e ultimo eravamo testa a testa. Amanda si fece avanti per il servizio che avrebbe deciso il vincitore. Jon sbatté la palla oltre la rete e verso di me. Olly intervenne, buttandola verso Noah, che saltò per schiacciarla, e Levi si lanciò in avanti per bloccarla.

La palla colpì il viso di Levi con un *crack* nauseante.

Feci un urlo e mi coprii istintivamente il viso con le mani, e non fui l'unica.

Ma Levi era ancora in piedi, e la mia squadra stava esultando. Lee si lasciò cadere all'indietro sulla sabbia con un melodrammatico ululato di disperazione per aver perso la partita. Tra il pubblico, qualcuno sembrava preoccupato, ma la maggior parte delle persone festeggiava la fine della partita e la nostra vittoria.

Di certo era parso un incidente, ma Noah non sembrava particolarmente dispiaciuto.

Lo guardai festeggiare la vittoria con la nostra squadra, poi passai sotto la rete per vedere come stava Levi. Aveva il naso sporco di sangue ma sembrava che non sanguinasse più. Si pulì la faccia con il dorso della mano, guardando male Noah e apparentemente ignaro della mia presenza.

«Bel tiro, stronzo» disse.

Noah si voltò con un sorrisetto compiaciuto e fece un passo avanti. «Ora chi è che non sa perdere?»

«L'importante è partecipare.»

Noah rispose con una risata brusca e priva di gioia. Contorse la bocca, mostrando la lingua sopra i denti e scuotendo la testa. «Partecipare? È così che lo chiami?»

«Non sono io che ho fatto male a qualcuno. Proprio come il giorno della gara. Sai, tutti mi avevano avvertito su che tipo eri, ma evidentemente dovevo vedere per credere.»

Tutti erano in silenzio per ascoltare il loro battibecco, e non è che ci volesse molto, dato che entrambi avevano alzato la voce. Levi scattò in avanti, passando sotto la rete per affrontare Noah. Era più basso e più magro di lui ma sembrava non importargli in quel momento.

Cercai di afferrargli il braccio e tirarlo indietro, ma lui fu troppo veloce.

Non penso di aver mai visto Levi alterato come in quel momento, mi lasciò senza parole. Sentii che Lee si era avvicinato a me, sfiorandomi il braccio.

«Oh, merda» sussurrò.

«Cosa?»

Ma si limitò a scuotere la testa con uno sguardo che sembrava dire: *Sapevo che prima o poi sarebbe successo.*

Amanda sedeva con le braccia incrociate, guardando prima Noah poi Levi con preoccupazione. Incontrò il mio sguardo e scrollò le spalle, con un'espressione simile a quella di Lee.

Che cavolo mi ero persa?

«Attento a come parli, ragazzino» ringhiò Noah.

«*Ah-ah*. Eccolo! Il famigerato Flynn, il ragazzaccio della scuola.»

«E tu chi ti credi di essere? Pensi che qualcuno si beva la tua pantomima? Questa messinscena da amico innocente! Non ci crede nessuno. Sanno tutti perché sei qui, perché stai ancora ronzando qui intorno.»

È stato invitato, fui sul punto di dire.

E perché non avrebbe dovuto essere qui? Era un nostro amico, ovvio che era qui.

E che cosa voleva dire Noah con quella storia dell'amico innocente?

«E di certo me lo spiegherai tu» scattò Levi.

«Perché ti struggi ancora per Elle!»

Le parole furono come un pugno allo stomaco. Rimasi a fissarli con la bocca spalancata.

Anche Levi ne sembrò molto colpito: indietreggiò di mezzo passo. «Ma stai zitto.»

«È così ovvio» continuò Noah, senza scrupoli. Avanzò di un passo verso Levi e strinse i pugni. «Lo vede chiunque! Passi tutto il tempo a comportarti da amico, fingendo che ti basti così, ma è sotto gli occhi di tutti.»

«Chiudi il becco!»

«Lei non ti vuole» abbaiò Noah, a pochi centimetri dal suo viso. Entrambi erano scuri in volto, gli occhi accesi di rabbia. «Non ti voleva allora e non ti vuole adesso. E prima te lo fai entrare in quella zucca vuota, meglio è per tutti.»

Noah sottolineò le parole con un ghigno.

Levi gli tirò un pugno.

Sussultai quando colpì Noah sulla mascella con una certa forza, in effetti. Molto più forte di quanto mi sarei aspettata da Levi.

(Anche se, considerando che era Levi, non mi sarei aspettata alcun tipo di pugno.)

Spostai lo sguardo su Noah e mi preparai, in attesa dei suoi gesti familiari: le spalle raddrizzate, i piedi ben piantati a terra, le mani strette a pugno lungo i fianchi…

Noah strinse la mascella.

Amanda esitò, incerta se intervenire o meno. Rachel stava strattonando il braccio di Lee, dicendo: «Fa' qualcosa, ti prego!»

Noah spostò lo sguardo su di me.

Lo avevo visto fare a pugni altre volte. Da un momento all'altro, si sarebbe lanciato in avanti, avrebbe buttato Levi a terra e gliele avrebbe suonate per bene.

Solo che...

Quando si voltò di nuovo verso Levi aveva le mani lungo i fianchi e la tensione era sparita dalla mascella.

«Non ne vale la pena.»

Si voltò rapidamente sui tacchi e superò a grandi passi la folla che si era radunata a guardare, tornando verso casa.

Rimasi a fissarlo. Lee fece uno strano verso strozzato accanto a me. I nostri amici sussurravano e guardavano Noah allontanarsi e poi Levi, tremante e col fiatone, le mani ancora serrate.

Levi si voltò e incrociò il mio sguardo.

«Elle...»

Ma io mi ero già mossa, e stavo rincorrendo Noah. Amanda fece per seguirmi, ma con un rapido sguardo la trattenni. Nonostante avessi fatto parte della squadra di atletica, faticai a raggiungere Noah. Scalciai nella sabbia morbida fino a raggiungere la casa. Non c'era traccia di lui, ma sentii la porta d'ingresso e lo rincorsi.

Noah aveva preso la maglietta dalla sedia sul patio dove l'aveva posata prima e in quel momento stava salendo a cavalcioni della moto. Sembrava deciso a ignorarmi.

«Noah!»

Strinse i denti e continuò a evitare il mio sguardo. Lo presi per il braccio e mi misi davanti a lui.

«Noah, che cosa...»

Mi interruppi, incerta su come proseguire. Che cosa aveva fatto, di cosa stava parlando quando aveva detto tutte quelle cose a Levi?

Che cosa lo aveva convinto ad abbandonare una scazzottata, forse per la prima volta nella sua vita?

«Pensavo... che ne avessimo parlato. Qualunque cosa pensi di Levi, questa storia che ha una cotta per me... Noah!»

«È quello che volevi, no? Che facessi il superiore.»

Aveva ragione.

E allora perché sembrava tutto sbagliato?

29

—

Era vero che volevo che Noah facesse il superiore. Il giorno della corsa non avevo desiderato altro. Mi ero così arrabbiata con lui, ero così infastidita dal fatto che non capisse, che fosse ancora preso da questa storia con Levi, ancora aggrappato all'idea ridicola che Levi avesse una cotta per me.

Avevano fatto una chiacchierata, poco prima.

Avevano parlato di me?

Questo non è un gioco, Elle.

E Amanda, Lee... nessuno dei due era sembrato particolarmente sorpreso quando le cose avevano iniziato a scaldarsi.

Vacillai e indietreggiai appena, mollando la presa sul braccio di Noah.

Era vero, volevo che facesse il superiore.

Ma forse non così.

Lui accese il motore e io indietreggiai ancora. Non avevo idea di che cosa dirgli in quel momento, e stavo ancora cercando di capire che cosa fosse successo. Era ovvio che Noah avesse bisogno di spazio, perciò... gli avrei dato esattamente ciò che voleva.

Mi fece un rapido sorriso poi girò la moto e la manovrò tra le auto che affollavano il vialetto.

Lo lasciai andare.

D'altronde, dovevo vedermela con qualcun altro, ora.

Levi mi venne incontro a metà strada mentre tornavo in spiaggia, e si fermò all'altro capo del patio mentre io uscivo dalla porta finestra.

Per un secondo, rimanemmo entrambi immobili.

Il viso di Levi si contrasse in una smorfia. Aveva sabbia tra i capelli, sulla gamba e sulla maglietta. Aveva del sangue secco sotto il naso, e i capelli dritti. Li riavviò con la mano e si fece avanti verso di me.

«Elle, mi dispiace tanto.»

Gli andai incontro a grandi passi e una volta vicina gli puntai un dito sul petto. «Non posso credere a quello che hai appena fatto.»

«Mi ha spinto.»

«Ma tu gli hai tirato un pugno! Hai iniziato tu!»

«Mi ha colpito in faccia con la palla! Hai visto! Stava giocando sporco. Come il giorno della corsa.»

«Ho visto» ribattei. «Ed è stato un incidente. Tu hai cercato di fare muro. Tutti hanno visto. Lo so che era… le cose che ha detto erano… ma non era il caso di picchiarlo.» Sospirai, premendomi le mani sul viso. «Che cosa… Levi, che cosa vi siete detti tu e Noah prima? Hai detto che avete parlato.»

Levi scosse la testa. «Niente. Non è niente.»

«Andiamo. Sono io.» Mi addolcii e lo scrutai in viso. «Levi, dimmelo. Che succede? Di che cosa si tratta?»

«Non è una messinscena» mi disse invece, così sincero che vidi i suoi occhi brillare di lacrime. «Non sto fingendo di essere tuo amico, Elle. Non passo del tempo con te solo perché mi piaci. Voglio dire... sì, mi piaci, ovviamente, ma intendo... non sto con te perché mi piaci in quel senso. Sei una delle mie migliori amiche.»

Deglutì a fatica, col respiro affannato. I suoi occhi non lasciavano il mio viso, quasi disperati.

E finalmente capii.

Nonostante tutto quello che avevo detto a Noah, tutto quello che avevo creduto sulla mia relazione con Levi, lui aveva davvero una cotta per me.

Ero convinta che gli fosse passata. Che fosse solo una sciocchezza passeggera, esasperata dal bacio che ci eravamo scambiati.

Mi era sembrato un gigantesco errore, all'epoca.

Mi aveva fatto capire che qualsiasi cosa avessi provato per Levi l'anno passato impallidiva in confronto ai miei sentimenti per Noah. Avevo realizzato che Levi non mi piaceva davvero, non in quel senso.

Ero proprio un'idiota.

Forse quel bacio non aveva fatto altro che rendere ancora più forti i sentimenti che Levi provava per me.

«Non sto fingendo di essere tuo amico» disse di nuovo. «Non è una farsa, qualunque cosa pensi Noah.»

«Levi...»

Ma non c'era modo di fermarlo ormai: «Mi dispiace. Non volevo mettermi tra voi, niente del genere. E lo so benissimo che non era il caso di picchiarlo. Forse... forse avrei dovuto dirti qualcosa prima, oppure...»

Oddio, ero una pessima amica. Per tutto quel tempo non mi ero accorta di nulla. Avrei dovuto capirlo, avrei dovuto saperlo... non ero sicura che avrei potuto fare qualcosa di diverso, ma avrei dovuto rendermene conto. Nonostante tutto, Levi era mio amico.

«Non... non ce la faccio adesso, Elle. Io... grazie per l'invito. Mi dispiace di aver sbagliato. Di' a Noah che mi dispiace. Meglio se me ne vado.»

«Levi» dissi di nuovo.

Continuò a guardarmi con la stessa disperazione, con lo stesso sguardo dolce e supplichevole, e improvvisamente mi prese le braccia e mi tirò verso di sé, premendo le labbra sulle mie per un solo secondo, brevemente.

Mi sfuggì un verso di sorpresa, ma ormai Levi aveva fatto un passo indietro e mi aveva lasciata andare.

«Hai ragione» mormorai. «Meglio se te ne vai.»

«Mi dispiace» disse, poi rientrò in casa barcollando e corse via.

Mi portai un dito alle labbra, in attesa di sentire sbattere la porta d'ingresso.

E lasciai andare anche lui.

Mi sembrava di essere rimasta lì impalata per ore quando sentii dei passi sul patio.

Lee si guardò intorno prima di posare lo sguardo su di me. «Che cosa è successo? Era Levi quello? E dov'è Noah?»

Balbettai.

«Quel rumore era la porta?» disse Rachel, sporgendosi per guardare. «Mi è sembrato di sentire la moto di Noah... dov'è Levi?»

«Se ne sono andati» riuscii a dire. «Tutti e due.»

Lee sospirò. «Meglio così, forse. È la prima volta che

vedo Noah abbandonare una scazzottata. Che cavolo è successo?»

Scossi la testa, ma poi intervenne Amanda, risparmiandomi la fatica di trovare una risposta. (Come avrei potuto spiegare esattamente quello che era appena successo? Non ne ero sicura nemmeno io.)

«Be', non posso dire di essere sorpresa» ci disse. «Non dopo la chiacchierata che hanno fatto prima.»

Sbuffando, esclamai: «Oh, mio Dio, quale chiacchierata? Che cosa cavolo si sono detti? Che cosa c'era di così speciale?»

Amanda mi guardò e sbatté le palpebre. «Be', Noah l'ha affrontato. Gli ha detto di smetterla di ronzarti intorno in quel modo. È proprio un po' triste, sai, il modo in cui ti guarda. Mi dispiace, poveretto.»

Improvvisamente mi ricordai la primavera precedente, prima che io e Noah ci mettessimo insieme, quando avevo scoperto che aveva "avvisato" i ragazzi di stare alla larga da me nello sciocco e malaccorto tentativo di proteggermi.

Con una smorfia, incrociai le braccia e chiesi ad Amanda: «Ha detto a Levi di stare alla larga da me? Tenere le distanze, roba del genere?»

Amanda scosse la testa, stupita. «No! Ha solo detto che era ora che lui si facesse passare la cotta per te, e che non era giusto nei confronti di nessuno continuare in quel modo. Poi evidentemente non sono riusciti a risparmiarsi quella scenata in spiaggia... sono stata io a dirgli che se voleva parlare con quel ragazzo, avrebbe dovuto comportarsi da adulto.» Sospirò e alzò gli occhi al cielo, ma con una sorta di indulgenza. «Che idiota, dico sul serio. Non c'è verso di farsi ascoltare, a volte. È così maledettamente testardo.»

«Un modo come un altro per descriverlo» borbottò Lee.

Tutti stavano guardando me.

In attesa che protestassi, forse, come l'ultima volta in cui eravamo entrati nel discorso.

«Io...»

Continuavano a guardarmi, in attesa.

Arrossii. «Okay, insomma... forse avevate ragione voi. Sul fatto che Levi avesse... una cotta per me.»

«Oh!» sospirò Rachel, alzando le mani in aria. «Se ne accorge adesso! Davvero Noah ha dovuto beccarsi un pugno in faccia perché ci arrivassi?»

Forse ero io che avevo dovuto beccarmi un bacio da Levi per accorgermene, ma comunque...

«Non guardatemi in quel modo» mormorai. «È comunque un mio amico. Non è colpa mia se non me ne sono mai accorta.»

Lee mi mise un braccio intorno alle spalle, tirandomi a sé e scompigliandomi i capelli. «Sei un'idiota, a volte, Shelly.» Mi lasciò andare. «E allora che ti ha detto Levi? E Noah?»

«Noah non ha detto molto» spiegai. «Levi...»

Oddio. Quello era un altro vaso di Pandora. Che non ero ancora pronta a scoperchiare...

30

Noah non era tornato, ma nessuno di noi era particolarmente preoccupato per lui. Ci volle un po' perché il morale in spiaggia si rialzasse, dopo l'intensità della partita, ma ben presto tutti sembrarono tornare a divertirsi.

«Stai bene?» mi chiese Lee, mentre i nostri amici stappavano delle birre e Amanda spiegava al gruppo le regole di un gioco alcolico.

«Certo» gli dissi, e forzai un sorriso per dimostrarglielo. Di certo non avrei permesso a Noah – o a Levi – di rovinare il mio ultimo Quattro Luglio alla casa sulla spiaggia.

Quando venne sera, Matthew e papà prepararono i fuochi d'artificio. June portò fuori i dessert, con l'aiuto di Amanda, Rachel e Linda. A quel punto avevo già deciso di stare fuori dai piedi. Troppe mani, eccetera.

«Non dovremmo aspettare Noah?» chiese Brad a me e Lee. «Non può perdersi i fuochi.»

«Perché non gli facciamo un video?» suggerì Lee, dato che io riuscii solo a incespicare. Avevo provato a chiamare Noah, e gli avevo lasciato un messaggio chiedendogli di tornare a casa.

Lui aveva mandato un messaggio a sua madre, alla fine. Si stava solo schiarendo le idee.

Avevo una mezza idea di dove potesse essere, ma decisi di lasciarlo stare. Sarebbe tornato a casa una volta pronto. E oggi era una giornata per celebrare l'ultimo Quattro Luglio alla casa sulla spiaggia, non per rincorrere Noah.

Quella sera, dopo che tutti i nostri amici se ne furono andati, dopo che gli amici di Brad vennero accompagnati a casa dai loro genitori, e dopo aver ripulito un po', ci radunammo in tavernetta con qualche bibita e qualche avanzo da sgranocchiare.

Papà preparava il Monopoli. Il tabellone era vecchio, usato talmente tante volte che quasi perdeva i pezzi, ed era morbido sotto le dita. Molte delle carte e delle banconote erano sbiadite, spiegazzate e accartocciate, alcune addirittura macchiate dai nostri giochi di quando eravamo bambini.

Non c'erano abbastanza pedine perché potessimo giocare individualmente, dato che ne avevamo perse due anni fa. Rachel e Lee si misero in squadra insieme. Brad avrebbe giocato con papà. June e Matthew sarebbero stati un'altra squadra. Io, Amanda e Linda avremmo giocato da sole.

«Noi prendiamo la macchina da corsa!» gridò Brad, afferrandola.

«Non così in fretta» gli disse Linda con una risata. «Dobbiamo tirare i dadi per scegliere le pedine.»

Feci una smorfia a Lee. Non tiravamo mai i dadi per scegliere le pedine. Ciascuno aveva la propria. Tiravamo il dado per decidere chi cominciava.

Ma pazienza.

Non importava.

Quando toccò a me, feci uno. Non mi interessava granché, ma poi Linda fece sei — il più alto di tutti — e disse, con un gran sorriso: «A quanto pare l'onore è mio! E penso... penso che prenderò...» danzò con le dita sulle pedine. «Il cagnolino!»

La mia mano scattò in avanti prima che potessi trattenerla, e afferrò il cane.

«Scusa» esclamai, rendendomi conto di che cosa avevo fatto. «È solo che sono sempre io il cagnolino.»

«Oh, no, Elle.» Linda rise e mi tese la mano, palmo all'insù, paziente. «Queste sono le regole, scelgo io per prima...»

June, che era seduta accanto a Linda, mi rivolse uno sguardo comprensivo, ma non riuscii a trattenere una smorfia. Avevo deciso di darle una seconda opportunità, quel giorno, ma sulla pedina non avrei ceduto.

Con voce tagliente risposi: «Non mi importa. Il cagnolino è mio».

Sapevo che mi stavo comportando male. Lo sapevo, ma non riuscivo a fermarmi. Non riuscivo a togliermi la smorfia dal viso o a calmarmi o a fermare l'irritazione che mi ribolliva nelle vene mentre guardavo Linda.

Sapevo che mi stavo comportando male e sapevo che qualcuno mi avrebbe rimproverata, ma non mi sarei mai e poi mai aspettata che fosse papà.

«Elle, dai» disse, insolitamente severo. «Perché non dai la pedina a Linda?»

Sbuffai e lo guardai, del tutto incredula.

Davvero avrebbe preso le parti di Linda? Su questo?

Vidi June sobbalzare, ma neanche lei venne in mio aiuto. Anzi, quando si accorse che la guardavo, mi fece un piccolo cenno col capo con un'espressione che sembrava dire: "Dai, Elle, ascolta tuo padre".

Be', d'accordo.

Se volevano metterla così.

«È solo una specie di tradizione» tentò Lee, per difendermi. «Elle usa sempre il cagnolino.»

«No» scattai, alzandomi da terra e scaraventando la pedina sul tavolo. Colpii alcune carte, sparpagliandole. Rachel le risistemò in fretta.

«Va bene così. Prenditi il cane. Tanto non avevo voglia di giocare.»

«Oh, no, no, figurati! Aspetta, Elle» disse Linda, raccogliendo il minuscolo cagnolino e porgendomelo anche se ero già alla porta. «Se è una tradizione, allora devi assolutamente usare tu il cane. Tieni.»

«Non mi serve la tua compassione» sputai, voltandomi di scatto. «Sai, non puoi piombare nelle nostre vite così, passare il Quattro Luglio con noi, giocare e comportarti come se fossi sempre stata qui. Perché questo non è il tuo posto. E ti impegni talmente tanto che sei patetica.»

«Elle!» gridarono all'unisono mio padre e June. Sentii uno di loro scattare in piedi.

Matthew intervenne: «Non badare a lei, Linda. Gli adolescenti, eh?»

Mi assicurai di sbattere ogni porta fino ad arrivare fuori. Sentii passi pesanti dietro di me, ma non mi voltai finché non sentii mio padre gridare: «Rochelle! Fermati immediatamente, signorina!»

Mi arrestai e incrociai le braccia, appena prima di raggiungere il sentiero che portava alla spiaggia. Fuori era già buio, e i faretti della piscina turchese proiettavano strani giochi di luce sul patio, sulla casa, persino sul viso di mio padre.

Che aveva una faccia furibonda.

Rimasi dov'ero, con le braccia incrociate e le sopracciglia aggrottate.

«Che cos'era quella scenata?» chiese.

«Di che cosa parli? Sai esattamente che cos'era!» obiettai, e puntai il dito verso la casa. «Lo sai che uso sempre io il cagnolino, papà. Era la pedina di mamma. Ogni volta che giocavamo. Ogni volta. E volevi lasciarlo usare a lei? Non so, vuoi darle anche l'orologio che mamma mi ha lasciato per il mio diciassettesimo compleanno? Dovremmo tirare fuori tutti i vestiti di mamma dalla soffitta e darglieli, o lasciarle usare la tazza preferita di mamma con le stelle rosa?»

Papà sospirò e si tolse gli occhiali per pulirli sulla camicia, poi si fermò per sfregarsi gli occhi. «Elle, era solo una pedina del Monopoli.»

«Era la pedina di mamma. Questa è la nostra ultima estate qui. I Flynn stanno per vendere la casa e… e noi stiamo per partire per il college, e chissà quando faremo un'altra serata di giochi in famiglia come questa? Lei non dovrebbe neanche essere qui. È una serata in famiglia. Tutti gli invitati sono andati a casa una vita fa.»

«Smettila adesso. Non è giusto e lo sai.»

«Giusto?» sbuffai, strabuzzando gli occhi. «Vuoi davvero parlare di cosa è giusto? Quello che *non* è giusto è il fatto che lei improvvisamente sia sempre tra i piedi, che cerchi di intrufolarsi nelle nostre vite! L'hai fatta andare a prendere Brad, l'hai fatta venire a casa per cucinarvi la cena, l'hai fatta uscire con Matthew e June. Era in casa nostra e si comportava come se fosse casa sua, tutta... amichevole con me, e non lo sopporto. So che a te lei piace, ma a me no, scusa tanto. E penso che sia egoista da parte tua costringerci a farla entrare nelle nostre vite in questo modo.»

Vidi mio padre impallidire e sbattere le palpebre, scioccato, nel tentativo di digerire le mie parole. Tenni le braccia incrociate e strinsi i denti, perché non rimpiangevo neanche una parola.

Ci stava costringendo a farla entrare nella nostra vita. Ero contenta se mio padre era felice, ma così era troppo, e troppo veloce. Linda non era parte della nostra famiglia e detestavo che si comportasse come se lo fosse.

Detestavo che fosse andata così d'accordo con June e Matthew tutto il giorno. Detestavo che avesse chiacchierato con Rachel e Amanda in cucina, e che loro l'avessero coinvolta con sorrisi amichevoli. Detestavo che avesse passato "di nascosto" un brownie in più a Brad, come se fosse il loro piccolo segreto, come se Brad avesse cinque anni e lei potesse conquistarlo con un dolcetto. E detestavo che Brad fosse già così invaghito di lei, che la chiamasse continuamente, e le chiedesse se aveva provato la nostra insalata di patate preferita, e se aveva visto le foto in corridoio, e se tra un paio di giorni sarebbe andata a prenderlo al campo per andare insieme a mangiare la pizza. Detestavo che tutti quanti l'avessero accolta così facilmente quando era chiaro che questo non fosse il posto per lei.

A quel punto papà si era ripreso abbastanza da raddrizzare la schiena, e aveva le guance rubizze. «Egoista? Dici sul serio, Elle? Tu e Brad siete stati la mia priorità numero uno per tutta la vita, soprattutto da quando la mamma è mancata. Ma siete entrambi abbastanza grandi ormai, e quando ho conosciuto Linda mi sono accorto che forse era il momento di smettere di sacrificare una parte della mia vita. Caspita, Elle, so che non sono stato sempre presente, ma è solo perché ho accettato un lavoro che non volevo per poter guadagnare un po' di più e aiutarvi ad andare in una scuola migliore, per dare a te e tuo fratello una vita migliore.»

Respirava talmente a fatica che lo sentivo anche a qualche metro di distanza, e le rughe sul suo viso sembravano improvvisamente più profonde. Rimasi a bocca aperta.

«E non venirmi a dire che è egoismo» continuò. «Le ho chiesto di darmi una mano con Brad per lasciare più tempo libero a te quest'estate! Perché potessi passarla a fare baldoria con Lee e a completare la vostra lista, e perché potessi passare del tempo con Noah e con i tuoi amici. Hai una vaga idea di che cosa abbia voluto dire per Linda, che io le chiedessi improvvisamente di far parte della vita dei miei figli in quel modo? Badare a Brad, incontrare te?»

«Io...»

Non ne avevo idea. Avevo sempre dato per scontato che non avesse mai incontrato nessuno che gli piacesse, che avesse avuto difficoltà a superare la morte della mamma;

neanche per un secondo avevo pensato che avesse deciso di mettere in pausa la sua vita sentimentale per noi.

E sapevo che il lavoro era sfiancante. Lavorava fino a tardi, a volte, e di tanto in tanto doveva passare una notte fuori o lavorare nel week-end, ma non aveva mai detto niente. Ogni volta che gli chiedevamo del lavoro, sorrideva e diceva: «Oh, sapete com'è. Sempre il solito, piccoli!»

Certo che sapevo che era, insomma, un essere umano anche lui, con i suoi pensieri e sentimenti, ma... non lo aveva mai dato a vedere, per niente.

«Non sto cercando di costringerla a entrare nelle vostre vite, Elle» mi disse, con voce seria e affaticata. «Speravo di fare le cose con calma. Dare a voi due... la possibilità di abituarvi all'idea, forse. È per questo che ci ho messo così tanto a dirvelo. Ma tu sei sempre stata così impegnata quest'estate, ed è... andata così. E sembra che Linda a Brad piaccia molto. E a Linda piace Brad. Lo tratta davvero con affetto. E vorrebbe disperatamente conoscerti meglio. Io non voglio... santo cielo, Elle, non sto cercando di sostituire tua madre, nessuno sarebbe in grado di farlo. Ma non permetterti di chiamarmi egoista, e non prendertela con lei. Se ti comporti da bambina, Elle, allora ti tratterò da bambina, ma mi piace pensare che tu sia abbastanza grande ormai da poter affrontare questa conversazione tra adulti.»

«Non hai mai detto niente» fu tutto ciò che riuscii a blaterare. «Il lavoro, e...» *Bleah.* «... la vita sentimentale...»

«Ma certo che non ho mai detto niente! Eri solo una bambina, Elle. Sei la mia bambina. Non spettava a te portare questi fardelli. Mi dispiaceva già dovermi appoggiare a te così tanto per aiutarmi con Brad o per occuparti della casa.»

«Ma...» deglutii, senza sapere da dove fosse venuto fuori il groppo che avevo in gola o quando fossero comparse le lacrime nei miei occhi.

Papà fece un passo avanti e mi sollevò il mento, poi sospirò e mi rivolse un sorriso triste. «Hai dovuto crescere così in fretta quando è morta la mamma. Ho solo pensato... che quest'estate potevi rimanere piccola ancora per un po'? Non mi ero reso conto che la presenza di Linda ti avrebbe scossa così tanto. E mi dispiace. Avrei dovuto saperlo, piccola.»

Almeno siamo tornati al "piccola", pensai. Non poteva più essere tanto arrabbiato perché avevo alzato la voce con la sua nuova fidanzata.

Tirai su col naso, sentendo un paio di lacrime scivolarmi sul viso. Chinai la testa e cercai di asciugarle in fretta. «Forse avrei dovuto parlartene. E... forse mi sono comportata male.»

«Un pochino» concordò, poi mi fece una smorfia buffa e io scoppiai in una risata tremula e lacrimosa. Mi strinse in un caldo abbraccio e mi lasciò piangere nella sua camicia.

E almeno per un attimo tutto sembrò andare a posto.

31

Noah non tornò a casa quella notte. Il giorno dopo avevo il turno del mattino, perciò non mi fermai ad aspettare che arrivasse.

Però speravo che le cose sarebbero tornate alla normalità durante la mia assenza.

C'era un tizio che dipingeva le porte. Gli feci un sorriso educato e lo superai, incontrando Amanda in cucina che sistemava delle cose in uno scatolone. La casa era silenziosa, il che mi sembrò insolito, specialmente dopo il caos del giorno prima.

«Fammi indovinare» disse, guardandomi pensierosa con la testa piegata di lato. «Stai cercando... Lee?»

«Chiunque, in realtà.»

«Lord Flynn ha fatto i capricci e se n'è andato per calmarsi» mi disse, scrollando le spalle. «June ha mandato qualcuno a dipingere.»

«Ho notato, mi aveva detto qualcosa in proposito.»

«E Lee è andato fuori di testa quando il tizio ha cercato di pitturare uno stipite su cui erano segnate le vostre altezze nel corso degli anni. Era molto carino, in effetti, perciò capisco perché se la sia presa. Rachel è andata con lui, ma nel pomeriggio andrà a trovare i suoi genitori. E poi Lee ha detto... *ehm*, aspetta, me lo sono scritto.»

Posò la carta da pacchi che aveva in mano per rovistare sul bancone, riemergendo finalmente con un post-it rosa.

«Ha detto di ricordarti della sala giochi più tardi. Avevi il telefono spento.»

«Si è scaricata la batteria a metà turno.» Il che mi ricordò che dovevo riaccenderlo; cercai un caricabatterie in salotto. Eravamo in cinque ad avere l'iPhone e avrebbe dovuto essere facile mettere le mani su qualche caricabatterie, eppure continuavano a scomparire...

Non avevo bisogno del reminder, comunque. Mi ero ricordata che avevamo in programma di andare alla sala giochi, quel giorno. Come avrei potuto dimenticarmene? L'amata Dance Dance Mania della nostra infanzia sarebbe andata in pensione l'indomani, e quella era la nostra ultima opportunità.

«Che stai facendo, comunque?» le chiesi.

«Oh! Ci sono un sacco di piatti qui. Ce ne saranno una cinquantina. Ero un po' troppo spaventata per contarli. Ieri June ha detto che le serve svuotare la casa in fretta, e ho pensato che dopo la festa di ieri non ce ne sarebbero più serviti così tanti. Ho pensato di dare una mano. Guadagnarmi vitto e alloggio, sai?»

Mi chiesi che cosa avrebbe detto Lee nel vedere la cucina mezza vuota, ma decisi di non fermarla. Amanda aveva ragione, e rifiutare il suo aiuto quando stavamo faticando così tanto a lasciar andare la casa sembrava una sciocchezza.

E se lo fa lei non dobbiamo farlo noi, pensai.

«E poi, *ehm*...» Rimisi a posto il cuscino del divano, rinunciando a cercare il caricabatterie per un attimo e voltandomi a guardarla. Giocherellai con il bordo della maglietta. «Noah per caso...?»

Scosse la testa.

«Oh, d'accordo.»

«Probabilmente è tornato a casa ieri sera» disse. «È solo... ha molte cose per la testa in questo momento, Elle, tutto qui.»

Sentii la solita, familiare fitta di gelosia per quanto Amanda e Noah fossero intimi, ma stavolta con un'intensità che non avevo più provato dal Ringraziamento. Molte cose per la testa? Se aveva molte cose per la testa, perché io non ne sapevo niente? Intendeva solo Levi? E perché lei lo sapeva e io no?

Questa volta riuscii a mandare giù la sensazione con più facilità.

E per giunta mi fu d'aiuto quando disse: «Non risponde neanche alle mie chiamate né ai miei messaggi. Sono un po' preoccupata».

«È già successo» le dissi. «Di solito quando è arrabbiato o pensa di aver fatto un casino, o cose simili.»

«I fratelli Flynn devono imparare a darsi una calmata» scherzò, alzando gli occhi al cielo. «Penso che tornerà più tardi, comunque. So che hai detto che se n'è andato in fretta ieri, ma vuole davvero parlarti. Non so di cosa, di preciso, quindi togliti pure quell'espressione dal viso, signorina. Con me ha tenuto il becco chiuso.» Amanda finse di chiudersi la bocca.

Che stesse cercando di darsi una calmata o che volesse solo un po' di spazio, o qualunque altra cosa, mi si contorsero le budella al pensiero che ci fosse qualcosa sotto.

Dovevo parlargli. Lasciai Amanda al suo lavoro in cucina e presi le chiavi dal tavolo su cui le avevo lasciate cadere.

«Penso di sapere dov'è.»

Feci un sospiro di sollievo quando vidi la moto di Noah nel parcheggio, ma la sensazione non durò a lungo.

Uscii dall'auto e risalii la collina, seguendo il sentiero che Noah mi aveva mostrato fino al suo posto preferito. Dove mi aveva portato l'estate precedente. Dove avevamo parlato davvero, dove ci eravamo baciati sotto i fuochi d'artificio.

Dove era venuto a rimuginare e rimettersi in sesto dopo la corsa sui go-kart.

Dov'era ora.

Il mio stomaco si annodò ancora di più. Avevo le mani sudate, i polmoni affaticati.

Trovai Noah in cima alla collina. Aveva gettato il giubbotto di pelle dietro di sé, insieme alle chiavi e al telefono. Si era cambiato, dal giorno prima: doveva essere tornato a casa dei suoi genitori, come aveva detto Amanda. Sedeva con le ginocchia al petto e il mento appoggiato sopra, lo sguardo perso sulla vista della città.

Sembrava così piccolo, in quella posizione; così vulnerabile, così poco Noah.

Sentendomi arrivare, voltò la testa.

«Ciao» dissi piano.

Ci mise un istante prima di rispondere: «Ciao».

Allungò le gambe davanti a sé e posò le mani a terra. Mi sedetti, imitando la sua posizione, ma voltai il viso verso di lui.

Avrebbe avuto bisogno di radersi.

O forse no... La barba appena cresciuta gli stava bene. Lo faceva sembrare più maturo, accentuava la sua mascella squadrata. Resistetti all'impulso di allungare la mano e accarezzarlo.

Forse avrei dovuto lasciare che parlasse lui per primo, ma il silenzio si fece troppo lungo finché non riuscii più a resistere. E d'altronde, anche io avevo qualcosa da dire.

«Volevo dirti che avevi ragione su Levi. Tutti voi avevate ragione. Avete cercato di dirmi una cosa e io non ho voluto ascoltare. Questo non giustifica il tuo comportamento il giorno della corsa, né il fatto che tu gli abbia parlato alle mie spalle, ma...»

«Già» sospirò Noah. «Probabilmente avrei potuto gestire la cosa diversamente.»

Scrollai le spalle. Forse avremmo potuto farlo tutti e due.

«Che cosa ti ha fatto cambiare idea?»

«Mi ha detto che gli piaccio. E poi... *ehm*... mi ha baciata. Un pochettino. Un bacio a stampo. Una specie... più una specie di addio» cercai di spiegare, ma solo quando lo dissi a voce alta mi resi conto che era sembrato esattamente un addio.

Se mi aspettavo che Noah si arrabbiasse, mi sorprese. Si limitò ad annuire.

Lo guardai attentamente per qualche secondo. Non c'era traccia di tensione nei suoi muscoli. La sua espressione non era tesa, ma emanava una sorta di calma a cui davvero non ero abituata, specialmente dopo avergli detto che un tizio che non era lui mi aveva baciata.

La sua calma non fece che innervosirmi. La sensazione nel mio stomaco si fece più forte, e il cuore mi tuonava nel petto.

«Non dici niente? Neanche: "Te l'avevo detto"?»

Noah fece un sospiro dolce, continuando a non guardarmi. «Ieri sarebbe stato così facile mandare a gambe all'aria quello stronzetto pelle e ossa. È quello che avrei fatto fino a pochi giorni fa. Ma non l'ho fatto. Perché sto cercando in tutti i modi di non essere più quel tipo di persona. Perché anche se in effetti se lo meritava, anche solo un pochino, perché è stato lui a cominciare, è un tuo amico. Ma il punto, Elle, è che sei tu il motivo per cui non voglio più essere quel tipo di persona.»

«Okay» dissi gentilmente, incerta su dove volesse andare a parare o sul perché non sembrasse una cosa buona.

«E non sono sicuro che sia...» Si interruppe con un altro sospiro, voltandosi a guardarmi, le sopracciglia aggrottate in una smorfia. «Non dovrei appoggiarmi a te per diventare il tipo di persona che vorrei essere per te.»

Ci misi un attimo a districare le sue parole.

Noah proseguì: «Dovrei voler essere quel tipo di persona per me stesso. Non perché penso che tu meriti di meglio. Non perché si tratta di un tuo amico o perché non voglio deluderti o che so io. Dovrei volerlo per me... il motivo non dovresti essere tu.»

Continuai a fissarlo. Stavolta mi concesse qualche secondo in più per assorbire le sue parole.

«Okay» ripetei, ancora incerta. «E allora... questo... che cosa significa?»

Noah sostenne il mio sguardo per un secondo, e c'era qualcosa di così triste nei suoi splendidi occhi blu che guardarli mi fece male. Poi voltò la testa verso il panorama, tirando distrattamente qualche filo d'erba.

«Avete sempre voluto andare a Berkeley. Tu e Lee. Sempre. Da quando eravate abbastanza grandi da capire che cosa fosse il college, avete sempre detto che un giorno ci sareste andati. Eravate del tutto convinti.»

Noah si fermò per un secondo, e vidi che si mordeva il labbro, con una smorfia sempre più pronunciata. Poi ricominciò.

«E allora perché hai scelto Harvard, Elle?»

Colta alla sprovvista dalla domanda, riuscii a malapena a dargli una risposta diretta. «Ne abbiamo parlato, ti ricordi? Io... insomma, ho fatto domanda per sfizio. Avevi detto qualcosa tipo quanto sarebbe stato bello essere a Boston insieme, e...»

«Passerai quattro anni in una scuola che hai scelto per sfizio. Una scuola a cui hai fatto domanda solo per me. Io non voglio... non posso avere la responsabilità di una scelta di cui potresti pentirti. Già una volta le cose tra noi non hanno funzionato, e quest'estate... è stata dura. Non brutta» aggiunse velocemente, guardandomi. «È stata fantastica, ovviamente, ma l'hai detto anche tu, a volte è difficile amarmi. E se le cose non dovessero funzionare, Elle? Prova a pensarci. Ti sarai trasferita dall'altra parte del Paese, avrai rinunciato al tuo sogno di Berkeley, e per cosa?»

Toccò a me distogliere lo sguardo e rimanere in silenzio per un minuto.

«Eravamo seduti qui quando hai deciso di accettare il

posto ad Harvard. Te lo ricordi? E hai detto che non potevi rinunciare. Era Harvard. Non pensi che sia lo stesso per me?»

«E allora voglio che tu sia sicura che la stai scegliendo perché è Harvard, e non per me. Hai fatto domanda solo per me. E poi ho visto quanto questa scelta abbia allontanato te e Lee, e quanto stiate faticando per rimanere uniti quest'estate. Metterai sempre lui al primo posto e lui farà lo stesso con te, e non vi biasimo. Anzi, penso che sia davvero incredibile. Non voglio che tu metta in pericolo questa cosa per...»

«Per noi?»

Noah si appoggiò all'indietro. «Già.»

Avevo uno strano gusto in bocca e la gola stretta. Guardai il panorama con sguardo corrucciato, cercando di respirare abbastanza a fondo da riempirmi i polmoni. «Quindi pensi che avrei dovuto rinunciare ad Harvard per andare al college con Lee?»

Noah sospirò così piano che quasi non lo sentii. «Ti ricordi che un paio di settimane fa ti ho detto che a volte dai la precedenza a tutti gli altri e non a te stessa? Hai fatto domanda a Berkeley per via di Lee, perché le nostre madri sono andate lì, perché è abbastanza vicino da permetterti di aiutare tuo padre a badare a Brad. Per tutta l'estate sei stata così concentrata a passare del tempo con me, o con Lee, o con Brad, o a lavorare per avere i soldi per completare la lista con Lee, e... ho la sensazione che tu metta tutti gli altri davanti a te stessa, a volte, Elle, e non dovresti. E penso...»

Si interruppe e strappò un pugno di erba, poi concluse:

«Penso che non voglio essere un'altra persona a cui dai la precedenza invece che a te».

E improvvisamente sentii anche quello che non stava dicendo.

«Quindi... finisce qui? Il fatto che ci amiamo non conta? Non significa niente?»

«Non dico questo, Elle. Significa tutto. Ma forse... forse non è abbastanza.»

Mi scordai l'apprensione che mi aveva annodato lo stomaco fino ad allora: le parole di Noah furono come un coltello che mi colpì dritta al cuore. Sentii freddo in tutto il corpo.

«No, tu non puoi decidere per me. Ho preso la mia decisione e andrò ad Harvard. Ho già rifiutato Berkeley e accettato il posto. Non puoi cambiare idea adesso e dirmi di non andare. Non spetta a te.»

«Hai ragione. Ma se andrai ad Harvard, non ci andrai con me.»

Un'esclamazione spezzata mi sfuggì dalle labbra come un soffio trattenuto.

Stava... mi stava lasciando.

«Da quanto tempo la pensi così?»

Noah scosse la testa, chiudendo gli occhi. «No, ti prego, Elle. Non è che avessi in mente di farlo dall'inizio dell'estate, che avessi preparato liste di pro e contro, o niente del genere. Ma sento che le cose tra noi sono diventate distanti a volte, anche quando sei qui accanto a me. E non ha niente a che vedere con Levi o Amanda o Lee o nessun altro. È solo...»

«È solo che a volte è difficile amarmi?»

Noah ridacchiò piano, appoggiandosi ai gomiti, quasi sdraiato, per guardarmi con quel sorrisetto che adoravo così tanto. «È impossibile non amarti, Elle. Ma come ho detto, forse a volte non è abbastanza.»

«Perciò... è finita» sussurrai.

«Credo... credo di sì.»

Per un paio di minuti rimanemmo ancora lì, la città ai nostri piedi. Al di sopra del rumore distante del traffico, delle voci attutite delle persone intorno, sentivo il respiro di Noah. Profondo, lento e regolare.

Calmo. Così calmo.

Io invece trattenevo il fiato come se fosse l'unica cosa a tenermi insieme, a evitare che cadessi a pezzi. Mi tremavano le mani, e strinsi le dita in un pugno. Pensavo che avrei dovuto distogliere lo sguardo, che sarebbe stato più semplice da digerire se non lo avessi guardato.

Ma mi sentivo come... come se questa fosse l'ultima volta in cui avrei potuto vederlo davvero come il mio fidanzato. Con la luce del sole sui capelli scuri e sugli occhi blu, limpidi e luminosi come il cielo, quella mascella squadrata e il naso storto, le labbra che avevo baciato innumerevoli volte.

Ci stavamo lasciando. Boston, Harvard, Berkeley... niente aveva più significato, ormai. Io e Noah ci eravamo battuti per far funzionare le cose dopo il caos del Ringraziamento. Ci eravamo impegnati così tanto.

Ed era stato lo stesso quest'estate, dopotutto. Anche senza la corsa sui go-kart, o la quasi scazzottata con Levi del giorno prima.

Mi ero chiesta quando la mia relazione con Lee e Noah

fosse diventata un lavoro, un'acrobazia con piatti cinesi sempre in equilibrio.

La risposta per Lee era facile: quando avevo scelto Harvard.

Ma Noah...

Io e lui eravamo sempre stati in bilico.

Forse aveva ragione lui: forse amarci non era abbastanza.

Forse era il momento di smettere di provarci.

Allungai la mano e la posai su quella di Noah, stringendola un'ultima volta prima di alzarmi in piedi. Mi spolverai i pantaloni, feci un sospiro, e in quel momento capii che non avevo altro da dirgli.

Che cosa avrei potuto dire? Grazie per i bei ricordi? Ci siamo divertiti, è stato bello, ci vediamo dopo a cena? Potevo lottare per lui, per noi, certo, ma sapevo che non gli avrei fatto cambiare idea. Era ovvio che Noah aveva preso la sua decisione, e non c'era modo di smuoverlo.

Con un sospiro silenzioso rilasciai il respiro che avevo trattenuto e mi incamminai giù per la collina. Mi allontanai di un paio di metri prima di sentirlo alzarsi in piedi e chiamare: «Elle!»

Mi voltai appena in tempo per sentire che correva verso di me, e con il cuore in gola gli corsi incontro e mi lasciai stringere in un abbraccio, prendendogli il viso tra le mani per condividere un ultimo bacio. La sua bocca si mosse disperatamente sulla mia, accarezzandomi il labbro inferiore con la lingua, e mi strinsi a lui. Il fuoco di quando ci eravamo baciati la prima volta, e ogni volta dopo la prima, bruciava ancora. Spostai una delle mie mani sulla sua nuca giocherellando con le punte dei suoi capelli, e una delle sue mani scivolò lungo la mia schiena per attirarmi contro di lui. Non c'erano fuochi d'artificio questa volta: solo la quiete del mondo che sembrava essersi fermato per noi, prima che tutto finisse per sempre.

Ci separammo all'improvviso, con forza, facendo entrambi un passo indietro per creare una distanza tra noi.

Noah sostenne il mio sguardo per un secondo come se stesse per dire qualcosa, ma sapevo esattamente che cosa intendesse e annuii. Mi rivolse un dolce, caldo sorriso in risposta, mostrando appena la fossetta.

Un ultimo bacio.

Un'ultima volta.

32

Per un po' non feci che guidare, ripercorrendo l'intera conversazione con Noah. Le lacrime continuavano a scorrermi sulle guance in un fiume silenzioso, l'opposto dei miei singhiozzi disperati e rumorosi dopo l'ultima volta che ci eravamo lasciati. La mia mente si perse a immaginare ciò che sarebbe potuto succedere: sarebbe davvero stato più semplice se fossimo stati insieme a Boston? Avremmo litigato di meno o forse di più, trovandoci sempre uno tra i piedi dell'altra? Conclusi che Noah di certo aveva avuto dubbi durante l'estate; abbastanza da arrivare a questo punto.

Non riuscivo ancora a credere a quanto fosse stata matura la nostra conversazione. Noah era stato talmente equilibrato che mi aveva scioccato: doveva averci pensato molto, e aveva ragione. Non ero abituata alla cosa.

Non me lo sarei mai aspettata, neanche in un milione di anni.

E in quanto ad Harvard... detestavo ammetterlo, ma Noah aveva ragione. Avevo fatto domanda solo per lui, e avevo accettato solo perché... be', perché era Harvard, e chi rifiuta un posto ad Harvard? Mio padre era così fiero. E avrebbe significato passare più tempo con Noah.

Non mi ero mai fermata a riflettere se fosse quello che volevo per me.

Fu solo quando mi avviai verso la casa sulla spiaggia che la mia mente tornò a Lee. Forse, se non c'era più niente tra me e Noah, avrei avuto più tempo per fare in modo che la mia relazione con Lee non risentisse della distanza tra noi. E siccome io e Noah ci eravamo lasciati in modo tutto sommato civile, le cose sarebbero state molto più facili dell'ultima volta, e Lee non si sarebbe sentito in mezzo a due fuochi.

Oh, mio Dio.

Lee.

La sala giochi!

Con una forte esclamazione, lasciai andare il volante e mi portai le mani al viso, del tutto inorridita; poi ripresi il volante e sterzai, mettendo la freccia all'ultimo secondo per fare inversione di marcia.

Ero pessima. Ero veramente pessima.

Anche se ero al limite di velocità, mi sembrò di metterci una vita per arrivare al molo. Correndo verso la sala giochi, mi sembrava di correre in un mare di sciroppo, come in un sogno.

Non riuscivo a credere di essermi dimenticata.

Non riuscivo a credere di aver messo al secondo posto la lista rispetto alla mia relazione, di nuovo.

Ero pessima.

Quando raggiunsi la sala giochi capii che era troppo tardi. Il sole era ormai basso nel cielo, qualche luce si era accesa davanti ai palazzi e lungo il molo, e le famiglie se ne stavano andando. E Lee... Lee era appoggiato alla ringhiera, a fissare l'acqua. Le porte della sala giochi alle sue spalle erano chiuse e le luci all'interno erano tutte spente.

Ansimando, mi fermai in scivolata a pochi passi di distanza, cercando di riprendere fiato e di ricordarmi che sì, al cento per cento, ero veramente pessima. E poi mi avvicinai a lui.

Avevo il cuore in gola e mi ronzavano le orecchie.

«Lee, mi...» La mia voce era rauca e sottile. Mi schiarii la gola e riprovai. «Mi dispiace così tanto. Ti prometto che... che mi farò perdonare in qualche modo. Mi dispiace tanto.»

Non mi guardò in faccia, ma sollevò la testa in una specie di cenno svogliato, e sentii la risatina secca che fece.

«Certo. È stato così per tutta l'estate, vero? La lista, tutto questo... era solo per farti perdonare da me. Be', scordatelo. Non ti preoccupare per me, Elle. Non serve. Lascia stare.»

«Oh, andiamo, Lee. Non fare così.»

«Non ho niente da dirti in questo momento, Elle. Ti ho aspettata per due ore. Ma, ehi, va bene così, sai. Non fatico a indovinare dov'eri.»

Sollevai la mano per stringergli il braccio.

«Mi dispiace tanto. Mi si è scaricato il telefono al lavoro e poi... poi sono andata a cercare Noah e... be', lui... insomma, è successa una cosa» dissi. Sapevo che se gli avessi raccontato tutto adesso avrebbe pensato che stavo solo cercando di impietosirlo, e non era quello che volevo. «Oh, andiamo, non essere arrabbiato, ti prego. Siamo comunque riusciti a giocare un paio di giorni fa, giusto? E ci saranno di certo altre DDM da qualche parte, se vuoi proprio giocare.»

Lee alzò di scatto la testa verso di me, con un'espressione talmente furibonda che feci un passo indietro e tolsi la mano dal suo braccio come se mi avesse dato la scossa.

«Pensi che si tratti di questo? Del videogioco? Ma scusa, pensi che abbia cinque anni?»

Non so, a volte ti comporti esattamente così.

Mi morsi la lingua. Non era il momento di rispondere con sarcasmo.

«Non c'entra niente quel gioco del cazzo!» gridò. «Si tratta di noi! Della nostra amicizia! Per tutta l'estate, tutta quella roba della lista... lo so che era solo per non farmi sentire al secondo posto dopo che hai scelto Noah invece di me. Sapevo che le cose sarebbero andate a finire così. Da quando vi siete messi insieme hai continuato a dire che io ti importo ancora, che non metti lui al primo posto, ma la verità è che non poteva durare. A un certo punto avresti scelto lui. Solo che non pensavo che sarebbe successo così presto. E diciamocelo, Elle, se non fosse stato Noah sarebbe stato il college, o il lavoro, o Brad, o Levi, o che ne so! Avrei dovuto capirlo prima. Era nell'aria da un po'.»

Fissai Lee mentre si sfogava e sentii che la mia ansia per averlo deluso svaniva del tutto. A quel punto mi ribolliva il sangue, perché... come si permetteva?

Diceva sul serio?

Speravo che scherzasse.

E non potei trattenermi dal paragonarlo, in quel momento, a Noah. Noah, che non voleva tarparmi le ali, che non voleva che lo mettessi al primo posto. E Lee, che si lamentava di non essere la mia priorità assoluta.

«Al secondo posto? Oh, mio Dio, Lee. A volte sembra

che tu abbia davvero cinque anni. Non pensi che lo sappia che non c'entra niente il gioco? Pensi che solo perché ho avuto altre priorità quest'estate ti voglia meno bene? La scuola, il college, il lavoro, Brad... pensi che sia una mia scelta fare tutto questo invece di venire a divertirmi con te? Tu non hai mai dovuto preoccuparti di queste cose. Non hai mai dovuto stressarti per i soldi, o per avere buoni voti, o perché avevi qualcuno a cui badare. Ti è sempre arrivato tutto su un piatto d'argento. E allora non aspettarti che io venga a chiederti scusa perché ho dovuto cercare un lavoro per riuscire a permettermi i punti sulla lista e per mettere da parte qualcosa per il college, o perché ho dovuto badare a mio fratello.»

Lee aprì la bocca per ribattere, ma sembrò non trovare le parole, il che fu anche meglio, perché non avevo ancora finito.

Come osava mostrarsi così ferito perché non era la mia unica priorità? Soprattutto quando mi ero impegnata per tutta l'estate per ricordargli quanto lui fosse importante per me.

Non potevo aspettarmi che capisse veramente. Sapevo che Brad era parte della sua famiglia tanto quanto della mia, ma non era responsabilità di Lee, e Lee non aveva mai avuto bisogno di un lavoro. Forse avrei dovuto sfogarmi prima, o avrei dovuto cercare di farglielo capire meglio, ma in quel momento la diga ormai era crollata e stava facendo straripare ogni cosa.

«Hai ragione» scattai. «Quest'estate volevo farmi perdonare per aver scelto di passare i prossimi quattro anni dall'altra parte del Paese, ma anche molto di più.

Quest'estate doveva essere l'estate migliore di sempre, ma indovina un po'? Non poteva comunque esserlo. Abbiamo scritto quella lista da bambini, e non possiamo continuare ad aggrapparci a quello! La sala giochi, la casa sulla spiaggia… tutte le cose che hanno reso le nostre estati così memorabili stanno scomparendo, e non le riavremo mai più. Ma così è la vita! È così che funziona! Le cose svaniscono, e qualcuno di noi è costretto a crescere! Quest'estate io volevo solo fare in modo che non ci allontanassimo troppo!»

Smisi di urlargli contro solo per fare un respiro che mi permettesse di aggiungere: «E per tua informazione, Lee, non devi più preoccuparti che io scelga Noah al posto tuo perché ci siamo lasciati. E stavolta per sempre. E parte del motivo è stato che Noah si è reso conto che lui e Harvard si stavano intromettendo tra me e te, ma Noah non è offeso con me perché a volte scelgo di stare con te, o perché ho una vita al di là di lui. Mi dispiace se quest'estate non è stata all'altezza delle tue aspettative e se ti ho deluso oggi, Lee, davvero, però non comportarti come se stessi sabotando la nostra amicizia solo perché la mia vita è fatta anche di altro. Sei il mio migliore amico, e per me sei tutto, ma santo cielo, Lee, il mio mondo non ruota intorno a te. Forse una volta sì, ma non siamo più bambini ed è ora che tu cresca e te ne accorga, cazzo.»

Lee rimase a fissarmi mentre riprendevo fiato. Tremavo tutta e avevo la terribile tentazione di gettargli le braccia intorno al collo e stringerlo forte e piangere tutte le mie lacrime, ma sapevo di dovergli dare spazio perché potesse capire quanto gli avevo appena detto. Riuscivo quasi a sentire le rotelle girare nella sua testa. I suoi occhi fissavano i miei. Lee deglutì e fece un sospiro tremolante. Iniziò a dire qualcosa un paio di volte, ma si fermò.

Alla fine, con un altro sospiro tornò ad appoggiarsi alla ringhiera.

Lo raggiunsi. Le nostre braccia si toccarono. Lee posò la testa sulla mia spalla.

«Quest'estate è davvero andata a rotoli, vero?»

«Un pochino» mormorai, appoggiando la testa contro la sua. «Mi dispiace di essermi persa l'ultimo ballo alla sala giochi. È stato un errore in buona fede. L'ennesimo.»

«Insomma, vi siete proprio lasciati, eh?»

«Già.»

«È per via di Levi?»

«Stranamente, no. Per una volta, non aveva niente a che vedere con lui. In effetti… è stata una conversazione tranquilla… stranamente. Non come l'ultima volta. Penso… penso che abbiamo chiuso.»

«E a te va bene così?»

«A me…» Mossi la testa contro quella di Lee. «Non proprio. Ma penso che dovrò trovare il modo di farmela andare bene.»

«Mi dispiace se ho alzato la voce» mormorò. «E non lo dico solo perché mio fratello ti ha scaricata e mi fai pena. Hai ragione. Devo… crescere un po'. So che è così. È solo che… faccio fatica.»

«Ti perdono.»

«Ma come, non mi merito uno "scusa" anche io?»

«Proprio no.»

Lee rifletté per un momento. «Mi sembra giusto. Ma ti

prego, non mi urlare mai più contro in quel modo, Shelly. Non è una bella sensazione. Anche se forse me lo meritavo, probabilmente.»

«Penso che forse te lo meritavi di sicuro. Siamo onesti» dissi con grande sarcasmo «mi hai detto che non stavo mettendo la nostra amicizia al primo posto e che qualcosa si sarebbe sempre messo in mezzo. Hai letteralmente cinque anni a volte, lo sai?»

«Letteralmente cinque anni» disse. «Sei proprio sicura di essere entrata ad Harvard?»

33

—

Le due settimane seguenti passarono in un batter d'occhio. Noah trascorse la maggior parte delle notti a casa dei suoi e se stava nella casa sulla spiaggia dormiva sul divano; avrebbe potuto dormire nel vecchio letto di Lee, in camera di Amanda, ma io e Lee avevamo rovinato il materasso per uno scherzo della lista, quando l'avevamo messo nell'oceano con una ignara Rachel addormentata sopra.

Lee aveva smorzato la frenesia della lista, perciò accettai turni extra al lavoro. Levi si tenne a distanza e ignorò i miei messaggi ogni volta che cercavo di chiamarlo.

Ero contenta che tutti mi lasciassero un po' di spazio, sinceramente, soprattutto Noah. Era dura, essere così vicina a lui e non stare con lui. Piansi fino ad addormentarmi nel nostro letto un paio di volte, ma avere più tempo per me (anche se lavoravo molto) mi aiutò a scendere a patti con la situazione.

Andai persino a casa una sera per cenare con papà, Brad e Linda. E aiutai Linda a lavare i piatti dopo cena e mi fermai a giocare a Uno. E risi alle sue battute sciocche. E mi scusai per aver alzato la voce con lei a Monopoli.

Come una persona adulta e matura.

Amanda e Noah passavano un sacco di tempo insieme,

e Noah diede una mano facendo molti dei lavoretti che avevamo continuato a rimandare o che Lee aveva direttamente disdetto quando dovevano arrivare gli operai, come scoprimmo. Ashton e la sua ragazza vennero a stare con noi un paio di giorni, e passammo un paio di serate con altri amici a guardare film o a giocare a giochi di società, ma Levi non si fece vedere.

Era strano quanto le cose sembrassero quasi normali.

Era un equilibrio un po' delicato, ma era normale.

E finalmente potevo di nuovo respirare.

D'altronde, io e Lee eravamo arrivati agli ultimi tre punti della lista, nessuna dei quali sarebbe stato così impegnativo o pazzesco da organizzare come la corsa sui go-kart, perciò non avremmo avuto problemi a completare tutto. (Davvero, quanto poteva essere difficile sistemare un lungo domino che attraversasse tutte le stanze della casa? Ne avevamo già ordinato un set enorme su Amazon.) Senza tutto lo stress, e ora che io e Lee ci eravamo finalmente chiariti davvero, potevo godermi il momento.

Poi un mattino June ci diede la notizia, un paio di settimane dopo il Quattro Luglio.

Amanda era tornata dai suoi per un giorno, Rachel era in spiaggia con alcune amiche. Noah doveva sistemare il filtro della piscina (di nuovo), ma June gli disse che poteva aspettare e lo chiamò dentro casa, e disse a me e Lee di prendere una pausa dal domino. Ci fece sedere tutti in salotto, e a quel punto capii che era una cosa seria.

Per un secondo mi chiesi se si trattava del fatto che io e Noah ci eravamo lasciati.

«Abbiamo ricevuto un'offerta» ci disse. «E abbiamo intenzione di accettarla.»

Fu Noah a rompere il silenzio. «E allora perché sto perdendo tempo ad aggiustare il filtro della piscina?»

«La vendita è vincolata ai lavoretti che stiamo facendo» spiegò June. «Ovviamente.»

«Ovviamente» borbottò Lee, sbuffando.

Sentendo disordine tra i ranghi, June entrò in modalità comandante in capo. Raddrizzò le spalle, piantò bene i piedi a terra, strinse la mascella (improvvisamente capii da chi aveva preso Noah) e si mise le mani sui fianchi. Una vera e propria posa da Wonder Woman, con uno sguardo di pietra che si posò su ciascuno di noi.

«Abbiamo intenzione di accettare l'offerta, e prevediamo di chiudere la vendita nel giro di due settimane.»

«Due settimane?» gridammo io e Lee.

«Perciò mi aspetto che questo posto sia tirato a lucido. Mi serve che portiate via tutto e finiate di sistemare le cose. D'accordo?»

Dal modo in cui Lee si spostò sulla sedia, borbottando tra sé, e dal modo in cui Noah sbuffò, non eravamo d'accordo per niente.

Sentii anch'io un peso sullo stomaco per quella notizia. Avevamo giocherellato con l'idea, lasciato che gli operai venissero ad aggiustare le tegole del tetto, a sistemare il giardino sul retro... ma nessuno di noi era davvero pronto per tutto questo.

June ci rivolse un altro sguardo. «D'accordo?»

«Devo finire con il filtro della piscina» brontolò Noah. Si sollevò dal divano e uscì, chiudendosi le porte alle spalle e premendo di nuovo play sulle casse portatili che aveva portato fuori quella mattina.

«Sarà meglio che vada a prendere degli scatoloni per imballare i nostri preziosi ricordi d'infanzia» mormorò Lee, alzandosi con una spinta. Prese le chiavi, fece cadere qualche pezzo di domino e si sbatté la porta d'ingresso alle spalle.

June sospirò, poi guardò me.

«Mi sa che devo... *ehm*...» Passai una mano sul bracciolo del divano prima di alzarmi. «... mettermi al lavoro in tavernetta. Non abbiamo mai risolto un granché.»

E non risolsi un granché neanche in quel momento, perché June mi chiamò appena arrivai alla porta.

«Elle, vieni a sederti un attimo.»

Tornai verso di lei, la raggiunsi in cucina e mi sedetti al bancone mentre lei preparava del caffè.

Fantastico. Qualunque cosa fosse, era una conversazione che richiedeva del caffè.

«Mi è dispiaciuto molto per te e Noah» mi disse, dopo aver riempito due tazze ed essersi seduta vicino a me. Posò la mano sulla mia e mi fece un sorriso dolce, senza più traccia della severità di poco prima. «Me lo ha detto un paio di settimane fa. Aspettavo che fossi tu a parlarmene.»

«Oh. *Ehm*, io non...»

Avevo dato per scontato che glielo avesse detto Noah.

E sinceramente, questa era proprio la conversazione che avevo sperato di evitare.

«Come ti senti, tesoro?»

«Oh, certo. Sto bene.» Le restituii il sorriso per dimostrarglielo. "Bene" forse era un po' esagerato, ma la stavo prendendo meglio di quando ci eravamo lasciati l'anno prima. «Forse avrei dovuto aspettarmelo. Anche senza la distanza, come quest'estate, non è stata una passeggiata. Ma... sì, sto bene. E Noah... lui... lui sta bene?»

June distolse lo sguardo per posarlo su Noah al di là delle porte finestre. «Sta male, ma... senza offesa, penso che forse sia meglio così. Per entrambi. Il college è un cambiamento enorme. E voi due...» Schioccò la lingua. «Penso di poter dire che di tanto in tanto le cose sono diventate un po' troppo intense. Non penso sia un male che abbiate entrambi un po' di spazio per capire alcune cose per conto vostro.»

"Intense" era un eufemismo.

Ma June sembrava parlare con cognizione di causa, e non avevo motivo di controbattere, specialmente perché non mi ero opposta alla rottura, perciò mi limitai ad annuire.

«E ovviamente lo sai che, qualunque cosa accada, sei sempre parte della famiglia, Elle.»

«Sì, lo so. Grazie, June.»

Mi strinse di nuovo la mano, e io le sfiorai il braccio con il mio.

«E... Elle.»

Oh, no. Era tornata seria. E ora?

«Ti dispiace se ti chiedo una cosa?»

Speravo davvero che non si trattasse di Noah. Avevo l'impressione che me l'avrebbe chiesto comunque, ma annuii e dissi: «Certo. Chiedi pure».

«Vuoi davvero andare ad Harvard?»

Feci un lungo sospiro, e mi sorpresi quando si trasformò in una risata. «Vuoi una risposta onesta? Non lo so proprio. Noah non aveva torto quando ha detto che ho fatto domanda per capriccio, e ora mi dispiace aver rinunciato a Berkeley e a Lee…»

«Il punto è» disse June lentamente e con cautela «che in tutto questo tempo, quando parlavi del college, non ti ho mai sentita parlare di che cosa vorresti studiare, o di che cosa ti abbia fatto scegliere una scuola o l'altra. So che Berkeley ti ricorda tua mamma, e ovviamente ad Harvard c'era Noah, ma… mi domando se tu abbia fatto domanda in queste scuole perché era quello che pensavi che gli altri si aspettassero da te e non perché fosse qualcosa che volevi per te stessa. Va benissimo fare domanda in una scuola per via delle persone che ami, tesoro, ma voler bene a Lee e a Noah non ha niente a che vedere con ciò che vuoi fare della tua vita.»

Berkeley era sempre stata la scuola dei miei sogni. Non era troppo lontana ed era la scuola delle nostre mamme, e… come aveva detto Noah, era lì che io e Lee avevamo sempre detto di voler andare, sin da quando eravamo stati abbastanza grandi da capire che cosa fosse il college.

Harvard, d'altro canto, era la scuola dei sogni di tutti. Non avrebbe dovuto essere abbastanza?

«Noah ha detto una cosa simile» confessai.

June sorrise come se non fosse sorpresa di sentirlo, e mi chiesi se ne avessero parlato, se avessero parlato di me.

«Forse è il momento che tu inizi a pensare a che cosa vuoi tu, Elle. Che cosa ti serve. Scopri che cosa ti appassiona e scegli una scuola che vada bene per te. Tutto il resto... be', ci puoi pensare dopo. Se è così importante, andrà a posto.»

«Lo pensi davvero?»

June mi rivolse un sorriso ampio e caloroso. «Ne sono certa.»

Dovetti distogliere lo sguardo da lei, e mi chinai sul caffè. Come poteva essere così sicura? Avevo passato settimane – mesi – a tormentarmi sulle domande per il college. Mi ero quasi fatta venire una crisi d'ansia, e Levi era dovuto venire a calmarmi. Volevo andare al college, questo lo sapevo.

Ma June aveva ragione, proprio come Noah. Non avevo fatto domanda in nessuna scuola che avessi scelto solo per me stessa.

Lee era già sceso a patti con l'idea di andare al college senza di me. Io e Noah ci eravamo lasciati. Forse era davvero ora di essere egoista e scegliere qualcosa che andasse bene per me e per il futuro che desideravo, senza prendere in considerazione i fratelli Flynn.

Se non che...

«Sembra davvero un ottimo consiglio» dissi a June «ma c'è un problemino.»

«Di che si tratta, tesoro?»

«Non ho la minima idea di che cosa mi appassioni.»

June rise e bevve un sorso di caffè. «Oh, ci arriverai, tesoro. Non dico che tu debba decidere immediatamente che cosa vuoi fare nella vita... Dio solo sa che tua madre e io non ne avevamo idea, e lei ha fatto domanda per trenta posti di lavoro diversi prima di trovarne uno che la ispirasse. Ma vale la pena pensare a che cosa ti piacerebbe fare: lavorare con i bambini, gestire un'impresa, giornalismo…» June si appoggiò allo schienale e mi scrutò pensierosa. «Ti vedrei a fare qualcosa di creativo. Qualcosa di folle. Guarda che cosa avete tirato su con lo stand dei baci! Tutta la faccenda della lista! Per non parlare del giorno della corsa!»

Toccò a me ridere a quel punto.

«Insomma, pensi che potrei costruirmi un lavoro con Mario Kart?»

«Ehi, non si sa mai. Sono capitate cose più bizzarre.»

34

I nostri ultimi giorni nella casa sulla spiaggia furono strani: alternammo giornate terribilmente tristi ad altre in cui cercavamo di godercela fino all'ultimo. Passammo ore e ore a imballare cose in giro per casa in un silenzio quasi totale, e la nostra ultima notte organizzammo un banchetto sulla spiaggia, che finì con Amanda che faceva il bagno senza vestiti, pentendosene immediatamente. Strillò che si stava "congelando il culo" e corse verso casa completamente nuda.

L'ultima mattina fu davvero triste.

Mi alzai dal letto prima di chiunque altro e andai a prepararmi la colazione, attenta a non disturbare Noah, che dormiva sul divano.

In piedi in cucina, senza neanche sentire il gusto dei cereali che stavo mangiucchiando, mi guardai intorno.

Sembrava tutto così sbagliato.

Gli armadi erano quasi vuoti. C'erano scatoloni impilati, mezzi pieni, in attesa di essere sigillati. I divani sembravano nudi senza il solito assortimento di vecchi cuscini e coperte. Noah aveva portato via la TV due giorni prima, lasciando uno spazio vuoto sulla parete. Avevamo lavato i pavimenti fino quasi a consumarli, ma non mi erano mai sembrati così vecchi e frusti. E nonostante i nostri tentativi di fare attenzione, c'era di nuovo un sacco di sabbia in giro. Tutte le pareti erano state ridipinte. Sembravano troppo pulite, troppo luminose.

La casa praticamente scintillava in confronto all'inizio dell'estate. Non l'avevo mai vista in condizioni migliori. Mai così linda.

Nonostante l'arredamento vecchio e un po' sfondato, aveva un certo fascino.

Lo detestavo. Era sbagliato, tutto sbagliato. Come se avessero portato via la vita e l'anima da ogni stanza.

La vendita sarebbe diventata effettiva in tre giorni. In giornata avremmo portato via gli scatoloni, l'indomani, qualcuno sarebbe venuto a traslocare i mobili. Poi Matthew e June avrebbero consegnato le chiavi.

Il suono di passi attutiti che si avvicinavano nel corridoio mi distrasse dai miei pensieri. Alzai lo sguardo e vidi Rachel, già vestita, con i capelli leggermente arricciati intorno alle spalle. Mi fece un cenno di saluto e mormorò: «Ciao».

«Ehi.»

Mi spostai di lato per lasciare che si prendesse da bere. «Non fai colazione?»

Rachel scosse la testa. «No. Penso che tornerò a casa. Sinceramente non ho molto appetito. Ho messo le mie cose in valigia già ieri e porto via un po' di questi scatoloni. Ce ne sono così tanti.»

La guardai sorpresa. «Non ti fermi ad aiutarci con le ultime cose? Voglio dire, non sei obbligata, assolutamente. Insomma, non è una tua responsabilità e sei già stata di grande aiuto.»

Fece una risatina leggera, e scrollò una spalla indicando gli scatoloni. «È già quasi tutto imballato, ormai. E comunque, hai ragione: questo posto non ha niente a che vedere con me. Vi meritate l'opportunità di dire addio con calma. Non voglio essere tra i piedi.»

C'erano stati momenti in cui Rachel era stata esattamente "tra i piedi", per quanto mi riguardava. Volevo passare del tempo con Lee ma no, lui stava con Rachel. Pensavo che saremmo usciti solo io e gli altri ragazzi e invece no, c'era Rachel, e le sue amiche con lei.

D'altra parte, però, nell'ultimo anno, da quando si era messa con Lee, era diventata un pezzo anche della mia vita.

«Non saresti tra i piedi.»

Rachel sorrise con tale emozione negli occhi che mi chiesi se sapesse che non parlavo solo di quel giorno. «Grazie, Elle. Ma penso che sia una cosa che voi tre dovreste fare da soli.»

«Ben detto.»

Sobbalzammo entrambe, stupite, e trovammo Amanda sorridente. Aveva i capelli crespi da un lato e lisci dall'altro, dove si era appoggiata per dormire dopo il bagno nuda. Aveva gli occhi un po' arrossati. Non l'avevo mai vista così lontana dalla sua solita perfezione.

Ma comunque non mi spiegavo come potesse sembrare carina anche in un vecchio e consunto pigiama di Harry Potter, il logo ormai quasi del tutto sbiadito.

«Sono d'accordo con Rachel» disse. Si mise a rovistare in cucina, esaminando il cibo rimasto e andando in cerca di utensili. Io guardai Noah, ma era ancora profondamente addormentato, ignaro del rumore. «Ne parlavamo proprio ieri. Oh, mannaggia, dov'è lo zucchero in polvere?»

«Il cosa?»

«Lo zucchero... oh, insomma, come lo chiamate? Lo zucchero a velo!»

«Dovrebbe essere in quella borsa.»

«C'è tutto per fare il french toast tranne il maledetto zucchero in polvere.» Amanda si diresse verso la borsa che avevo appena indicato e ci rovistò dentro. «Comunque, io e Rachel ne parlavamo ieri. Pensiamo che dovremmo toglierci dai piedi e lasciare che voi tre abbiate un po' di tempo per dire addio a questo posto. Non siamo noi ad aver passato qui tutte le estati della nostra vita. E poi mio padre torna a casa oggi. Gli ho detto che sarei andata a salutarlo prima che andasse all'aeroporto. Oh, dov'è il mio telefono?»

Posando lo zucchero a velo, Amanda andò a cercare il cellulare e Rachel si voltò di nuovo verso di me.

«So che non abbiamo avuto modo di parlare della faccenda... tra te e Noah, ma... stai bene?»

Avrei mentito se avessi detto che non era strano, averlo intorno e non poterlo coccolare o baciare. Non poterlo sfiorare passando, o scambiarci sorrisi. Entrambi ci stavamo impegnando a fondo per non ricascare nel nostro solito modo di flirtare e bisticciare. Lo avevo sorpreso a guardarmi un paio di volte, quando pensava che non me ne sarei accorta; sicuramente anche lui aveva fatto lo stesso con me.

Pensandoci in quel momento, però, dissi a Rachel con onestà: «Sono stata peggio».

«Mi dispiace che non abbia funzionato, Elle.»

Invece di rispondere, scrollai le spalle svogliatamente. Dispiaceva anche a me.

Rachel mi strinse in un abbraccio travolgente, così forte e improvviso che mi fece inciampare all'indietro. Ridendo, le restituii l'abbraccio. «E questo per che cos'è? L'estate non è mica finita. Ci vedremo ancora.»

«Lo so» rispose, e fui sciocata di vedere che aveva le lacrime agli occhi quando si ritrasse. «È solo che... so che sono stata qui solo quest'estate, ma lasciare questo posto sembra veramente la fine di tutto. Non credi?»

Mi si strinse la gola. «Già. Direi proprio di sì.»

«Ci vediamo, Elle.»

La sentii andare da Amanda nel corridoio e scambiare con lei un breve saluto.

«Io torno a casa dopodomani» mi disse Amanda. «Prendo l'aereo con mia mamma. Papà ha deciso che non potevano neanche trovarsi nello stesso aeroporto per un paio d'ore, perciò...» Sospirò, con gli occhi pieni di lacrime, ma sbatté le palpebre velocemente per allontanarle. «Va tutto bene. Davvero. Si riprenderanno entrambi una volta che la faccenda sarà sistemata. Il divorzio, intendo. Pensi che sia brutto che io sia contenta di essere ad Harvard l'anno prossimo, molto lontana da tutto?»

«Sembra esattamente ciò di cui hai bisogno» le dissi. «Mi dispiace che sia così difficile tra te e loro in questo momento.»

«Non ci posso fare niente. Andrà tutto a posto. Prima o poi.»

Prese dei cereali, avendo apparentemente dimenticato il french toast. Forse aveva anche perso l'appetito.

«Sembra così strana la casa, vero? Senza tutta la vostra roba.»

Annuii. «La riconosco a malapena.»

Restammo in silenzio. Sciacquai la mia scodella vuota e rimisi a posto le pentole e lo sbattitore che Amanda aveva tirato fuori. Non riuscì nemmeno a finire i cereali che aveva nella scodella.

«Io... Ho sentito che Rachel ti ha parlato di te e Noah. Elle, so che non spetta a me dirtelo e non so se questo possa aiutarti o meno, ma... so quanto ti amava. So quanto sia stato difficile per lui lasciarti andare così.»

Lasciarmi andare. Come se avesse fatto chissà che nobile gesto. Come se avessi avuto bisogno che lui facesse una cosa simile per me.

Poi mi resi conto che forse non lo aveva fatto per me. O almeno, non solo per me.

Lo aveva fatto per sé stesso.

Qualunque risposta fossi stata sul punto di lanciare ad Amanda, mi morì sulla lingua e ingoiai di nuovo le mie parole. «Già. Sì, lo so. È stata dura anche per me. Ma come ha detto lui, forse amarsi non è abbastanza.»

«Forse no.» Mi strinse la spalla. «So che domani lavori e hai impegni con la tua famiglia, perciò non so se ci vedremo prima che io vada all'aeroporto. So che abbiamo... *ehm*... penso di poter dire che non siamo partite con il piede giusto, ma sono davvero contenta di averti conosciuta meglio, specialmente quest'estate. E penso davvero che tu sia in gamba, Elle Evans, perciò anche se le cose tra te e Noah sono un po' strane, al momento, restiamo in contatto. E passeremo del tempo insieme l'anno prossimo, no? Quando sarai ad Harvard.»

Le feci un sorriso imbarazzato e decisi di rimandare quella conversazione a un'altra volta. Ero davvero commossa dalle sue parole, e Amanda era proprio una buona amica, anche dopo tutto quello che era successo al Ringraziamento.

«La prossima volta che sarò a Boston» le dissi «ti verrò a cercare.»

Con la casa sulla spiaggia quasi spoglia, Rachel aveva ragione: sembrava la fine di tutto.

La porta d'ingresso era aperta, e Lee e Noah facevano avanti e indietro per caricare le auto di scatoloni o sacchi neri, che avevamo usato per imballare le lenzuola e le coperte quando ci eravamo accorti di non avere più scatoloni.

Lasciai la tavernetta dopo aver dato un'ultima occhiata per assicurarmi che non avessimo dimenticato nulla, neanche il tappo di una penna, e rimasi in piedi in corridoio con uno scatolone vuoto, a osservare la parete di foto incorniciate.

Con un sospiro tremante lasciai vagare lo sguardo, ammirando ciascuna foto. Sapevo che non le avremmo buttate via, ma sapevo anche che June non aveva intenzione di ricreare la galleria a casa propria.

Tutte le nostre vite, qui su questa parete.

Guardai a una a una le foto di noi che crescevamo. Brad appena nato, Brad all'asilo... fino a Brad, a dieci anni, che teneva in mano una medusa e sorrideva al fotografo, Noah inginocchiato accanto a lui e June con un sorriso rigido, intimidita dalla creatura. Mio papà con il braccio intorno alle spalle di mia mamma, poi senza di lei e con le rughe sul viso, e poi senza più i segni del lutto a mano a mano che passavano gli anni. Matthew e June quell'estate in cui erano stati particolarmente freddi l'uno con l'altra...

E ogni anno una foto di me, Lee e Noah. Noi tre giù alla spiaggia, l'inizio dell'estate, il Quattro Luglio, la fine dell'estate, un giorno a caso che significava tutto e niente... ogni estate delle nostre vite, immortalata su quella parete.

Allontanai le lacrime sbattendo le palpebre, e tirai su col naso.

Per quel giorno avevo deciso che non avrei pianto.

(Lee lo aveva fatto. Diverse volte. Io e Noah gli avevamo portato dei fazzolettini ogni volta, oppure della carta igienica, quando ci accorgemmo di aver imballato anche l'ultima confezione di Kleenex.)

Sentii un rumore in corridoio e distolsi lo sguardo per vedere Noah che usciva sul portico. Stirò le braccia sopra la testa e fece scrocchiare il collo. Lunghe gambe muscolose, uno spiraglio di pelle sugli addominali scolpiti quando si sollevò la maglietta. I suoi capelli brillavano al sole.

Lee lo oltrepassò con l'ultimo scatolone e si fermò a dirgli qualcosa. Lee, con il suo sorriso dispettoso, gli occhi che sembravano danzare, così simile a Noah e così diverso, con i capelli scompigliati e il naso arrossato dal sole.

Ecco fatto. In un batter d'occhio, erano cresciuti. Tutti noi eravamo cresciuti. Con l'autunno e il college, nuovi inizi e nuove avventure all'orizzonte, quella gloriosa estate dorata stava finendo.

«Ehi» esclamai, e i fratelli Flynn che avevo amato in modo così profondo eppure così diverso si voltarono a guardarmi. «Che ne dite di un'ultima foto?»

35

Avevamo ancora tempo prima che l'estate finisse, ma non molto.

Con la casa sulla spiaggia ormai alle nostre spalle, sembrava il giorno giusto per concludere le faccende in sospeso. Era ancora presto quando arrivai a casa. C'erano due auto nel vialetto: quella di papà e una blu scuro e lucida che immaginai appartenesse a Linda.

Li trovai tutti e tre a chiacchierare in salotto. Brad saltava qua e là raccontando una storia, sul tavolino c'era un piatto di snack smangiucchiati e bicchieri vuoti e un mazzo di carte, un gioco abbandonato.

«E poi, *pchwwwww!*» Brad fece una smorfia e agitò le braccia. «L'ha spedita fuori dal parco!»

Linda esclamò: «Wow! Incredibile!»

Papà rideva, poi mi vide sulla soglia. «Elle! Pensavamo ci avresti messo ancora un po'. Avete finito in fretta?»

Annuii.

Si fece serio: «Tutto a posto, piccola?»

«Certo. Certo che sì. Ciao, Linda. Ciao, Brad. *Ehm*, potrei... papà, posso parlarti un attimo? In cucina?»

Fece uno sguardo come se si aspettasse delle cattive notizie. Lo stomaco mi scoppiettava, come se avessi ingoiato dei sali da bagno che non smettevano più di frizzare. Giocherellai con le mani e sentii il sospiro di mio padre quando mi seguì in cucina e chiuse la porta.

«Di che cosa si tratta?» mi chiese, serio.

«Del college.» Presi un sospiro profondo. Quello era il giorno giusto in cui dire addio alle cose e guardare oltre. Era il giorno in cui mettere tutto a posto. O almeno, il più possibile. Chiusi gli occhi per un secondo per calmarmi, poi sostenni lo sguardo serio e preoccupato di papà prima di lanciarmi nel discorso che mi ero preparata in macchina.

«Ho deciso... di non andare ad Harvard. So che sarai deluso, ma ho preso la mia decisione. Non avevo scelto Harvard per i giusti motivi e non penso di aver mai voluto davvero andarci. E lo stesso valeva con Berkeley: non era stata una mia scelta... Dopo aver riflettuto a lungo, mi sono informata, e ho fatto domanda alla University of Southern California, per studiare design di videogiochi. Posso iniziare in autunno. So che Berkeley e Harvard sono ottime scuole, ma... penso davvero che sia ciò che voglio fare, e la USC è la miglior scuola del Paese per questa specializzazione. E poi, ho già parlato con May e posso continuare a lavorare da Dunes mentre studio, e posso tornare a casa a dare una mano quando serve, in base agli orari delle lezioni. Ho cercato di pensato a tutto.»

Ci furono diversi lunghi e terribili minuti di silenzio quando finalmente mi fermai per riprendere fiato. Papà sbattè le palpebre come un gufo dietro gli occhiali, con la bocca aperta.

Mi morsi il labbro, spostando nervosamente il peso da

un piede all'altro. «Papà? Dai, papà, di' qualcosa. So che non era quello che ti aspettavi.»

«Direi!» mi interruppe, scoppiando a ridere e cogliendomi del tutto di sorpresa. Sospirò e scosse la testa. «Elle, con la faccia che hai, così seria... pensavo che mi volessi dire che eri incinta! Gesù!»

«Oddio, no!» Ero diventata paonazza.

Posandomi le mani sulle spalle, mi disse: «Piccola, ascolta. Ovviamente sono fiero di te perché sei entrata ad Harvard, ma devi andare al college che pensi sia meglio per te. Ecco, se non avessi voluto andare al college in assoluto... be', non sarei stato contento, ma comunque rimane una tua scelta, giusto? La USC è un'ottima scuola. E design di videogiochi... be', insomma... sembra proprio adatto a te.»

«Allora... non sei arrabbiato perché rinuncio ad Harvard?»

«Ma certo che no. Anche se ci sarà da ridere a raccontarlo in ufficio. Potrei essermi vantato... Un sacco!»

Scoppiai a ridere, e sentii tutto il corpo rilassarsi per il sollievo. Da quando avevo parlato con June, avevo iniziato a pensarci, e dopo che lei mi aveva messo in testa quell'idea ridicola di costruirmi una carriera su Mario Kart, non ero riuscita a togliermela dalla mente. Mi aveva fatto emozionare per il college in un modo che fino ad allora non avevo mai provato.

A Lee sarebbe piaciuto da matti, soprattutto perché saremmo stati entrambi in California, e sarebbe stato molto più facile vederci.

«Non è solo perché io e Noah ci siamo lasciati» dissi a

papà. «Non penso di essere mai stata del tutto convinta dell'idea di lasciarvi da soli ad arrangiarvi. E so che ora avete Linda, ma...»

«Oh, piccola. Vieni qui.» Mi strinse in un abbraccio e rise di nuovo. «Siamo perfettamente in grado di arrangiarci da soli, ma sarà bello averti con noi di tanto in tanto. Sono davvero fiero di te, lo sai?»

«Anche se ho rinunciato ad Harvard?»

«Soprattutto perché hai rinunciato ad Harvard.»

Levi non rispondeva ancora alle mie chiamate, perciò tirai fuori il coraggio e lo chiamai a casa. Suo papà rispose con un allegro: «Elle! È da un po' che non ci sentiamo! Come vanno le cose?»

Mi disse che Levi era al lavoro, perciò dopo aver cenato con Linda e la mia famiglia salii in macchina e mi diressi al 7-Eleven.

Eccolo là, dietro al bancone, chino sul telefono: non alzò lo sguardo nemmeno sentendo entrare un cliente.

Afferrai il pacchetto di caramelle più vicino e mi avvicinai alla cassa. Feci scivolare le caramelle sul bancone e mi schiarii la gola. Levi alzò lo sguardo e spalancò gli occhi, iniziando a balbettare.

«Vengo in pace» dissi.

«Elle. Io... io non... che ci fai qui?»

«Vengo a trovare uno dei miei migliori amici perché mi evita da circa un mese.»

Levi arrossì fino alle orecchie e distolse lo sguardo. «Mi dispiace. Pensavo...»

«Oh, hai fatto un gran casino» gli dissi, con un sorriso

e un cenno di assenso. «Ma sei comunque un mio amico, e ti voglio sempre bene. Anche se sei un grandissimo idiota.»

«Ho sentito che tu e Noah vi siete lasciati» mormorò.

«Non è assolutamente per questo che sono qui.» Mi accorsi di quanto fosse duro il mio tono di voce e sobbalzai. «Scusa. Non volevo… deluderti, o niente del genere.»

«No! No, intendevo solo… spero che non sia per colpa mia. È anche per questo che ti evitavo. Pensavo che mi odiassi perché… se ho rovinato le cose e causato problemi tra voi due…»

«Non lo hai fatto» lo rassicurai. «Penso che sarebbe finita così in ogni caso, sai. Tra me e Noah. Va bene così.»

(Non andava ancora bene, ma quasi.)

Levi annuì lentamente, incerto.

Erano settimane che non ci parlavamo, perciò decisi di non sprecare tempo con la delicatezza o girando intorno al problema. «Hai ancora una cotta per me?»

Sorrise. Un sorriso piccolo, stanco, sbilenco. «Penso che avrò sempre una piccola cotta per te, Elle.»

«Be', se puoi tenerla sotto controllo e non baciarmi più, mi piacerebbe davvero tanto tornare a essere amici. Mi manchi. Ma capisco se… se per te è troppo difficile…»

«Troppo difficile starti vicino?» Levi si illuminò e rovesciò la testa all'indietro in una risata. «Ho detto che ho una cotta per te, non che le tue arti di seduzione sono talmente irresistibili da rendermi creta nelle tue mani, pronto a baciare la terra che calpesti. Non esageriamo! Sono stato tuo amico per tutto l'anno passato. Anche tu mi manchi.»

«Le mie arti femminili?» ripetei, cercando di non ridere.

Levi fece una smorfia e piegò la testa di lato, fingendo di riflettere. «Non sono eccezionali, mi spiace dirtelo.»

Mi portai una mano al cuore. «Come potrò mai riprendermi da un simile insulto?»

«Oh, sono certo che a Boston avrai modo di distrarti e non pensarci più.»

«In realtà… non ci andrò.»

Spiegai a Levi tutta la faccenda, fermandomi un paio di volte all'arrivo di veri clienti che avevano bisogno di assistenza. A un certo punto venne il capo a dirgli che avrebbe dovuto tenere la sua vita personale fuori dal posto di lavoro. Così, me ne andai poco dopo, ma non prima di aver programmato di passare del tempo insieme entro qualche giorno, quando fossimo stati entrambi liberi.

Levi mi era davvero mancato in quelle ultime settimane, ed ero contenta di aver finalmente chiarito le cose. Mi sarebbe dispiaciuto troppo perdere la sua amicizia, specialmente visto che sarei rimasta in California per il college.

Avrei raccontato la novità anche a Lee, ben presto. Gli avrebbe fatto bene qualcosa per tirarsi su il morale ora che la vendita della casa sulla spiaggia era stata conclusa, e questo sicuramente avrebbe funzionato. Quanto a Noah… avrebbe capito, e non penso che si sarebbe sentito in colpa. Era troppo intelligente.

L'anno precedente, la distanza tra noi era stata terribile; questa volta, invece, era esattamente ciò di cui avevamo bisogno.

Sapevo che avrei dovuto sentirmi peggio di così. Sapevo che avrei dovuto essere delusa e triste e avere un vuoto nel petto perché tutto stava finendo. Ma a un certo punto, quella sensazione mi era passata. Semmai, mi sembrava che finalmente tutto stesse andando a posto.

36

«Eccoti qui!» gridò Lee.

Fece cadere il borsone, attraversò la strada di corsa e si lanciò addosso a me, stringendomi in un abbraccio e sollevandomi da terra. Scoppiai a ridere quando mi posò. Gli scostai i capelli dal viso.

«Non credevi mica che ti avrei lasciato partire senza salutarti, vero?»

Mi fece un sorrisone, con uno scintillio negli occhi blu.

«Pensavo fossi al lavoro!»

«Sì, be', May mi ha lasciata uscire prima, per poterti salutare. E mi ha chiesto di darti questo...»

Aprii la borsa ed estrassi un foglio di carta. Un certificato su cui era stampato il logo di Dunes, firmato da May, che dichiarava che Lee Flynn era...

«Miglior Dipendente del Mese!» lesse a voce alta, e scoppiò in una risata. «Ah, che meraviglia. Abbracciala da parte mia, per favore! E dille che lo metterò in bella vista sulla parete della mia camera, al college. Voglio che lo sappiano tutti!»

«Sapessi com'è contenta che finalmente tu ti tolga dai piedi. Il dipendente che non è mai stato assunto.»

«Il miglior non-dipendente che abbia mai avuto» concordò. Avevamo passato talmente tanto tempo insieme di recente che mi aveva anche accompagnata al lavoro, e a differenza del capo di Levi che non era mai contento di vedermi, May si limitava ad alzare gli occhi al cielo quando Lee veniva al ristorante, dove finiva sempre per mettersi a dare una mano.

Ci avviammo verso l'auto dei suoi genitori, carica di scatoloni e borse, pronta per accompagnare Lee nel nuovo dormitorio. Noah era tornato a Boston un paio di giorni prima. «Allora, tutto pronto?»

«Tutto pronto» confermò. «Insomma, ho già in programma di tornare il prossimo week-end, per prendere la mia macchina e tutto quello che potrei aver dimenticato. Ehi! Ehi, potresti venirmi a prendere? Ti faccio vedere il posto, ti presento chiunque incontrerò in questa settimana.»

Gli sorrisi. «Mi piacerebbe molto.»

Per un secondo rimanemmo lì impalati a sorriderci, poi Lee sospirò e la sua espressione si incupì. Mi prese la mano tra le sue. «Mi sembra così strano partire senza di te.»

Era strano anche per me. Sapevo che era sciocco perché non andava poi così lontano, e ci saremmo visti in continuazione, ma... fino ad allora avevamo passato a malapena un paio di giorni senza vederci.

Lee si era commosso abbastanza per tutti e tre quando avevamo svuotato la casa sulla spiaggia. Ero stata decisa a non piangere quel giorno, ed ero decisa a non farlo nemmeno oggi.

Ma la mia determinazione vacillò, e gli occhi mi si riempirono di lacrime. La mia voce si incrinò.

«Mi mancherai così tanto, Lee Flynn. Devi promettermi di chiamare tutti i giorni.»

«Giurin giurello.»

«E mi chiami su FaceTime quando hai finito di disfare i bagagli, per mostrarmi la tua stanza?»

«Assolutamente.»

Tirai su col naso e cercai di fare qualche respiro. Una lacrima sfuggente scivolò sulla guancia di Lee. Lo strinsi in un ultimo abbraccio. «Ti voglio bene.»

«Ti voglio bene anche io, Shelly.»

Ci separammo e Lee si schiarì la gola bruscamente, gonfiando il petto e scuotendo la testa.

Sua mamma gli gridò da dentro la macchina: «Lee! Hai caricato lo scatolone con le cose per pulire? Non l'ho ancora visto». Mi fece l'occhiolino e disse: «Devo tornare dentro a prenderlo. Mi prometti che resterai qui per salutarmi mentre parto?»

«Non ti libererai di me tanto facilmente.»

Avevamo preso in considerazione l'idea che anch'io lo accompagnassi quel giorno. Sarei stata la benvenuta, e avremmo potuto dirci addio con le lacrime agli occhi nella sua nuova stanza al dormitorio, ma alla fine avevamo deciso che sarebbe stato meglio così. Io e Lee eravamo andati a Berkeley insieme la settimana prima, avevamo visitato un paio di posti che ci aveva consigliato Ashton, e ci era bastato. Andare a Berkeley non era più una cosa tra noi due. Era un'avventura tutta di Lee. Oggi era la sua giornata.

Lee scomparve dentro casa e June scese dall'auto per venirmi incontro, dopo aver dato a Matthew severe istruzioni su come risistemare alcuni scatoloni nel baule.

«Ehi, tesoro. Come stai?»

Mi strinse in un breve abbraccio caloroso, poi mi allontanò un poco per esaminarmi a fondo.

«Starò bene» le risposi. Perché, in effetti, sentivo che sarebbe andata così.

June annuì, poi sorrise e abbassò il braccio. «Siete cresciuti tanto... Mi ha fatto promettere di non piangere, sai, ma penso che tutti sappiamo che lo farò. E lo sai che se ti serve una mano a comprare delle cose per il college o per traslocare, basta fare un cenno. Noi ci siamo. Io e Matthew siamo contenti se possiamo aiutarti.»

«Grazie, lo so. Ma sono a posto, io e papà abbiamo tutto sotto controllo. E Linda verrà con noi domani a fare compere.»

Il fatto che Linda venisse con noi era stata una mia idea, in effetti. Non era poi così male, alla fine. E aveva un ottimo gusto (e un talento per gli sconti). D'altronde, vedevo quanto si stava impegnando per me, ed era ora di restituirle il favore.

«Oh! E volevo dirti che alla fine abbiamo sistemato ogni cosa: tutte le scartoffie, eccetera. Abbiamo dovuto restituire la caparra, ma ora è tutto a posto. La casa sulla spiaggia rimarrà ufficialmente della famiglia Flynn.»

«Ma è una notizia fantastica» esclamai, con un sorriso. «Sono contenta, June.»

«E tutto grazie a te. Anche a me dispiaceva perdere quel posto, ma... a quanto pare, avevo bisogno di una spintarella nella direzione giusta, vero?»

Il giorno dopo aver lasciato la casa sulla spiaggia, avevo fatto stampare e incorniciare la foto di me, Noah e

Lee in spiaggia, l'ultima foto di noi tre e delle estati alla casa sulla spiaggia, e l'avevo portata a June e Matthew.

A Matthew si erano riempiti gli occhi di lacrime, ed era uscito dalla stanza.

June aveva guardato me e poi lo scatolone pieno di foto, inclusa quella che le avevo appena portato, e aveva chiamato i traslocatori per fermarli.

Non era stato facile, ma erano riusciti ad annullare la vendita e tenere la casa.

Sapevo che tutti dovevamo staccarci, crescere e andare avanti, ma ero davvero felice che per farlo non dovessimo perdere la casa sulla spiaggia.

Aiutai tutti e tre a finire di caricare la macchina.

Lee abbassò il finestrino. Il sedile posteriore accanto a lui era carico di cuscini, piumoni, e del suo zaino. «Meno male che non sei venuta anche tu. Non ci sarebbe stato spazio per te.»

«Meno male» ripetei. «Chiamami più tardi, okay?»

«Sì, certo. Te l'ho promesso, no?» Sorrise. «Ehi! Quando arrivi a casa, controlla il garage. Ti ho lasciato un regalino d'addio.»

«In garage?»

Lee sorrise e mi diede un pizzicotto sul naso. Feci un passo indietro e gli mandai un bacio, poi rimasi a guardare mentre l'auto si allontanava verso Berkeley.

Solo perché stavamo crescendo, non voleva dire che dovevamo allontanarci. La mia relazione con Noah era finita, ma la mia amicizia con Lee sarebbe durata per sempre, qualunque cosa fosse accaduta, ovunque la vita ci avesse portati.

Se c'era una cosa nella vita su cui potevo contare, era questa, era lui.

Quando furono scomparsi alla vista, tornai a casa.

Quante migliaia di volte nel corso degli anni avevo percorso la strada da casa mia a quella di Lee? Avrei potuto farlo bendata.

E mi chiesi quando l'avrei fatto di nuovo.

Tornai a casa e la trovai vuota. Presi le chiavi del garage e spalancai la porta. Lì in mezzo, fiera di occupare tutto quello spazio nella sua gloriosa, arrugginita, scassata livrea rosa e blu, c'era la nostra Dance Dance Mania della sala giochi.

«Non ci credo» sussurrai, entrando lentamente, con riverenza. «Oh, Lee, non ci credo.»

C'era un biglietto attaccato allo schermo, e lo staccai per leggerlo.

SHELLY, FINO AL NOSTRO PROSSIMO BALLO. IL TUO MIGLIORE AMICO PER SEMPRE. LEE

Strinsi il biglietto al petto, con gli occhi di nuovo pieni di lacrime, e passai una mano sul vecchio videogioco.

Tipico di Lee.

Epilogo

—

L'aria era carica di risate e tutto intorno a noi gorgogliavano le chiacchiere. *Ding* e *whooops* elettronici risuonavano di tanto in tanto. Una palla colpì con forza un tabellone di legno, seguita da uno *splash* e un coro di tifo quando un insegnante piombò nella piscina. L'erba era schiacciata nel terreno da centinaia di piedi e il sole ci batteva sulla testa. La musica usciva dagli altoparlanti poco lontano, ma si sentiva a malapena, nel caos generale.

Una mano mi strinse il braccio e mi fece voltare, e un viso che conoscevo meglio del mio mi sorrise. «Eccoti qui!»

«Ehi, ragazzi!» Abbracciai Lee e Rachel, come se non li avessi visti appena un paio di giorni fa, o videochiamati la sera prima per essere sicura che fossimo ben organizzati per oggi.

Rachel si guardò intorno, stupefatta. «Non riesco a crederci... pensavo che sarebbe cambiato molto di più.»

«È cambiato» le dissi. «Hanno comprato un nuovo castello gonfiabile quest'anno.»

Ma capivo esattamente che cosa intendesse. Lo avevo percepito anche io. Tornare lì era stato come entrare in un sogno.

L'annuale Fiera di Primavera. La nostra scuola la organizzava ancora, dopo tutti quegli anni. Stavolta raccoglievano fondi per un'organizzazione che si occupava di cambiamenti climatici. Molti degli stand erano gli stessi che conoscevamo anche noi: i ragazzi pescavano le stesse papere di gomma dalla piscina che usavamo anche noi.

Erano passati sei anni da quando ci eravamo diplomati. Sei anni da quando eravamo stati lì tutti insieme.

Ero tornata un paio di volte. Incontri con i professori di Brad a cui papà e Linda non potevano partecipare, e avevano chiesto a me. Quelli sì che erano stati strani, ma essere alla fiera oggi era una cosa completamente diversa.

Sei anni, e Lee e Rachel erano riusciti a resistere per tutto quel tempo. Rachel era tornata a casa dopo essersi laureata alla Brown. Lei e Lee erano andati a convivere. A Capodanno, Lee le aveva chiesto di sposarlo.

Io non avevo un anello di fidanzamento (e nemmeno un fidanzato, se è per questo) ma avevo un appartamento tutto mio, poco distante da loro. Vicina alla mia famiglia, vicina a Lee, e abbastanza vicina al lavoro da poterci andare a piedi.

«Allora, dov'è Brad?»

«Probabilmente si sta ingozzando di zucchero filato.» Alzai gli occhi al cielo. «Quel ragazzo è il sogno di ogni dentista... O l'incubo, a seconda dei punti di vista. Deve farsi fare un'altra otturazione, sapete.»

«Si sta godendo la vita» dichiarò Lee.

Rachel gli diede una pacca sul torace prima che potessi fare la stessa cosa a mia volta. «Non incoraggiarlo.»

«Buona fortuna per quando avrete dei figli» le dissi. «Lee sarà tremendo. Specialmente ad Halloween, te lo immagini? Anche se a dire la verità probabilmente mangerà lui tutti i dolci prima che i bambini riescano anche solo a vederli. Oh, mio Dio, che strano, vero? Bambini. Voi due potreste avere dei bambini, un giorno. Oddio, eravamo bambini noi un minuto fa.»

«È vero» mi disse Lee con voce piatta. «Perciò smettila, perché sono venuto qui per divertirmi e rivivere la mia infanzia, non per avere una crisi esistenziale.»

«Hai ventiquattro anni» sbuffò Rachel.

«Esatto. Ormai sono un adulto. E posso avere una crisi esistenziale ogni volta che mi pare, grazie tante.»

«Lee, ti sei mangiato una torta intera a colazione.»

«Be', forse non avresti dovuto comprarla, allora, vero? Così non ci sarebbe stata e io non l'avrei mangiata a colazione.»

Scoppiai a ridere e presi Lee sottobraccio. Certe cose non cambiavano mai.

Iniziammo a esplorare la fiera, e a proposito di cose che non cambiavano mai…

«Oh, mio Dio» esclamai, fermandomi di colpo.

Lee si fermò a sua volta. «Non ci credo.»

Non era possibile.

Appena voltato l'angolo, vedemmo una folla ammassata intorno a uno degli stand. Uno stand che riconoscemmo al volo. La vernice era un po' sbiadita ormai. A vederla, riuscii a sentire lo schizzo di colore che Lee mi aveva spruzzato addosso mentre lo stavamo costruendo. Riuscivo a sentire nelle orecchie le risate di quel pomeriggio.

«*Wow*» sospirò Lee, e mi afferrò il braccio. Gli restituii la stretta.

Perché lì davanti a noi, sette anni dopo, c'era lo stand dei baci.

Sotto i nostri occhi un ragazzo si avvicinò a una ragazza nello stand, le disse qualcosa all'orecchio che la fece arrossire violentemente, poi si chinò e le diede un bacio.

Il mio stomaco fece una giravolta e per un secondo mi sembrò di essere io quella ragazza, con Noah che mi porgeva due biglietti da un dollaro e mi diceva, mentre il cuore mi batteva furiosamente nel petto: «Non ho pagato per chiacchierare con te, sai. Ho pagato per avere un bacio».

Sentii le labbra formicolare.

La coppia nello stand si separò. Il ragazzo disse qualcosa e la ragazza rise, portandosi una ciocca di capelli dietro l'orecchio e annuendo. Si baciarono di nuovo e la folla applaudì.

Non avevo mai scordato il mio primo bacio. Come avrei potuto? Ricordavo ancora la sensazione delle labbra di Noah sulle mie, il loro sapore.

Anche dopo sei anni, era impossibile dimenticare Noah Flynn.

Non tornò a casa quel primo Ringraziamento dopo che ci eravamo lasciati: lo trascorse a Boston con Amanda. Ma tornarono a casa per Natale, perché Amanda faticava ancora a stare con i suoi genitori, impegnati in un duro divorzio. Era stato strano, ma non terribile.

Eravamo rimasti amici. Forse non buoni amici, ma in ogni caso sarebbe stato impossibile sparire completamente l'uno dalla vita dell'altra. Perlomeno avevamo un rapporto amichevole.

Ed ero uscita con altri ragazzi, da allora. Avevo avuto altri fidanzati. Proprio come Noah aveva avuto altre fidanzate.

Ma comunque... Noah era una cosa diversa.

Distolsi lo sguardo dalla coppia nello stand, e i miei occhi si posarono su una sagoma alta che si muoveva tra la folla e veniva verso di noi. Penetranti occhi blu, capelli scuri tagliati corti, una semplice maglietta grigia e jeans che, per una volta, non avevano neanche un filo fuori posto.

«Ce l'hai fatta!» esclamò Rachel, abbracciando Noah per salutarlo, mentre io e Lee ci scambiavamo uno sguardo stupito.

«Ce l'ho fatta» confermò lui, sorridendo e indicando sé stesso. Sorrideva molto più facilmente ora. Era bello da vedere. Incrociò il mio sguardo per un secondo poi abbracciò Lee. «Tutto bene, fratello? È da tanto che non ci vediamo. Ehi, finalmente te lo posso dire per bene, faccia a faccia: congratulazioni per il fidanzamento.»

«*Ehm...* sì. Sì, grazie...»

«Dai» disse Rachel, tirando Lee per un braccio. «Comprami dello zucchero filato.»

«Ma...»

Gli sibilò qualcosa nell'orecchio e lo zittì. Gli lanciai un breve sguardo, un po' disperato, prima che scomparissero entrambi dietro l'angolo. Lasciando me e Noah da soli per la prima volta da anni.

«Ne è passato di tempo, Shelly.»

Scoppiai a ridere. «Oh, ti prego. Pensavo di essermi liberata di quel soprannome una vita fa. *Ehm...* non sapevo che fossi tornato in città.»

«Ho pensato di farvi una sorpresa.»

«Sei tornato a trovare i tuoi genitori?»

Annuì. «In realtà... è per lavoro. La mia ditta sta aprendo una nuova filiale in città e hanno bisogno di un nuovo manager. È da un po' che speravo in una promozione, perciò...» Scrollò le spalle e sollevò le mani, con i palmi all'insù. «A quanto pare tornerò qui.»

«*Wow. Wow.* Una promozione. Manager! Ma è...»

Si trasferiva qui.

E mi stava guardando come...

Come quel giorno nello stand dei baci.

«Ma è fantastico, Noah. Sono davvero contenta per te. Congratulazioni.»

«Anche a te» mi disse. «Lee mi ha detto che hai iniziato a lavorare in una nuova azienda un paio di settimane fa. Uno stipendio migliore, un bel lavoro... ha detto che progetti videogiochi, ora.»

«Esatto! È spettacolare. È una ditta piuttosto piccola, ma hanno dei grandi investitori alle spalle. E ho molta più libertà di creare, e... continuerò a blaterare di quanto adoro la macchina del caffè che abbiamo in ufficio se non mi fermi» dissi, ridendo. Adoravo il posto in cui lavoravo, e siccome era ancora una novità, continuavo a cadere nella trappola di lanciarmi in lodi sperticate con chiunque mi desse retta.

Noah mi sorrise. Un sorriso dolce e lento, che svelava appena la fossetta sulla guancia e gli increspava un pochino il contorno degli occhi.

Il sorriso che mi faceva battere il cuore a mille.

Come poteva avere ancora questo effetto su di me? Dopo così tanto tempo?

Mi stavo comportando in modo ridicolo. Ma lo stand dei baci mi aveva fatto tornare in mente tutti quei ricordi. Mi era venuta un po' di malinconia, ma dal punto di vista di Noah ero solo una ragazza con cui era uscito tanto tempo fa, *che ora era tornata a essere semplicemente la migliore amica di suo fratello.*

Ma il modo in cui mi guardava...

Un tempo conoscevo Noah così bene. E negli ultimi anni non era cambiato tanto da impedirmi di riconoscere quello sguardo.

«Forse potremmo andare a mangiare un boccone dopo la fiera, se non hai da fare. Puoi raccontarmi tutto sulla macchinetta del caffè.»

Dopo sette anni, dopo esserci lasciati due volte, dopo essere andati avanti con le nostre vite e aver trovato la nostra strada... eccoci qui. Di nuovo alla Fiera di Primavera, in piedi accanto allo stand dei baci.

Il cuore mi batteva forte e gli sorrisi.

«Mi farebbe piacere.»

Le guance di Noah arrossirono appena, e vidi che cercava di trattenersi dal sorridere ancora di più. Si accontentò di un sorrisetto storto.

«È un appuntamento, allora.»

FINE

Ringraziamenti

Wow. Insomma... eccoci qui. Cinque libri e tre film, dieci anni dopo il momento in cui tutto ha avuto inizio. Ripensare a quando avevo quindici anni, nel bel mezzo degli esami, e passavo la notte a lavorare sulla storia di Elle per caricarla in segreto su Wattpad, fino ad arrivare a... questo, è stato un gran bel viaggio. Quindi, in primo luogo: grazie a te, per averne fatto parte. Ci sono molte persone da ringraziare per questo libro - per l'intera serie Kissing Booth – ma farò del mio meglio.

Un enorme grazie a tutti alla Darley Anderson Agency. Clare, per essere una vera rockstar più che un'agente; Sheila, per tutto il tuo lavoro dietro le quinte degli adattamenti cinematografici; Kristina, Georgia e Mary nell'ufficio diritti. Non avrei potuto chiedere una squadra migliore a rappresentare i miei libri.

E a proposito di tutti coloro che stanno dietro le quinte – grazie a Naomi, Sara e Shreeta per il vostro aiuto nell'editing, e al resto del team di PRH. E grazie a tutta la squadra di Wattpad, per avermi dato una piattaforma per condividere la storia di Elle fin dal 2011.

E poi: la squadra che ha creato il film! Ho sempre saputo come sarebbe finita la storia di Elle e Noah. Ricordo di averne discusso con Vince Marcello, il nostro meraviglioso sceneggiatore e regista, quando stavamo parlando della sua visione per il primo film. È stata una sfida davvero unica scrivere il romanzo del film basato sui miei romanzi, ma è stato ancora più emozionante (e facile!) grazie a Vince che ha colto così bene l'essenza dei miei personaggi. Quindi grazie a Vince per essersi preso così tanta cura di Elle, Lee e Noah, e al team di Komixx e Netflix per aver trasformato i miei romanzi in film così incredibili – e al cast per aver dato vita ai miei personaggi in modo davvero splendido.

Ovviamente, nella lista dei ringraziamenti da fare c'è anche la mia famiglia, quindi adesso tocca a loro. Grazie a mamma e papà, che non avevano idea di quello che sarebbe successo quando ho detto per caso che stavo caricando un libro online nel bel mezzo degli esami - per aver risposto a tutte le mie chiamate su FaceTime per condividere qualsiasi notizia strana e meravigliosa sul romanzo... o per essere venuti con me a Cape Town per vederlo prendere vita (grazie, papà!). Grazie, Kat, per avermi tenuta con i piedi per terra e per essere una sorella così brillante. Grazie a zia Sally e zio Jason per le risate e Ruby per le coccole. Grazie sempre a Gransha, per essere la mia più grande fan in assoluto.

Anche i miei amici hanno sicuramente bisogno di un enorme grazie. Ho scritto questo libro in meno di cinque settimane, alla fine del 2019, e voi ragazzi siete stati un sostegno impagabile. Grazie ad Amy e Katie per le divertenti serate trascorse insieme a Londra in quel periodo e per avermi aiutato a restare a galla. Grazie, Haz, per essere sempre felice dei successi della sua compagna di laboratorio, e anche Emily e Jack. A Lauren e Jen, a Hannah ed Ellie, per avermi fatta sorridere e avermi fatta restare sana di mente; e, come sempre, ad Aimee, che mi conosce da quando ero un'adolescente goffa e introversa che scriveva in segreto, e che a sua volta ha sempre qualche storia fantastica da condividere.

E poi, grazie a me. (Perché, sapete, questi sono i miei ringraziamenti, e devo ammettere che la me stessa del passato si merita una pacca sulla spalla.) Grazie a me, per essere stata una quindicenne così strana da voler trascorrere il tempo nella sua stanza invece di uscire, passando ore a perdersi in un documento di Word, e per aver trovato il coraggio di condividere alcune di quelle storie online, e trovare in Wattpad una community che ha dato inizio al percorso che mi ha portata qui.

Il che, immagino... mi riporta da voi. I miei adorabili lettori.

Sia che abbiate seguito *The Kissing Booth* sin dai primi giorni su Wattpad, sia che stiate scoprendo i libri solo ora grazie ai film... siete qui e per questo vi ringrazio. Spero che questo vi abbia riportato alle gioie e ai drammi del primo amore – o abbia acceso in voi una scintilla di disperato romanticismo, o vi abbia ricordato il vostro migliore amico, con cui vi divertivate al fondo della classe. E se siete adolescenti con una storia da raccontare... ehi, buttatevi. Chi sa cosa potrebbe venirne fuori?

Io sono arrivata fin qui, grazie a The Kissing Booth.

A proposito dell'autrice

Beth Reekles ha scritto il romanzo The Kissing Booth all'età di quindici anni e ha iniziato a caricarlo sulla piattaforma di condivisione Wattpad, dove ha accumulato oltre 19 milioni di visualizzazioni. Ha firmato un contratto per tre romanzi con la Random House UK all'età di diciassette anni, quando stava ancora finendo le scuole superiori.

Dopo essersi laureata in fisica alla Exeter University, Beth ora lavora nel settore informatico e ha pubblicato cinque libri con Penguin Random House Children's: Kissing Booth, Rolling Dice, Out of Tune, Kissing Booth: La casa sulla spiaggia e Kissing Booth 2: Un amore a distanza. Il suo ultimo romanzo The Kissing Booth 3: One Last Time sarà pubblicato nel 2021. Oltre a scrivere nuovi emozionanti romanzi, Beth ha un blog in cui parla di scrittura e della vita da ventenne. È entrata nella shortlist per il Women of the Future Young Star Award 2013, il Romantic Novel of the Year Awards 2014 e il Queen of Teen Awards 2014. È stata nominata tra i 16 Teenagers più influenti del 2013 dalla rivista Time e nell'agosto 2014 ha ottenuto la sesta posizione nella lista dei "Top 20 under 25" del giornale The Times.

THE KISSING BOOTH

Rochelle ha diciassette anni, è bella, popolare, brillante.
Non ha mai avuto un fidanzato, solo cotte per tipi sbagliati.
E Noah non fa eccezione. Anche lui è inaffidabile, tenebroso,
irritante. E con le ragazze vuole solo divertirsi.
Rochelle non ha alcuna intenzione di cedere. Perché di una cosa è
certa, Noah non è quello giusto.
Glielo ripete di continuo anche Lee, il suo migliore amico,
l'unica persona a cui Rochelle non potrebbe mai rinunciare.
Ma il fatto che Lee sia il fratello di Noah complica ogni cosa.
Soprattutto quando Lee scopre un segreto, un segreto inconfessabile
che non può, o forse non vuole, condividere con Rochelle.

Un esordio sorprendente, una storia d'amore che si divora
compulsivamente, come un film.

THE KISSING BOOTH 2
L'amore a distanza

L'estate è ormai giunta al termine, ed Elle sembra aver finalmente trovato un equilibrio con il suo ragazzo, il bello e non più così dannato Noah Flynn. Certo, i problemi non sono finiti: Noah sta per trasferirsi a Harvard per il college, a più di 5000 chilometri da lei, e la loro storia sembra doversi trasformare in "un amore a distanza".
Ma senza nemmeno l'appoggio del suo migliore amico Lee, a consolarla e consigliarla, è tutto più difficile. Come se non bastasse, il nuovo vicino di casa, Levi, sembra trovarsi sempre nel posto giusto al momento giusto. Ed è così carino... Elle però è determinata a tenere insieme i pezzi della sua vita. Perlomeno fino al giorno in cui non scopre su Instagram una foto in cui Noah è abbracciato a un'altra.

A quel punto la domanda è una sola: Elle combatterà per l'amore o preferirà la vendetta?

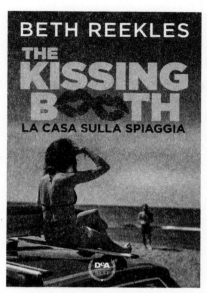

THE KISSING BOOTH
La casa sulla spiaggia

Finalmente è arrivata l'estate, e per Rochelle e il suo migliore amico
Lee significa solo una cosa: la casa sulla spiaggia.
È lì che hanno trascorso tutte le vacanze da quando sono nati, però
quest'anno le cose saranno un po' diverse: tanto per iniziare ora
Rochelle è la ragazza di Noah, il fratello maggiore di Lee.
E poi sarà l'ultima volta che si troveranno tutti insieme sotto
lo stesso tetto. Perché Noah è in partenza per il college.

Tra baci rubati, partite a pallavolo sulla spiaggia, e passeggiate
al chiaro di luna, *La casa sulla spiaggia* ci racconta quella
che per Rochelle sarà un'estate indimenticabile.

ULTIMI VOLUMI PUBBLICATI

K. McGarry, *A un respiro da te*

S. Rees Brennan, *Le terrificanti avventure di Sabrina. Figlia del caos*

Blue Jeans, *L'inganno di cristallo*

E. Piccinino, *La poesia degli istanti mancati*

P. Zannoner, *Il bardo e la regina*

N. Kenwood, *L'amore come l'avevo immaginato*

Y. Rahman, *Tutta la vita davanti*

C.G. Miranda, *Il club dei lettori assassini*

S. Rees Brennan, *Le terrificanti avventure di Sabrina. Un amore di strega*

T. Banghart, *Iron Flowers. Regina di cenere*

B. Reekles, *The Kissing Booth. La casa sulla spiaggia*

J. Lorente, *A proposito della tua bocca*

Eigei, *Il tempo è una vertigine*

F. Sangalli, F. Bozzetti, *L'imprevedibile movimento dei sogni*

S. Perkins, *Cosa resta dell'estate*

S. Shepard, *The perfectionists*

L. Bizzaglia, *Abbi cura di splendere*

J. Rothenberg, *The kingdom*

C.H. Parenti, *Un intero attimo di beatitudine*

R.M. Romero, *Il fabbricante di sogni*

Blue Jeans, *La ragazza invisibile*
E. Lockhart, *Le ragazze non possono entrare*
L. Flanagan, *L'estate di Eden*
C. Ahern, *Flawed. Il momento della scelta*
J. Buxbaum, *La teoria imperfetta dell'amore*
K. McGarry, *Ogni nostro segreto*
J. Klein, *No Filter*
T. Banghart, *Iron Flowers*
B. Reekles, *The Kissing Booth*
P. Zannoner, *Rolling Star. Come una stella che rotola*
L. Ballerini, *Ogni attimo è nostro*
J. Segel, K. Miller, *Otherworld*
A. Ferrari, *Le ragazze non hanno paura*
A. Day, *The Fandom*
D. Paige, *La ladra di neve*
C. Delevingne, *Mirror, Mirror*
L. Facchi, *Il giglio d'oro*
C. Crowley, *Io e te come un romanzo*
H. Fitzpatrick, *Un cattivo ragazzo come te*
L. Patrignani, *Time Deal*
R. Graudin, *Wolf. Il giorno della vendetta*
J. Klein, *Playlist*
K. McGarry, *Un cuore bugiardo*
D. Pearl, *Ruin Me*
L. Rubin, *Birthdate*
P. Zannoner, *L'ultimo faro*
J. Niven, *L'universo nei tuoi occhi*
A. Royer, *Ricordati di dimenticare*
J. McNelly, *Le ragazze vogliono la luna*
A. Plum, *If I Should Die*

G. Moldavsky, *The Boy Band*

C. Ahern, *Flawed*

D. Reinhardt, *Il Club delle Seconde Occasioni*

S. Young, *The Recovery*

S. Young, *The Treatment*

J. Buxbaum, *Dimmi tre segreti*

M. Bedford, *Tutta la verità su Gloria Ellis*

K. McGarry, *Una sfida come te*

R. Graudin, *Wolf. La ragazza che sfidò il destino*

L. Sales, *Resta con me fino all'ultima canzone*

A.G. Bailey, *Perfect*

E. Laure, *La notte che ho dipinto il cielo*

B. Ashton, *Everneath*

A. Plum, *Until I die*

M. McStay, *La strada che mi porta a te*

L. Rubin, *Deathdate*

A. Talkington, *Liv, forever*

S. Bowen, *Prendimi per mano*

S. Perkins, *Il primo amore sei tu*

J. Niven, *Raccontami di un giorno perfetto*

L. Hillyer, *Per un attimo e per sempre*

C. Philpot, *Nemmeno in paradiso*

P. Zannoner, *A piedi nudi, a cuore aperto*

K. McGarry, *Un'estate contro*

E. Cahill, *Regole d'amore per amici confusi*

R. Serle, *Io, Romeo e Giulietta*

S. Young, *The Program*

K. West, *Reflections*

S. Perkins, *Il primo bacio a Parigi*

A. Plum, *Die for me*

V. Roth, *Four*
J. Murphy, *Amore e altri effetti collaterali*
C. Moracho, *Althea & Oliver*
K. McGarry, *Scommessa d'amore*
H. Fitzpatrick, *Quello che c'è tra noi*
E. Lockhart, *L'estate dei segreti perduti*
K. McGarry, *Oltre i limiti*
V. Roth, *Allegiant*
V. Roth, *Insurgent*
V. Roth, *Divergent*